JN096334

これで合格

公務員合格ゼミ

社会

学校法人 公務員ゼミナール
小宮　康 編著

いいずな書店

まえがき

昨今、働きがいのある職業として、また安定した職業として公務員が脚光を浴びています。特に、若者の非正規雇用の増加や格差の拡大が進行するなかで、自らの努力によってその身分が得られる公務員の人気は根強いものがあります。しかし一方、公務員の人員削減が進行する中で、その門はやはり狭いと言わざるを得ません。

では、そのような難関をくぐり抜けるには、どのような勉強をしたらよいのか？

これは公務員を希望する人に共通の悩みでしょう。実際、公務員試験をみると、あらゆる科目のあらゆる分野から出題されているように思え、どこから勉強の手をつけてよいか途方にくれてしまうかも知れません。

本書はそのような悩みを持つ人への一助となるべく作られたものです。私たちは長年、公務員希望者を直接指導するなかで、受験生にとって最も効率よく、またわかりやすい勉強方法を追求してきました。本書にはその成果がふんだんに盛り込まれています。

たとえば、各教科の内容は必要最低限のものにしぼり込まれていますが、これは長年、本試験の出題傾向を分析した結果に基づいています。また、解説は受験生の弱点・盲点を把握した上で書かれているため、類書にない懇切丁寧なものとなっています。

どこを、どのように勉強すればよいのか――そう思ったら、本書を使ってみて下さい。最も確実な答えがそこにあるはずです。

皆さんが本書を活用されて、合格の栄冠を勝ち取られることを願ってやみません。

公務員ゼミナール講師陣

公務員試験のなかみ

高卒程度・初級試験

	試験の種類	事務系	技術系	体力系	主な内容
一次試験	教養試験（基礎能力試験） 五肢択一	◎	◎	◎	次頁に詳細。
	適性試験 （事務適性検査） 五肢択一	○	×	×	120題15分（国家公務員）、100題10分（地方公務員）など。簡単な計算や図形の正誤、文章や記号の比較などの問題。短時間にできるだけ多く解答することが求められる。実施しない県・市町村もある。
	専門試験 五肢択一	×	◎	×	40題100～120分、30題90分など。「土木」「建築」「電気」など、募集区分に対する専門試験。
二次試験	体力試験	×	×	◎	受験先により内容が異なる。一次試験で実施する場合もある。
	作文試験	◎	○	○	50分で600字程度、60分で800～1200字程度など。 一次試験で実施しても、二次試験の際に評価される場合が多い。
	面接試験	◎	◎	◎	個別面接が主流。集団面接（数名の受験者をまとめて面接）や集団討論（受験者同士が、与えられた課題について議論する）を実施することもある。

大卒程度・中上級試験

	試験の種類	事務系	事務系以外	体力系	主な内容
一次試験	教養試験（基礎能力試験） 五肢択一	◎	◎	◎	次頁に詳細。
	専門試験 五肢択一	◎	◎	×	40題120～180分など。事務系は、「法律」「経済」「行政」から出題される。それ以外は、募集区分に対する専門試験。一部の市町村では実施されない。
	適性試験 （事務適性検査） 五肢択一	△	×	×	一部の市町村で実施。100題10分。簡単な計算や図形の正誤、文章や記号の比較などの問題。短時間にできるだけ多く解答することが求められる。
二次試験	体力試験	×	×	◎	受験先により内容が異なる。一次試験で実施する場合もある。
	論文試験	◎	◎	◎	60～120分で600～1600字程度。 一次試験で実施する場合もある。
	面接試験	◎	◎	◎	個別面接が主流。集団面接（数名の受験者をまとめて面接）や集団討論（受験者同士が、与えられた課題について議論する）を実施することもある。

教養試験の出題内訳

高卒程度・初級試験

		総出題数（解答時間）	数的推理（数的処理）	判断推理（課題処理）	社　会	国語・英語	理　科
国家公務員	国家一般 税務職 海上保安官 刑務官	40題（90分）	7題	7題	11題	11題	4題
	裁判所一般	45題（100分）	13題	4題	14題	10題	4題
地方公務員	県職 警察官	50題（120～150分）	9題	8題	14題	13題	6題
	市町村職 消防官 （Standard）注4	40題（120分）	8題	7題	14題	6題	5題

大卒程度・中上級試験

		総出題数（解答時間）	数的推理（数的処理）	判断推理（課題処理）	社　会	国語・英語	理　科
国家公務員	国家一般 国税専門官	40題（140分）	9題	7題	10題	11題	3題
	裁判所一般	40題（180分）	9題	7題	10題	11題	3題
地方公務員	県職 警察官	50題（150分）	8題	9題	18題	9題	6題
	市町村職 消防官 （Standard）注4	40題（120分）	7題	8題	14題	6題	5題

注１　分野ごとの出題数は年度によって若干異なります。

注２　大学生・大学卒業者でも、受験可能な高卒・初級程度の試験があります（刑務官、海上保安官など）

注３　一般的な出題内訳は、以上の通りです。なお、これ以外のパターンもありますので、受験する試験の受験案内をご確認ください。

注４　市町村・消防官の教養試験は、Standard（標準タイプ）・Logical（知能重視タイプ）・Light（基礎力タイプ）の３タイプが施行されています。上表ではStandardの出題内訳を掲載しています。Logicalの総出題数・解答時間はStandardと同じですが、Lightは60題・75分です。自治体や職種によってタイプが異なることもありますので、受験案内等でご確認ください。詳細につきましては、日本人事試験研究センターの http://www.njskc.or.jp/ をご参照ください。

合格のための勉強法

①教養合格ラインは6～7割

これだけたくさんの出題分野を「すべて完璧に」勉強するのは、誰にもできないことです。そのため合格点はあまり高くなく、問題の難易度にもよりますが、難関といわれる試験で7割程度、ふつうは6割程度です。

②やさしい問題、よくでる問題を集中的に

難しい問題も1点、簡単な問題も1点です。難しい問題は、それがわかるようになるための勉強時間も膨大なものになりますし、本番でも解く時間がかかります（1題に5分以上かけていては他の問題を解く時間がなくなる！）。

資格試験（基準点をこえないと合格しない）ではなく、競争試験（他の人より1点でも高ければ合格する）ですから、みんなが解けない難問は自分も解けなくてよいのです。

みんなが解ける問題を自分も確実に解くこと、これが公務員試験対策の基本です。公務員合格ゼミシリーズは、難問を思い切って省略し、合格のために必要な問題のみを選びぬいて掲載しています。

③「学校で習わない」出題数の多い数系でまず得点

公務員試験独特の分野である「数的推理（数的処理）」「判断推理（課題処理）」「資料解釈」は、学校では習わない教科で、一番とまどう問題です。公務員合格ゼミシリーズ『数的推理』『判断推理』を使って、解法パターンをマスターすることが大切です。例題で解き方の基本を押さえ、演習を繰り返し解いて、「この問題はこの解き方だ！」とすぐにひらめくようにしましょう。

この分野は、出題数も多く、ここで点をかせぐことが重要です。出題数の$\frac{2}{3}$程度が目標得点です。

④「捨て教科を作らない」知識系は広く浅く

いくらある教科が得意でも、その教科の出題を必ず全問解けるようにするためには「高校の教科書をすみからすみまで」やる必要があります。そんな勉強をやるより、不得意教科の簡単な分野を勉強する方がはるかに勉強時間は少なくてすみます。

数系以外の教科は、公務員合格ゼミシリーズ『社会』『理科』を使って、まず「まとめ」をノートなどに書いて覚えましょう。その上で演習を解いて、知識が定着しているかどうかを確かめていきます。

特に高校を卒業してから時間がたっている方は、ここの分野をつい放置してしまいがちですが、理系であれば社会、文系であれば理科を特に意識して勉強していきましょう。

捨て教科を作らず、どの教科も基本的な問題は必ず解けるようにします。出題数の$\frac{1}{2}$程度が目標得点です。

⑤いろんな過去問をやっておこう

公務員試験は、一部の例外を除いて、人事院及びその外郭団体が一括して作成しています。たくさんの問題を作成しなければならないため、数年前に他の職種で出題した問題に手を加えて出題することが多くみられます。

ですから、警察官志望だから警察官の過去問だけしかしない、というのは間違った考え方なのです（言い方を変えれば、警察官の試験にだけ出る問題というのもありません）。

また、中上級のベーシックな問題は、初級の問題とレベルは変わりません。大卒程度の試験を受ける場合は、まず、本書に掲載されたレベルの問題は確実に解けるようにしておきましょう。さまざまな過去問を多数こなせば、本番試験で同じ問題に出会うことも多くなります。

公務員合格ゼミシリーズは、そのような理由から過去問だけで構成しており、シリーズ全体で900題以上もの過去問を網羅しています。一度すべてを解いた人も、試験直前には、もう一度問題をやり直してみましょう。

◎出題頻度について

本書では、各項目の問題の出題頻度を星印の数で表示しています。

出題頻度 ★★★★	最頻出。繰り返し練習し、得点源にしてほしい。
出題頻度 ★★★	頻出。必ず理解・習得しておくべき。
出題頻度 ★★	標準。確実に合格するためには、ここまでは学習しておきたい。
出題頻度 ★	出題頻度は高くない（試験によっては出題が見られる）。

目次

I　政治経済／倫理

II　日本史

III　世界史

Ⅳ 地理

執筆　　小宮　康
福島頌之

I
政治経済／倫理

I - 1

民主政治の基本原理

出題頻度 ★★★

要点

① 国　家

●**夜警国家（消極国家）**……市民の自由（**自由権**）を確保するために、国家の役割（国家の市民生活に対する介入）を国防・治安維持など**最小限の機能に限定**する国家。19 世紀頃のヨーロッパで確立。

●**福祉国家（積極国家）**……生存権などの**社会権**を保障するために、国家の役割（国家の市民生活に対する介入）が拡大し、社会的弱者の保護や社会的平等の実現につとめる国家。20 世紀に確立。

② **法の支配**……イギリスで確立した原則

●権力を法に服させることによって国民の権利を擁護する原理。国民の権利を侵害する法は認められない＝「**悪法は法にあらず**」

●**法治主義**……ドイツで確立した原理で、「法の支配」と似ているが「悪法も法なり」を理念とする点が異なる。

③ **国民主権**

国の政治のあり方を最終的に決定する力（主権）は国民にある。

④ **基本的人権の保障**

●人間は生まれながらにして自由・平等であるとする。

・自由権的基本権……自由権、平等権など 18 ～ 19 世紀に確立した人権。国家の介入を排除する権利。

・社会権的基本権……生存権など、人間たるに値する生活を営む権利。20 世紀、ドイツの**ワイマール（ヴァイマル）憲法**が初めて規定した。

⑤ **権力分立**

●国家権力を分割して独立の諸機関に分担させ、たがいに**抑制均衡**させて権力の**濫用を防止**しようとする原理。

●**モンテスキュー**（主著『法の精神』）が完成。

⑥ 間接民主制

●国民が選挙によって選出した代表者（議員）を通して間接的に国家意思の決定と執行に参加する仕組み。

⑦ 各国の政治制度

●**イギリス**

・内閣が議会（下院）の信任に基づいて成立する**議院内閣制度**。議会（下院）が内閣不信任を決議すると、内閣は総辞職するか議会を解散しなければならない。

・議会は上院、下院の二院制。**下院優越**の原則が確立している。

・**不文憲法**の国家……裁判所は違憲立法審査権をもたない。

●**アメリカ合衆国**

・立法、行政、司法の三権が厳格に分離している**大統領制度**。

・**共和党**と**民主党**の二大政党制。

・議会は上院、下院の二院制。上院は各州２名選出、下院は州の人口に応じて選出される。

・大統領は**間接選挙**によって選出され、任期は４年で**三選禁止**。

・大統領は、議会への出席権、法案提出権、議会の解散権を**持たない**。

・大統領は、議会に政策を示す**教書**を送付する権限と、議会の議決に対する**拒否権**をもつ。

●**フランス**

・大統領と首相が併存する半大統領制。

・大統領の権限が強く、首相の任命権や議会の解散権をもつ。

●**中国**

・共産党による一党独裁。

・国家の最高機関は**全国人民代表大会**。

演　習

1 次の文は国家の役割について述べているが、（　A　）～（　C　）に入るものとして妥当であるものはどれか。［県・政令指定都市］

近代初期、人びとが新しい政治理念に基づいて（　A　）を築きあげたさい、国家の果たすべき役割は、必要最小限のものであるべきだと考えた。このように、市民社会を維持するための必要最小限の役割しか期待されない国家のことを、（　B　）又は消極国家という。こうした自由主義的な国家観の下で、資本主義は発展した。やがて高度に発達した資本主義の下で社会問題や労働問題が生ずるようになり、国家が経済の諸過程に入りこんで、利害の調整をはからねばならなくなった。さらに文化や教育の面でも国家の役割が期待されるようになった。これらの仕事をになう現代の国家を（　C　）又は積極国家という。

	A	B	C
1	市民国家	夜警国家	福祉国家
2	行政国家	夜警国家	市民国家
3	市民国家	夜警国家	行政国家
4	行政国家	福祉国家	夜警国家
5	市民国家	行政国家	福祉国家

2 法の支配に関する記述として、最も妥当なのはどれか。［警視庁］

1　絶対王政の時代には、国王が自分の都合に合わせて法を制定し、国民を支配する「法の支配」が行われていた。
2　法の支配とは、恣意的な支配を排斥するために、権力を法によって拘束し、国民の権利を擁護しようとする原理のことをいう。
3　ドイツのエドワード＝コークは、「国王といえども神と法のもとにあるべきである」と述べ、王権神授説の考え方を主張した。
4　アメリカで発達した法治主義の原理は、法の内容が合理的でなければならないことを要求する点で、法の支配の原理と同じである。
5　イギリスのブラクトンは、国王もコモン＝ローに従うべきであるという法治主義の考え方を主張した。

米国の政治に関する記述Ａ～Ｄのうち、妥当なもののみを挙げているのはどれか。　［国家一般］

Ａ　連邦議会は、任期に定めのない上院議員と、各州２名の下院議員で構成されており、条約の締結や予算の承認といった事項は下院の専権事項である。

Ｂ　大統領は間接選挙によって、４年間の任期で選ばれる。国民は大統領選挙人を選び、その選挙人によって大統領が選ばれる。

Ｃ　大統領は法案提出権を持つとともに、議会が可決した法案への拒否権を持つ。また、議会で不信任決議が可決された際には議会を解散することができる。

Ｄ　司法権の独立性が強く保たれており、連邦最高裁判所に違憲立法（法令）審査権が与えられている。

1　Ａ　Ｂ
2　Ａ　Ｃ
3　Ａ　Ｄ
4　Ｂ　Ｄ
5　Ｃ　Ｄ

4　世界の政治体制に関する記述として、妥当なのはどれか。　［特別区］

1　イギリスの議会は、国民が直接選挙した議員からなる上院と、国王が任命した終身議員からなる下院で構成され、上院優位の原則が確立されている。

2　イギリスの内閣は、上院が内閣の不信任を決議した場合は総辞職をしなければならず、上院を解散することはできない。

3　アメリカの議会は、各州から２人ずつ選出される上院と、各州から人口比例で選出される下院で構成され、立法権や予算議決権をもつ。

4　アメリカの大統領は、議会が可決した法案への署名を拒否する拒否権や議会を解散する権限をもつ。

5　中国では、国の最高権力機関として国務院が置かれ、その下に最高行政機関として全国人民代表大会が置かれている。

5 政治体制に関する記述として最も妥当なのはどれか。 ［海上保安等］

1　議院内閣制では、議会の多数党派に権力が集中し、多数党派が指導政党として立法・司法・行政の各機関を支配するため、権力集中制とも呼ばれる。

2　米国の大統領制は、大統領と議会が互いに抑制・均衡し合う仕組みであり、行政府と立法府が異なる政党を中心に組織されると、意見が分かれて意思決定ができないことがある。

3　米国では、大統領は議会への法案提出権を持つが、議会が大統領の提出した法案を否決した場合は、大統領は拒否権を発動して再度審議を行わせることができる。

4　英国では、上院と下院の権限は対等であるため、下院が可決した法律案を上院が否決した場合内閣は上院を解散して国民の審判を仰ぐことがある。

5　ロシアでは、共産党による一党独裁体制の下、共産党の指導者が大統領として行政権の一部を行使しつつ、内閣も並存する半大統領制が採られている。

Ⅰ-2
日本国憲法の原則

出題頻度 ★★★★

要点

① 日本国憲法の三大原則……国民主権・平和主義・基本的人権の尊重

●大日本帝国憲法（明治憲法）との主な違い

・国民主権のもと、民定憲法として発布（旧憲法は欽定憲法）。

・基本的人権……生まれながらにしてもつ**永久不可侵**の権利。
　公共の福祉に反しない限り最大の尊重。

・国会……衆議院、参議院の二院制（旧憲法は衆議院と貴族院の二院制）。

・内閣……議院内閣制を採用。

・裁判所……違憲立法審査権をもつ。

・地方自治を規定。

・義務……兵役の義務廃止。

② 天　皇

●天皇の地位

・天皇は日本国、日本国民統合の象徴。国政に関する権能をもたない。

・天皇は、**内閣の助言と承認**のもと、次のような**国事行為**を行う。
　国会の指名に基づき、**内閣総理大臣を任命**する。
　内閣の指名に基づき、**最高裁判所の長たる裁判官を任命**する。
　法律などの公布、国会の召集、栄典の授与など

③ 基本的人権の尊重

●自由権

・精神の自由
　思想・良心の自由
　信教の自由……国は特定の宗教団体に特権を与えてはならない。

集会・結社・表現の自由
学問の自由

・**人身の自由**

奴隷的拘束・苦役からの自由
法定手続きの保障……現行犯以外は、**裁判所**が発する**令状**によらなければ逮捕されない。
住居の不可侵……**令状**がなければ侵入・捜索できない。
罪刑法定主義……法律を改正しても、過去の行為については処罰の対象とすることができない。(刑罰不遡及の原則)
黙秘権……自白のみを証拠として有罪とすることができない。

・**経済の自由**

憲法の条文において、**公共の福祉による制限**が明記されている。

居住・移転及び職業選択の自由
財産権の不可侵……国が公共のために私有財産を用いる場合は、**正当な補償**が必要。(無償で私有財産を使用できない)

●**平等権**

法の下の平等、両性の本質的平等。

●**社会権**

生存権……健康で文化的な最低限度の生活を営む権利。
教育を受ける権利……義務教育の無償。
勤労権
勤労者の団結権・団体交渉権・争議権
……すべての公務員は**争議権**が認められていない。

●**請求権**

請願権、国家賠償請求権、**裁判を受ける権利**、刑事補償請求権。

●**参政権**

在日外国人には保障されていない。
公務員を選定・罷免する権利、憲法改正の国民投票権など。

●**新しい人権**

・**憲法に明文の規定はない**が、社会情勢や生活環境の変化などにより主張されるようになった人権。

・憲法第 13 条の**幸福追求権などを根拠**とする。

・環境権、知る権利、プライバシーの権利など。

●**国民の義務**（三大義務）

・保護する子女に普通教育を受けさせる義務、勤労の義務、納税の義務。

④　憲法改正

●**硬性憲法**……普通の法律より厳しい改正手続きが必要

・改正手続き……**両議院の総議員の 3 分の 2 以上の賛成で国会が発議→国民投票で過半数の賛成**で承認→天皇が国民の名で改正を公布。

・国民投票法にもとづき、投票権は 18 歳以上。

演　習

6 大日本帝国憲法及び日本国憲法に関する記述として最も妥当なのはどれか。

［海上保安等］

1　大日本帝国憲法は、欽定（きんてい）憲法であったが、アメリカ合衆国憲法の影響を強く受けて制定されたことから、人が生まれながらにしてもつ基本的人権が保障されていた。

2　大日本帝国憲法の下では、天皇は、立法権と行政権を有していたが、司法権は裁判所に属し、裁判官が独立して行使することとされていた。また、帝国議会は、一院制であった。

3　日本国憲法では、国民主権が定められ、これを具体化するものとして、国民の参政権が保障されるとともに、国会中心主義や地方自治などの諸制度が定められている。

4　日本国憲法は、国法の中での最高の規範であるが、普通の法律と同じ手続で改正することのできる軟性憲法の範疇（ちゅう）に属する。

5　日本国憲法では、大日本帝国憲法とは異なり、納税の義務以外に国民に義務を課す規定は置かれていない。

7 次のＡ～Ｅのうち、日本国憲法に規定する天皇の国事行為に該当するものを選んだ組合せとして、妥当なのはどれか。 ［特別区］

Ａ　国務大臣を任命すること
Ｂ　大赦及び特赦を決定すること
Ｃ　国会を召集すること
Ｄ　条約を締結すること
Ｅ　最高裁判所長官を任命すること

１　Ａ　Ｃ
２　Ａ　Ｄ
３　Ｂ　Ｄ
４　Ｂ　Ｅ
５　Ｃ　Ｅ

8 日本国憲法が保障する自由権に関する記述として最も妥当なのはどれか。 ［市町村］

１　表現の自由は、例外なく保障されるので、他人の私生活やプライバシーを侵害する場合であっても、その自由は認められる。
２　信仰の自由が保障されており、国が認めた宗教に限り、国民は信仰することができる。
３　身体の自由については、罪刑法定主義が明記されており、犯罪に対しどのような刑罰を科すかは、法律に基づき決定されなければならない。
４　死刑制度は、憲法が保障する奴隷的拘束・苦役からの自由を侵害する制度なので、日本では認められていない。
５　財産権はいかなる場合も保障されており、公共のためであれば、国が正当な補償のもと私有財産を用いることについても、明文の規定がない。

9 日本国憲法が保障する身体の自由に関する記述として最も妥当なのはどれか。 ［市町村］

1　被疑者の逮捕にあたっては、現行犯の場合も含めて、裁判官が発する令状がなければならない。
2　捜査機関が取り調べにあたり被疑者の自白を得ることができない場合は、裁判官の発する令状がある場合に限り拷問を行うことが許される。
3　被疑者は捜査機関の取り調べに対し、自己に不利益な供述を拒否することができる黙秘権を有する。
4　ある行為がなされた時点で、それを犯罪とする法律が制定されいなかった場合でも、後にそれを犯罪とする新しい法律が制定されれば、犯罪として罰せされる。
5　有罪判決を受けた後に無罪とすべき新しい証拠が見つかっても、有罪となった者は裁判のやり直しを請求することができない。

10 次のＡ～Ｆの日本国憲法の条文のうち、社会権に属するもののみを全て挙げているものはどれか。 ［裁判所］

Ａ　何人も、公共の福祉に反しない限り、居住、移転及び職業選択の自由を有する。
Ｂ　勤労者の団結する権利及び団体交渉その他の団体行動をする権利は、これを保障する。
Ｃ　何人も、法律の定める手続によらなければ、その生命若しくは自由を奪はれ、又はその他の刑罰を科せられない。
Ｄ　すべて国民は、健康で文化的な最低限度の生活を営む権利を有する。
Ｅ　すべて国民は、法律の定めるところにより、その能力に応じて、ひとしく教育を受ける権利を有する。
Ｆ　学問の自由は、これを保障する。

1　Ａ、Ｃ、Ｅ　　2　Ａ、Ｄ、Ｆ　　3　Ｂ、Ｃ、Ｄ
4　Ｂ、Ｄ、Ｅ　　5　Ｃ、Ｅ、Ｆ

11 社会権に関する記述として最も妥当なのはどれか。 [国家一般]

1　社会権は、ドイツのワイマール憲法において初めて規定され、日本国憲法では生存権、労働基本権、教育を受ける権利が保障されている。
2　日本国憲法では、国民に勤労（労働）の権利を明示しているが、一方で一定の収入があり生活が安定している場合もあることから勤労の義務は明示していない。
3　日本国憲法では、すべて国民は健康で文化的な最低限度の生活を営む権利を有すると規定しているが、国民の社会福祉や社会保障の向上などに関する規定はない。
4　日本国憲法では、勤労者の団結権・団体交渉権・団体行動権（争議権）を定めているが、公務員については、団体交渉権と団体行動権が一切認められていない。
5　人間が人間らしく生きるには、一定の知識・教養等を身に付ける必要があり、日本国憲法ではすべての国民にその能力にかかわらず平等に高等教育までの教育を受ける権利を保障している。

12 日本国憲法の保障する基本的人権に関する記述として最も妥当なのはどれか。 [刑務官]

1　憲法は、職業選択の自由を保障している。職業選択の自由は資本主義経済の根幹を成すものであるため、公共の福祉による制限を受けないとされている。
2　憲法は、労働組合が使用者と交渉する争議権などを保障しており、これを具体化するものとして、労働三法といわれる、労働組合法、労働関係調整法、労働安全衛生法が整備されている。
3　憲法は、全ての国民に、その能力に応じて、等しく教育を受ける権利を保障するとともに、保護者が保護する子どもに普通教育を受けさせる義務と、義務教育の無償を定めている。
4　憲法は、性別による差別を禁止しており、これを具体化するものとして、男女雇用機会均等法は、企業に対して男女同数を雇用することや一定数の女性役員を置くことを義務付けている。
5　憲法は、財産権を保障しているが、その保障内容を法律に委任しており、また、公共のためであれば、政府は私有財産を無償で用いることができるとしている。

13 日本国憲法の保障する基本的人権に関する記述として、最も妥当なのはどれか。 [海上保安等]

1　人身の自由として、何人も、法律の定める手続によらなければ、その意に反して自由を奪われないとされており、裁判を受けない権利が保障されている。
2　精神の自由として、思想及び良心の自由は、これを侵してはならないとされており、表現の自由が保障されるとともに、検閲は禁止されている。
3　経済の自由として、職業選択の自由や財産権が保障されており、私有財産を公共のために用いることはできないと規定されている。
4　社会権として、勤労権、団結権及び団体交渉権が保障されているが、このうち団結権及び団体交渉権については、公務員には適用されないと規定されている。
5　請求権として、知る権利が保障されており、何人も、行政機関が保有する行政文書の開示を請求して、これを自由に入手する権利を有すると規定されている。

14 憲法改正に関する記述として妥当なのはどれか。 [海上保安等]

1　憲法改正案については、先に衆議院に提出しなければならない。
2　憲法改正案は、あらかじめ最高裁判所の審査を受ける必要がある。
3　衆参両議院のそれぞれの総議員の３分の２以上の賛成がなければ、憲法改正の発議はできない。
4　内閣は、憲法改正案について衆参両議院の一方のみの同意しか得られないときは、国民投票にかけなければならない。
5　憲法改正案が成立するためには、国民投票で国民総数の３分の２以上の賛成が必要とされている。

I - 3

国　会

出題頻度 ★★★

要点

① 国会の地位

●**国権の最高機関**……主権者である国民の代表によって構成されているため。

●**国の唯一の立法機関**……例外は、地方公共団体の条例制定権など。

② 二院制……他院のいきすぎを抑え、議会専制を抑制する働き。

	定　数	被選挙権	任　　期	解　散
衆議院	465名	25歳以上	4年	あ　り
参議院	248名	30歳以上	6年　3年ごとに半数改選	な　し

③ 議員の特権

●発言等に関する院外での**免責特権**、国会の**会期中**における**不逮捕特権**（現行犯と院の許諾があった場合を除く）

④ 国会の種類

●**常会**（通常国会）……毎年1月に召集。会期150日で1回限り延長可。

●**臨時会**（臨時国会）……いずれかの議院の総議員の4分の1以上の要求のある場合、またはいずれかの議院の任期満了による選挙後に召集。

●**特別会**（特別国会）……衆議院解散後の総選挙の日から30日以内に召集。

●**参議院の緊急集会**……衆議院解散中に緊急の必要がある場合、内閣は参議院の緊急集会を求めることができる。

⑤ 衆議院の優越

●**法律案の議決**……参議院の意思が衆議院と一致しないとき、または60日以内に参議院が議決しないときは、衆議院で**出席議員の3分の2以上**の多数により**再可決**されれば、国会の議決となる。法律案は、内閣（政府）または国会議員が提出する。

●予算の議決

・**予算の先議権**……予算は必ず先に**衆議院**に提出しなければならない。

・参議院が衆議院と異なった議決をし、両院協議会でも意思が一致しない場合、または30日以内に参議院が議決しない場合は衆議院の議決が国会の議決となる。

●条約の承認……予算の場合と同じ。

●内閣総理大臣の指名……衆議院と参議院の意思が一致しない場合、または衆議院で議決後、10日以内に参議院が議決しない場合は衆議院の議決が国会の議決となる。

●内閣不信任決議……衆議院のみがもつ権限。

不信任案議決 ───┬─内閣総辞職
(信任案否決)　　　└─衆議院解散 ── 総選挙 ── 特別国会
　　　　　　10日以内　　　　　40日以内　　30日以内

特別国会が召集されると内閣総辞職→内閣総理大臣の指名

⑥　両院同等の権限

●憲法改正の発議権……両議院の総議員の3分の2以上の賛成が必要。

●国政調査権……国政全般に対して、調査できる権能。両院それぞれがもつ。(例)証人喚問など。

●裁判官の弾劾裁判権……罷免の訴追のあった裁判官を罷免するか否かを判断する裁判を行う権限。

演　習

15 憲法は、国会は「国権の最高機関」であると規定しているが、この意味として最も妥当なのはどれか。 **[市町村]**

1　国会は主権者である国民の意思を直接代表し、国政の中心にある重要機関である。
2　国会は、国の統治権を有し、対外的に国を代表する地位にある。
3　国会は、法案の提出権を独占し、判決をくつがえすことができるなど、内閣、最高裁判所の上位にある。
4　国会は内閣総理大臣を直接指揮し、国政の最終責任を負う地位にある。
5　国会は唯一の立法機関であり、したがって内閣、最高裁判所は国会に従属する。

16 我が国の国会に関する記述として、妥当なのはどれか。 **[特別区]**

1　国会には、通常国会のほか、衆議院の解散総選挙の後に開く臨時国会、内閣や国会議員の要求により召集される特別国会がある。
2　国会は、国権の最高機関であり、条約の締結、憲法改正の発議、内閣総理大臣の指名、最高裁判所長官の指名などの権限をもっている。
3　国会議員には、国会の会期中は法律の定める場合を除いては逮捕されないという権利が認められており、これを免責特権という。
4　参議院に対する衆議院の優越は、法律案の議決については認められるが、予算の議決については認められない。
5　衆議院及び参議院には、国政に関して調査をおこなう国政調査権が与えられているが、内閣不信任決議権は衆議院にのみ与えられている。

17 国会に関する記述として最も妥当なのはどれか。 [海上保安等]

1　通常国会（常会）は毎年4月に召集され、会期は180日とされており、その延長は認められていない。

2　両議院の定足数は、それぞれ総議員の3分の2以上となっており、議案は出席議員の過半数により可決し、可否同数のときは議長の決するところによる。

3　衆議院で可決し、参議院で否決された法律案は、衆議院で出席議員の3分の2以上の多数決で再び可決したときは法律となる。

4　国の基本法である憲法の改正は、衆議院および参議院の総議員の過半数の賛成で国会が発議し、国民投票において3分の2以上の賛成を必要とする。

5　会期中に衆議院が解散された場合、総選挙で選出された新議員による衆議院が召集されるまでの間、国会の空白を避けるため参議院の会期は続行される。

18 我が国の国会に関する記述として、妥当なのはどれか。 [特別区]

1　国会は、衆議院と参議院の両議院で構成され、内閣不信任案の議決権は、参議院にだけ認められている。

2　国会の両議院は、国政調査権を有し、これにより、証人の出頭や証言、記録の提出を要求することができる。

3　国会は、罷免の訴追を受けた国務大臣を裁判するため、両議院の議員で組織する弾劾裁判所を設置することができる。

4　国民の代表によって構成される国会は、国権の最高機関として、立法権、行政権及び司法権の全てを行使する。

5　国会議員には、議院で行った演説、討論又は表決について院外で責任を問われないという不逮捕特権が認められている。

19 我が国の国会に関する記述として最も妥当なのはどれか。 [国家一般]

1　衆議院と参議院はそれぞれ内閣に対して内閣不信任決議を行うことできるが、三権分立の観点からこの決議は法的効果をもたず、政治的意味をもつにとどまる。
2　国会議員には、政治的な独立を保つ観点から、議院の内外を問わず不逮捕特権及び免責特権が保障されており、その任期中に逮捕されることはない。
3　衆議院と参議院の議決が異なる場合、予算の議決を除き、両院協議会が開かれるが、それでも合意がなされない場合には、衆議院の議決が優先される。
4　国会には常会と特別会がある。常会の会期は150日であり、その延長はできない。一方、内閣が必要と認めた時に招集される特別会には会期の定めはなく、その延長も可能である。
5　衆議院と参議院には、それぞれの本会議と常任委員会及び特別委員会からなる委員会があり、議案については、実質的な審議は委員会で行われ、委員会の議決を経た上で本会議で議決される。

20 日本国憲法に定める衆議院の優越に関する記述として、妥当なのはどれか。 [大阪府]

1　衆議院で可決し、参議院で衆議院と異なった議決をした法律案は、衆議院で出席議員の３分の２以上の多数で再び可決したときは法律となる。
2　参議院で衆議院と異なった議決をした予算は、衆議院で総議員の過半数で再び可決したときは成立する。
3　条約の締結に必要な国会の承認については、参議院で衆議院と異なった議決をした場合でも、両議院の協議会を開く必要はなく、直ちに衆議院の議決が国会の議決となる。
4　参議院で衆議院と異なった内閣総理大臣の指名の議決をした場合、衆議院で出席議員の過半数で再び可決すれば、その議決が国会の議決となる。
5　法律案の議決、予算の議決、条約の承認及び内閣総理大臣の指名については、いずれも衆議院に先議権がある。

I－4

内閣・裁判所

出題頻度 ★★★

要点

① 内 閣

●内閣は**行政権**をもつ。内閣は総理大臣と国務大臣で構成される。

●**議院内閣制**……内閣が国会、特に衆議院の信任に存立の基礎をおく。

・内閣総理大臣は、**国会議員**の中から**国会**が指名し、天皇が任命する。

・国務大臣は、**過半数が国会議員**でなければならない。

・内閣総理大臣と国務大臣は**文民**（軍人でない者）でなければならない。

・内閣は国会に対して**連帯**して責任を負う。

・衆議院が**内閣不信任を決議**した場合は、衆議院を**解散**するか、内閣は**総辞職**する。

●**内閣総理大臣の権限**

・国務大臣の任免権……内閣総理大臣の**任意で任命・罷免**できる。（国会の承認などは不要である）

・閣議の主宰……閣議は**非公開**、議決は**全会一致**。

●**内閣の権限**……**条約の締結**、**予算の作成**、**政令の制定**、天皇の国事行為に対する助言と承認、最高裁判所長官の指名、その他の裁判官の任命など。

② 裁判所

●**司法権**……最高裁判所と下級裁判所のみがもつ。
特別裁判所は設置できない。行政機関が終審として裁判できない。

●**裁判所の種類**

・**最高裁判所**……終審裁判所（憲法の番人）

・**下級裁判所**……高等裁判所、地方裁判所、家庭裁判所、簡易裁判所

●**司法権の独立**……裁判官は他の機関からいっさいの干渉を受けず、裁判官は良心に従い職権を行い、憲法と法律のみに拘束される。

●**裁判官の身分保障**……公平な裁判を行うため。

・**任命**……最高裁判所＝長官は**内閣**が指名、**天皇**が任命。
その他の裁判官は**内閣**が任命。
下級裁判所＝**最高裁判所**が指名した者の名簿により**内閣**が任命。

・**罷免**……**公の弾劾**、**心身の故障**のため職務を執ることができないと裁判された場合以外は罷免されない。

最高裁判所裁判官は任命後すぐと10年を経過したとき、衆議院議員選挙の際、**国民審査**を受ける。

●**裁判の種類**

・三審制……同一案件で3回裁判を受けることができる。
（第一審、控訴審、上告審）

・刑事裁判……犯罪を処罰する裁判。検察官が原告となる。

・民事裁判……刑事裁判以外の裁判。

・裁判は、**原則公開**の法廷で行われる。

・**再審**……確定した判決に重大な誤りがあった場合、裁判のやり直しを請求できる。（例）足利事件、松橋事件など

●**違憲立法審査権**

・いっさいの法律、命令、規則または処分が憲法に適合するか、否かを審査する権限。

・**すべての裁判所**がもつ権限である。

・尊属殺人における刑法の重罰規定、衆議院議員定数の不均衡などが違憲とされた。

●**裁判員制度**

・対象となる事件は、死刑や無期懲役・禁固刑にあたる**重大犯罪などの刑事事件の一審**。

・裁判員は20歳以上の有権者から各事件ごとに無作為で選ぶ。

・事件ごとに職業裁判官3名と裁判員6名の合議体で協議し、**有罪・無罪の事実認定と量刑（刑罰の程度）を決める**。

公務員合格ゼミ「社会」訂正

p20
（訂正前）　裁判員は 20 歳以上の・・・
（訂正後）　裁判員は 18 歳以上の・・・

解答・解説書　p9［61］
（訂正前）　国民総生産（GDP）に関する記述である。
（訂正後）　国内総生産（GDP）に関する記述である。

解答・解説書　p11［72］
（訂正前）　２　・・・不換紙幣は、金本位制の下で発行される・・・
（訂正後）　２　・・・兌換紙幣は、金本位制の下で発行される・・・

演　習

21 わが国の内閣制は議院内閣制であるといわれるが、憲法で定められている次の事項のうち、議院内閣制の趣旨を明らかにしているのはどれか。

［国家一般］

1　衆議院で内閣不信任の議決があったとき、内閣は総辞職するか衆議院を解散するかしなければならない。
2　内閣総理大臣は国務大臣を任意に罷免することができる。
3　条約の締結権は内閣にあるが、内閣が条約を締結するには国会の承認を経なければならない。
4　予算の議決について、衆議院の議決には参議院の議決に優先するという権限が認められている。
5　内閣は憲法または法律の規定を実施するため、政令を制定することができる。

22 内閣総理大臣についての記述として妥当なのはどれか。

［県・政令指定都市］

1　内閣総理大臣は衆議院議員の中から国会の議決でこれを指名する。
2　内閣総理大臣の指名について、衆議院と参議院が異なった議決をした場合は、両候補者について決選投票が行われる。
3　内閣総理大臣は国務大臣を任命する権限を有するが、その過半数は国会議員の中から選ばねばならない。
4　内閣総理大臣は、行政権の行使について、国会に対し、内閣を代表して単独で責任を負う。
5　内閣総理大臣が国務大臣を罷免する場合には、閣議に諮り、その承認を得なければならない。

23 我が国の内閣又は内閣総理大臣に関する記述として、妥当なのはどれか。
[特別区]

1　内閣は、内閣総理大臣が主宰し、国務大臣が出席する閣議で意思決定を行い、その決定は、多数決で行われることが憲法で規定されている。
2　内閣は、国政に関して改めて民意を問う必要があると判断したときには、衆議院の解散を決定することができる。
3　内閣総理大臣は、国会議員の中から、閣議の決定で指名され、国会がこれを任命し、天皇が認証する。
4　内閣総理大臣は、軍国主義的政治の再現を防止するため、文民でなければならないが、国務大臣は文民である必要はない。
5　内閣総理大臣は、内閣の首長として国務大臣を任命することはできるが、任意に罷免することはできない。

24 日本国憲法に規定されている内閣に関する記述として最も妥当なのはどれか。
[海上保安等]

1　内閣は、その長である内閣総理大臣と、国務大臣及び副大臣とで構成されており、国務大臣及び副大臣の３分の１は国会議員でなければならない。
2　内閣は、行政権を有しており、法律の執行、条約の承認、予算の決定、行政各部の指揮監督などの権限を持つ。
3　内閣は、条約の締結や外交関係の処理などの天皇が行う国事行為に対し、助言と承認を行い、その行為に対する責任を負う。
4　内閣総理大臣は、国会議員の中から国会の議決で指名されるが、内閣総理大臣の指名については、衆議院の優越が認められている。
5　内閣総理大臣は、衆議院又は参議院が不信任決議案を可決したときは、内閣を総辞職させるか衆議院を解散させなければならない。

25 我が国の司法に関する記述として最も妥当なのはどれか。 [刑務官]

1　司法権は、立法権や行政権から独立しており、また、裁判官は、良心に従い、独立してその職権を行うこととされ、憲法及び法律にのみ拘束される。
2　裁判所法は、裁判所のみが司法権を持つとし、行政機関による行政裁判所や国会による弾劾裁判所などの特別裁判所の設置を禁止している。
3　違憲法令（立法）審査権は、一切の法律・命令等が憲法に反していないかどうかを具体的争訟事件とは関係なく判断する権限であり、最高裁判所によってのみ行使される。
4　最高裁判所の長官及び裁判官は、国会の同意を得て天皇が任命する。また、下級裁判所の裁判官は、最高裁判所長官が任命する。
5　裁判員制度とは、裁判に国民の良識を反映させやすい民事事件について、無作為に選ばれた市民が裁判官の助言を得て裁判に当たる、米国の陪審制に類似した制度である。

26 我が国の司法権に関する記述として、妥当なのはどれか。 [東京都]

1　裁判所には、最高裁判所と下級裁判所があり、下級裁判所は高等裁判所と地方裁判所、家庭裁判所の３種類に限定されている。
2　裁判は、三審制が採用されており、高等裁判所に訴えることを上告と言い、最高裁判所に訴えることを控訴という。
3　違憲立法審査権は、最高裁判所のみに付与されており、最高裁判所は終審裁判所として位置付けられている。
4　裁判官は、心身の故障のため職務を行うことができないと裁判で決定された場合以外に、罷免されることはない。
5　裁判員制度では、裁判員が裁判官とともに刑事裁判を行い、有罪、無罪及び有罪のときは刑罰の重さを決める。

27 わが国の司法制度に関する記述のうち最も妥当なのはどれか。 **[市町村]**

1　裁判所の種類には、最高裁判所と下級裁判所のほか、行政事件のみを特別に扱う行政裁判所がある。

2　同じ事案について、強盗などの刑事事件の裁判は3回まで、財産をめぐる民事事件の裁判は何回でも裁判を受けることができる。

3　裁判は原則非公開である。ただし、裁判官が必要と認めた場合は、これを公開とすることができる。

4　判決が確定し、その後確定した判決に重大な欠陥が認められた場合は、判決を取り消し、裁判のやり直し（再審）を請求することができる。

5　裁判員裁判の対象となるのは民事事件の裁判のみで、刑事事件の裁判はその対象とはならない。

28 わが国の国会・内閣・裁判所の抑制関係に関する記述として最も妥当なのはどれか。 **[市町村]**

1　衆議院解散の決定は、内閣が有する権限で、国会に対して抑制する働きがある。

2　内閣総理大臣の指名は、裁判所が有する権限で、内閣に対して抑制する働きがある。

3　弾劾裁判所の設置は、裁判所が有する権限で、内閣に対して抑制する働きがある。

4　違憲立法審査権は、内閣が有する権限で、国会に対して抑制する働きがある。

5　条約の承認は、内閣が有する権限で、国会に対して抑制する働きがある。

29 我が国の国会、内閣、裁判所に関する記述として最も妥当なのはどれか。

［海上保安等］

1　国会は法律を制定する唯一の機関であるため、法律案の提出権は国会議員のみに認められている。 国会において成立した法律を執行するのが内閣である。

2　国会では法律案の審議に当たり、審議会を開いて有識者の意見を取り入れている。また、内閣には国政調査権が与えられており、広く国民の意見を募るパブリックコメントを実施している。

3　内閣は国会の信任に基づいて成立しており、衆議院・参議院の両方が、内閣不信任決議案を可決した場合又は内閣信任決議案を否決した場合、内閣は直ちに総辞職する必要がある。

4　国会は最高裁判所の長官の指名や裁判官の任命を行う。一方、最高裁判所は国会議員の適格性を問う弾劾裁判を行い、国会議員を罷免することができる。

5　最高裁判所は、法律や命令等が憲法に適合するかしないかを決定する違憲立法審査権を有しており、下級裁判所もこの権限を有している。

I－5

地方自治

出題頻度　★★

要点

①　地方自治の本旨（原則）

●**住民自治**……地方の行政は、住民が自らの意思で、自らの責任において行うこと。（例）議員・首長の選出、直接請求権の行使。

●**団体自治**……地方公共団体が国から独立して地方の行政事務を自らの責任で行うこと。

②　地方自治の機関

●**議会**……法律の範囲内で条例を制定する（条例には罰則規定可能）。
首長の不信任決議権をもつ。

●**首長**……議案や予算等を議会に提出する。
議会の議決に対し、**拒否権**をもつ。

③　地方公共団体の事務

●**自治事務**……地方公共団体が独自に処理する事務。

●**法定受託事務**……国が本来果たすべき事務だが、処理を地方公共団体に委託しているもの。（例）国政選挙やパスポートの発行など。

④　住民の権利

●**選挙権・被選挙権**

	選挙権	被選挙権	任期
地方議会の議員	18歳以上	25歳以上	4年
地方公共団体の長	18歳以上	市町村長　25歳以上 知事　**30歳以上**	4年

●**直接請求権**……国政にはない、住民の意思を反映させる制度で、住民自治を具体化したもの。地方自治法に規定されている。

・**条例の制定・改廃請求権（イニシアティブ）**。有権者の50分の1以上の署名を提出。

・**事務監査請求権**

・議会の**解散請求権**、首長・議員などの**解職請求権（リコール）**。有権者の3分の1以上の署名を提出後、**住民投票**を実施して解散・解職の是非を決定。

●**住民投票権**

・一つの地方公共団体のみに適用される特別法に対する賛否の投票。

・直接請求権が成立した場合、地方議会解散の賛否の投票、地方公共団体の長、議員解職の賛否の投票。

・特定の政策（原子力発電所建設等）に民意を反映するための投票。

⑤ 地方公共団体の財源

●**地方税**……**住民税**、**固定資産税**など。自主財源比率は4割程度。

●**地方交付税交付金**……自治体間の財政格差是正などを目的として、国税の一定割合を交付。使途は特定されない。

●**国庫支出金**……**使途が特定**されて、国から交付される。

●**地方債**……自治体が行う借り入れ（借金）。

演　習

30 都道府県の知事及び議会に関する記述として正しいのはどれか。［刑務官］

1　知事及び議会の議員の被選挙権は憲法で満30歳以上と規定されており、いずれも任期は4年となっている。また、知事と議員の選挙は同日に行うこととされている。
2　知事は地域住民による直接選挙で選出されており、住民による解職請求（リコール）の制度もあることから、議会は不信任の決議により知事を解職することができない。
3　地域住民は、有権者の過半数の署名により特定の議員の解職請求（リコール）を議員の解職権限を有する知事に請求することができる。
4　知事は条例の執行、議案・予算の議会への提出など行政を執行し、議会は条例の制定・改廃、予算の議決などを通じて行政の執行を監視する。
5　住民が有権者の3分の2以上の署名により条例の制定を知事に請求した場合、知事は議会の議決を要することなくこれを条例として制定することができる。

31 我が国の地方自治制度に関する記述として最も妥当なのはどれか。
［県・政令指定都市］

1　地方自治の本旨における団体自治とは、地方公共団体の事務が国から独立して行わることであり、住民自治とは、地方公共団体の政治が住民の意思に基づいて行われることである。
2　議会は首長の不信任決議権を持たず、また首長は議会を解散することができない。
3　条例は議会が制定するが、制定された条例を改正・廃止する権限は首長が有する。
4　住民には、直接請求権が認められており、有権者が一定数の署名を集めて首長の解職請求をした場合、住民投票を経ずに首長は失職する。
5　地方公共団体には、国から地方交付税交付金と国庫支出金が配分されており、いずれも使途が特定されている。

32 わが国の地方自治制度に関するＡ～Ｄの記述のうち、妥当なものを選んだ組合せはどれか。［特別区］

Ａ　地方公共団体の住民には、一定数の有権者の署名を集めて、条例の制定・改廃の請求、事務の監査請求、議会の解散請求、長や議員の解職請求をする直接請求権がある。

Ｂ　地方交付税交付金は、地方公共団体間の財政力の格差を是正するため、公共事業や社会保障、義務教育など地方公共団体が行う特定の事業に要する経費について、使途を指定し国が交付するものである。

Ｃ　地方公共団体の長と議会は、抑制・均衡の関係に立ち、議会が長の不信任決議権をもつ一方、長は議会の決定に対する拒否権や議会の解散権を持っている。

Ｄ　地方公共団体は、法律の範囲内で条例を制定する権限を持つが、違反行為に対して、罰金などの一定の制裁を行うような自治立法を制定することはできない。

1　Ａ　Ｂ　　2　Ａ　Ｃ　　3　Ａ　Ｄ　　4　Ｂ　Ｃ　　5　Ｂ　Ｄ

33 我が国の地方自治制度に関する記述として、妥当なのはどれか。［特別区］

1　地方自治の本旨は、団体自治と住民自治の２つからなり、団体自治の観点から、住民に、条例の制定・改廃の請求権（イニシアティブ）や地方公共団体の長・議員の解職請求（リコール）が認められている。

2　地方公共団体の事務は、当該地方公共団体が固有の事務として独自に処理できる自治事務と、国が本来はたすべき仕事を法令に基づいて地方公共団体が執行する機関委任事務の２つに分類される。

3　一つの地方公共団体のみに適用される特別法は、その地方公共団体の有権者による住民投票（レファレンダム）においてその過半数の同意を得なければ、制定することはできない。

4　地方公共団体の議会は首長に対して不信任決議権をもっているのに対し、首長は議会の解散権をもっていない。

5　地方公共団体は、国から地方交付税交付金や国庫支出金を受けており、いずれもその使途は国から指定されている。

I - 6

政党政治と選挙

出題頻度 ★★★

要点

① 政党制

●**二大政党制**……アメリカ合衆国、イギリス

・政治責任のあり方が明確で、**政局が安定**。しばしば政権交代が行われる。

●**多党制（小党分立）**……フランス、イタリアなど

・国民の意思をよく反映する反面、**連立政権**となり、政局が不安定。

② 選挙制度

●**選挙の原則**

・**普通選挙**……年齢以外の条件を選挙権、被選挙権に課さない。

・**平等選挙**……すべての有権者が同じ価値の選挙権を行使する。

・**直接選挙**……有権者が直接、候補者を選挙する制度。

・**秘密選挙**……選挙人の投票の秘密を守る方法。無記名投票など。

●**選挙区制**

・**小選挙区制**……一つの選挙区に一人の議員定数を配分。

長所……多数党の出現が容易で二大政党制を生みやすい。
候補者をよく知ることができる。

短所……**死票が多く**、国民の意見を正確に反映しない。
少数政党に不利。

●**比例代表制**……**各政党の得票数に比例**して議席を配分。
死票は少ないが、小党分立の傾向がある。

・**拘束名簿式**……政党はあらかじめ候補者に順位をつけた名簿を提出。
選挙人は政党に投票し、政党の得票率に応じて議席数が比例配分。
当選者は名簿の順位によって決まる。

・**非拘束名簿式**……政党は順位のない候補者名簿を提出。

選挙人は政党または候補者に投票。
政党と候補者の投票数をあわせた政党の得票率に応じて議席数が比例配分され、当選者は候補者個人の得票数の多い順に決まる。

●日本の選挙

・**衆議院議員選挙**……**小選挙区比例代表並立制**で、定数465名のうち289名は小選挙区選出、176名は全国を11のブロックに分けた比例代表区から選出する。比例代表区は**拘束名簿式**を採用。選挙区と比例代表に**重複立候補できる**。

・**参議院議員選挙**……定数248名のうち、100名は**比例代表区**から選出、148名は都道府県単位を原則とする**選挙区**から選出する。比例代表区は従来の**非拘束名簿式**に**特定枠**を導入している。選挙区と比例代表に重複立候補できない。

●選挙運動

・公職選挙法により、**戸別訪問は禁止**されている。2013年の改正により、インターネットを利用した選挙運動が可能。

●政党と圧力団体

・**政党**……政策目標などを定めた綱領を掲げ、政権獲得を目的とし、公共的な利益実現を目指す。

・**圧力団体**……政党や官公署に圧力をかけ、特定の集団の利益実現を目指す。(例)日本経団連、日本医師会など

演　習

34 政党政治に関する次の記述で、[A]～[E]に当てはまる語句の組合せとして、最も妥当なのはどれか。 **[東京消防庁]**

政党は、国民のさまざまな意見や要求をくみあげて、国民の支持を求める。選挙によって、議席の多数を獲得した政権を担当する政党のことを[A]といい、[A]や政府の政策を批判し、行政を監視するなどの重要な役割を担う政党を[B]という。政党政治の形態として、従来のイギリスやアメリカのように有力な政党が対抗する[C]、ドイツのように3つ以上の政党が競争する[D]がある。[D]の下での政権運営は、[E]になりやすい。

	A	B	C	D	E
1	与党	野党	多党制	三大政党制	連立政権
2	野党	与党	多党制	三大政党制	連立政権
3	与党	野党	二大政党制	多党制	単独政権
4	野党	与党	二大政党制	多党制	単独政権
5	与党	野党	二大政党制	多党制	連立政権

35 わが国では1994年に衆議院議員選挙制度が改正され、小選挙区比例代表並立制が制定された。これは小選挙区制と比例代表制の並立である。次は二つの制度のいずれかについて述べたものであるが、小選挙区制の特徴といえるものをすべて選んであるのはどれか。 **[市町村]**

ア　二大政党制が実現しやすい。
イ　小党分立が生じやすい。
ウ　死票が少なく、選挙人の意思が議席数に反映されやすい。
エ　死票が多く出、得票率と議席の割合のずれが大きくなる。
オ　選挙人と議員との結びつきを疎遠にする。
カ　選挙人と議員との結びつきが緊密になる。

1　ア、ウ、オ　　2　ア、エ、オ　　3　ア、エ、カ
4　イ、ウ、カ　　5　イ、エ、オ

36 選挙制度に関する記述として、妥当なのはどれか。 [特別区]

1 民主的な選挙制度の原則のうち、平等選挙とは、一定の年齢に達していれば誰でも選挙権が与えられることである。

2 小選挙区制は、各選挙区で得票数1位の候補者が当選する制度であり、有権者が候補者をよく知ることができ、小政党から当選者が出やすい。

3 比例代表制は、1つの選挙区の中で、各政党の得票数に比例して議席を配分する制度であり、死票が多く大政党に有利になる。

4 我が国の衆議院議員選挙では、現在、小選挙区比例代表並立制が採用され、小選挙区と比例代表の両方に立候補する重複立候補が認められている。

5 我が国の参議院議員選挙では、現在、拘束名簿式比例代表制と都道府県単位による選挙区制が併用されている。

37 我が国の選挙制度に関する記述として最も妥当なのはどれか。 [刑務官]

1 選挙には、狭い選挙区で1人を選出する小選挙区制と、広い選挙区で1人を選出する大選挙区制があり、そのうち小選挙区制は、小党分立を招くが死票が少ない傾向にある。

2 衆議院議員総選挙では、小選挙区で200議席を、比例代表で200議席をそれぞれ選出する。参議院議員通常選挙と異なり、候補者は、選挙区と比例区に重複して立候補することはできない。

3 選挙制度の問題の一つとして、各選挙区の人口と議員定数との比率に著しい不均衡が生じる「一票の格差」がある。憲法ではその格差を2倍未満にすることを規定している。

4 参議院議員通常選挙は、選挙区選挙と比例代表制の並立となっており、そのうち比例代表制では、候補者の得票順に政党内の当選者が決まる非拘束名簿式が採られている。

5 選挙制度は、公職選挙法で規定されており、平成25年の同法の改正では、インターネットを利用した選挙運動の制限が強化される一方、戸別訪問が全面的に解禁された。

38 政党や選挙に関する記述として最も妥当なのはどれか。 [海上保安等]

1 選挙制度は一般に秘密選挙から普通選挙へと発展し、我が国でも、秘密選挙を禁止して普通選挙を実施し、各政党が掲げるマニフェストを広く有権者に配布することを認めている。

2 政党を中心とする政治は政党政治と呼ばれ、議院内閣制が採用されている場合、選挙により議会の議席数の多数を占めた政党が与党として政権を担当することが多い。

3 同一政党内での立候補者間での同士討ちを避け、一票の格差の拡大を防ぐため、我が国の衆議院議員総選挙では中選挙区制と比例代表制を採用している。

4 我が国の参議院議員通常選挙では、小政党の乱立を防止するため、2000年の法改正により、都道府県を単位とする小選挙区比例代表並立制を採用している。

5 政党政治の種類は、選挙制度と関連があり、一般に小選挙区制は多党制を生みやすく、比例代表制は二大政党制を生むことが多いとされ我が国や米国は多党制に分類される。

39 圧力団体に関する記述のうち最も妥当なのはどれか。 [市町村]

1 圧力団体は、国政選挙に立候補し、最終的に政権を獲得することを目的としている。

2 圧力団体は、団体の利益よりも、政治制度の改革や環境保護などの公共的な利益の実現を目指している。

3 圧力団体の働きかけは、政党や議員に限られ、行政官庁への働きかけは行わない。

4 圧力団体は、働きかけの結果について、国民に対し社会的責任を負わなければならない。

5 圧力団体は、団体に所属する人々の要求をまとめて政策決定に反映させるので、民意を政治に反映させる機能を持つ。

I - 7

国際社会と国際政治

出題頻度 ★★★

要点

① 国際法

●**グロティウス**……国際法の父。国際法の必要性を主張。『戦争と平和の法』。

●**国際法**

・**国際慣習法**……国家間で暗黙のうちに認められた合意。公海自由の原則など。

・**条約**……明文化した文書による国家間の合意。

●**国際法の特質**

・統一した立法機関や執行機関がなく、強制力もない。

・内政不干渉の原則。

② 国際平和機関

●**国際連盟**……本部＝ジュネーヴ

・米大統領**ウィルソン**の提唱により、第一次世界大戦後成立。

・特色……**全会一致**主義で意思決定が困難。
制裁は経済制裁のみで、強制力をもたなかった。
アメリカ合衆国未加盟、日本・ドイツ・イタリアの途中脱退。

●**国際連合**……本部＝ニューヨーク

・第二次世界大戦末期の**サンフランシスコ会議**で国連憲章を採択。

・国連の経費は国連分担金としてすべての加盟国が負担。

・**総会**……全加盟国の代表で構成される国連の最高機関。一国一票の投票権による多数決制。

・**安全保障理事会**……国際平和と安全の維持を目的とする主要機関。
アメリカ合衆国・イギリス・フランス・中国・ロシアの５常任理事

国と10非常任理事国で構成。
常任理事国には**拒否権**がある（五大国一致の原則）。

・**経済社会理事会**……経済、社会、人権問題など様々な国際問題の解決を図る。

・**国際司法裁判所**……国家間の紛争を**当事国の同意**のもと裁判する。所在地はオランダの**ハーグ**。

・**国連難民高等弁務官事務所（UNHCR）**……難民（戦争や政治的宗教的迫害によって国外に逃れざるを得なかった人）の庇護や定住を確保するために、各国政府や非政府組織（NGO）と協力して活動。

・専門機関……国連そのものの機関ではなく、各国政府間の協定・条約により設置された専門的分野の独立機関。
経済社会理事会を通じて国連と連携。

1）**国際労働機関（ILO）**……労働条件の改善を国際的に実現することを主な目的とする。

2）国連食糧農業機関（FAO）……栄養・食糧・農業に関する情報の交換、普及、技術援助の供与などを任務とする。

3）世界保健機関（WHO）……世界各国民の健康の保持と向上、保健事業の指導などを行う。

4）**国連教育科学文化機関（UNESCO）**…教育・科学・文化を通じて諸国間の協力を促進し、それにより平和と安全保障に寄与することを目的とする。

●国際連合と安全保障

・**国連軍**……国際連合憲章にもとづき設けられる武力制裁のための軍隊。現在まで正規の国連軍は設けられていない。

・**国連平和維持活動（PKO）**……当事国の同意を原則とし、紛争地域の治安維持や停戦監視、人道支援などを実施。国連軍による武力制裁とは異なる活動。日本の自衛隊もPKOに派遣されている。

③　戦後国際政治の動向

●第二次世界大戦後、アメリカ大統領トルーマンが、ソ連を敵視する**対ソ封じ込め政策**を表明し、アメリカを中心とする資本主義陣営とソ連を中心とする社会主義陣営による冷戦が始まる。

●軍事同盟として資本主義陣営は北大西洋条約機構（NATO）、社会主義陣営はワルシャワ条約機構（WTO）を結成。

- 冷戦を背景に、ベルリン封鎖（1948年）、朝鮮戦争（1950年）、キューバ危機（1962年）、ベトナム戦争（1960～73年）などが起こった。
- アジア・アフリカ諸国のほとんどは第二次世界大戦後に独立。それらの国々は東西両陣営のどちらにも属さない第三世界として積極的に平和を樹立しようとし、1955年の**アジア・アフリカ会議**では平和十原則を採択。
- 1980年代半ば、ソ連のゴルバチョフ政権による**ペレストロイカ政策**の推進を機に、冷戦は終結し、東欧の民主化、**ドイツの統一**、**ソ連の崩壊**へとつながった。
- 2001年、アメリカで起こったイスラムテロ組織による同時多発テロをきっかけに、アメリカ合衆国がアフガニスタンを攻撃しタリバン政権を崩壊させた。
- 2003年、アメリカ合衆国やイギリスを中心とする多国籍軍が、大量破壊兵器保有を理由にイラクを攻撃した（イラク戦争）。

演　習

40 次のA～Dのうち、国際法に関する記述として、妥当なものの組合せはどれか。 [東京都]

A　ウィーン条約は、三十年戦争を終結させるために開催された国際会議において結ばれた国際法であり、主権国家を構成単位とする国際社会を誕生させた。

B　グロティウスは、国際法の基礎を築き、「国際法の父」とよばれており、著書『戦争と平和の法』で知られる。

C　国際法とは、条約のみではなく、国家間で、習慣的に繰り返し行われ拘束力あるものとして認められた慣行も含む。

D　国際司法裁判所は、国際法を実効的なものとするため、当事国が同意しなくても裁判を開始することができる。

1　A、B　　2　A、C　　3　A、D
4　B、C　　5　C、D

41 国際連合に関する記述として最も妥当なのはどれか。 [特別区]

1　国際連合は、アメリカ大統領ウィルソンの提唱によって、第二次世界大戦後に設立された。

2　安全保障理事会は、常任理事国と非常任理事国で構成され、常任理事国が拒否権を持っているため、手続事項を含む全ての議決は全会一致制による。

3　国際連合の主要な司法機関である国際司法裁判所は、国家間の紛争について、紛争当事国の同意を得る必要はない。

4　国際連合の行う平和維持活動（PKO）については、関係国の同意は不要であるという原則があり、平和維持軍の派遣に際して紛争当事国の同意を得る必要はない。

5　経済社会理事会は、国連教育科学文化機関（UNESCO）や世界保健機関（WHO）などの専門機関と連携しながら、経済・社会・文化などの分野での国際的な取り組みを進めている。

42 国際連合に関する記述として最も妥当なのはどれか。 [県・政令指定都市]

1 総会の議決においては、国連分担金を多く払っている国に多くの投票権が与えられている。

2 安全保障理事会の議決は、常任理事国及び非常任理事国の全会一致により行われる。

3 国連軍は、国際社会の平和と安全を目的としており、過去には湾岸戦争やイラク戦争に派遣された。

4 国際司法裁判所は、国家間の紛争を処理し、当事国の一方の同意があれば裁判が行われる。

5 国連難民高等弁務官事務所は、紛争や迫害などにより難民となった人々に対し、様々な支援を行う。

43 国際連合に関する記述のうち妥当なものの組合せはどれか。 [市町村]

ア 総会は全加盟国で構成され、原則的に議決は一国一票の多数決で行われる。

イ 安全保障理事会において、常任理事国である日・独・仏・米・露の5か国は拒否権を持つ。

ウ 国際司法裁判所における裁判では、原告・被告となるのは国家に限られ、個人間の紛争等は裁判しない。

エ 加盟国が国連憲章を違反した場合は、軍事的措置としてPKOを決議し、常設の国連軍を派遣することができる。

オ 国連分担金については、加盟国で分担するが、中国などの発展途上国など負担が免除されている国もある。

1 ア ウ 2 ア オ 3 イ ウ
4 イ エ 5 イ オ

44 次のア、イ、ウは国際機関に関する記述であるが、ア、イ、ウとその名称との組合せとして妥当なのはどれか。 [刑務官]

ア　本部はパリ。教育に関する権利、文化生活に関する権利などに関して宣言、勧告及び条約の採択を行っている。

イ　本部はジュネーブ。保健事業援助、伝染病・風土病撲滅、衛生状態改善、保健関連条約の提案・勧告、医療・衛生等の国際基準策定などの任務が与えられている。

ウ　本部はローマ。貧困と飢餓とを撲滅することを目指して、農業開発、栄養改善、食料確保などの活動を行っている。

	ア	イ	ウ
1	FAO	UNESCO	WHO
2	FAO	WHO	UNESCO
3	UNESCO	FAO	WHO
4	UNESCO	WHO	FAO
5	WHO	UNESCO	FAO

45 第二次世界大戦終了後、米ソ両国が対立したいわゆる冷戦時代が続いたが、これに関する下文のa～cの｛　｝内からそれぞれ正しいものを選んであるのはどれか。 **[市町村]**

1947年、アメリカ大統領トルーマンはa｛ア　対ソ封じ込め政策／イ　門戸開放政策｝を表明し、ついでマーシャルプランを発表してヨーロッパ経済復興を積極的に援助し、自由主義陣営の結束を図ろうとした。これに対して社会主義勢力はコミンフォルム（共産党情報局）やコメコンを設立して対抗し、二つの世界の対立は冷たい戦争とよばれるようになった。このような冷戦の状態はその後長期にわたって続き、この間b｛ア　ベルリン封鎖や朝鮮戦争／イ　アジア・アフリカ会議｝などで象徴的にみられるように、対立はしばしば熱く緊迫した情勢に発展した。

1960年代には緊張緩和（デタント）がみられたが、両陣営の対立状況は変わらず、冷戦終結の動きが本格化したのは、1980年代、ソ連でc｛ア　フルシチョフが平和共存路線を打ち出してから／イ　ペレストロイカ政策が開始されてから｝である。

	a	b	c
1	ア	ア	イ
2	ア	イ	ア
3	ア	イ	イ
4	イ	ア	ア
5	イ	イ	イ

46 第二次世界大戦後の国際政治上の出来事に関する記述として正しいのはどれか。 [国家一般]

1　国際平和の維持を目的として国際連合が結成されたが、東西冷戦が深刻化したため、米国及びソ連は、朝鮮戦争が休戦となるまで国際連合に加盟しなかった。

2　東欧諸国に社会主義政権が次々と誕生すると、警戒感を高めた西欧諸国及び米国はワルシャワ条約機構を結成し、ソ連に対する集団防衛体制を構築した。

3　1950 年代、インドネシアのバンドンで開催されたアジア・アフリカ会議では、反植民地主義と民族自決、平和共存などを目指して「平和十原則」が宣言された。

4　米ソの対立は局地的には戦火を交えることもあり、1960 年代には、ソ連製ミサイルの配備を防ぐため、米軍はキューバに侵攻し、ソ連軍との間で 2 年間に及ぶ戦闘が行われた。

5　東西ドイツの統一を契機にドイツで始まったペレストロイカは、ソ連及び東欧諸国に民主化・自由化をもたらし、その結果ソ連は消滅し、米ソ二極体制は終結した。

Ⅰ-8

経済の発展

出題頻度 ★★

要点

① 資本主義経済と社会主義経済

●**資本主義経済**……生産手段の私有のもと、政府が経済に介入しない自由放任・自由競争にもとづく**市場経済**において個人や企業が利潤を追求する。イギリスの産業革命を契機に成立。

●**社会主義経済**……生産手段の社会的所有のもと、商品の生産や販売を個人の自由ではなく政府の計画によって行う（**計画経済**）。

●**現代の社会主義経済**……中国やベトナムなどの社会主義経済の国は、社会主義経済を維持しつつ、資本主義経済の原理を導入している。

・**中国**……1970年代後半に改革・開放政策。現在は**社会主義市場経済**のもと、市場経済の仕組みを積極的に導入。

・**ベトナム**……1980年代後半から市場経済を導入する政策（**ドイモイ**）を実施。

② 経済学の発達

●**古典学派**……イギリスの産業資本成立期を背景とする。

・**アダム＝スミス**……『**国富論**』
国家は経済活動に介入しない方がよいという**自由放任主義**を主張。

・**マルサス**……『人口論』人口増加の抑制を主張。

・**リカード**……『経済学および課税の原理』
各国はそれぞれ相対的に生産費が安くなる商品を生産し、生産費が高くなる商品は他国から輸入することで利益が大きくなるという**比較生産費説**にもとづき、関税や輸入制限のない**自由貿易**を主張。

●**マルクス経済学**

・**マルクス**……『資本論』
資本主義の問題点を克服のため、社会主義による計画経済に移行する必然性を主張。

●**近代経済学**……19 世紀後半～

・**ケインズ**……『雇用、利子および貨幣の一般理論』

政府が経済に積極的に介入し、公共投資により**有効需要**を拡大することにより景気回復や完全雇用が実現すると主張。

演　習

47 資本主義経済と社会主義経済に関する記述として最も妥当なのはどれか。

［海上保安（特別）］

1　フランス革命を契機として確立した資本主義経済は、計画経済や私有財産制を基本的な特徴としており、欧米を中心に広がった。

2　1929 年の世界恐慌の深刻さから、アダム＝スミスは、政府が積極的に経済に介入して有効需要を管理すべきだと主張した。この考え方が各国にも広まった。

3　社会主義経済が停滞した主な原因は、自由放任（レッセ・フェール）や小さな政府の考え方に基づいて経済システムを構築したことにあるとされる。

4　世界で最初に社会主義経済体制を確立したベトナムは、経済活性化のため、ペレストロイカ（改革）を実施し、経済成長を実現させた。

5　社会主義経済体制の下で市場経済を重視するようになった中国は、改革開放政策を打ち出してから、個人企業の容認、外国資本の導入などを進め、急速な経済成長を実現した。

48 経済学者に関する記述として、最も妥当なのはどれか。 ［東京消防庁］

1　アダム＝スミスは『国富論』の著者であり、有効需要の原理を提唱して、政府が積極的に経済に介入し完全雇用を実現すべきであると論じた。

2　ケインズは『雇用・利子及び貨幣の一般理論』の著者であり、市場経済における自由競争が、「見えざる手」による需要・供給の調整をもたらすと主張した。

3　ケネーは『経済表』の著者であり、重農主義思想を批判し、経済活動に対する国家の干渉・統制の必要性を主張した。

4　リカードは『経済学及び課税の原理』の著者であり、比較生産説を提唱して自由貿易の利益を主張した。

5　マルサスは『資本論』の著者であり、資本主義経済の構造を科学的に分析し、資本主義社会から社会主義社会への必然的移行を論じた。

49 次のA、B、Cは英国の経済学者に関する記述であるが、人名の組合せとして最も妥当なのはどれか。 ［海上保安（特別）］

A：不況期には社会全体の有効需要が少なくなっているため、そうした需要の拡大政策を政府が積極的にとり、市場経済に介入すべきであると主張した。

B：個々人が自分自身の利益を追求して自由な経済活動を行うことにより、自動的に社会の調和が確保され全体の利益も増大するとして、政府が経済に干渉しない自由放任主義を主張した。

C：それぞれの国が、相対的に安く生産できる財の生産に特化して貿易することで双方に利益がもたらされるとし、輸入や輸出に制限を設けない自由貿易が行われるべきであると主張した。

	A	B	C
1	ケインズ	アダム＝スミス	リカード
2	ケインズ	リスト	アダム＝スミス
3	リカード	アダム＝スミス	リスト
4	リカード	リスト	ケインズ
5	アダム＝スミス	ケインズ	リスト

Ⅰ-9

現代の市場と企業

出題頻度 ★★★

要点

① 需要と供給

●**需要**……消費者が購入する商品の量。需要は価格の上昇につれて減少し、価格の下落につれて増加。需要曲線は右下がりの曲線。

●**供給**……生産者が生産する商品の量。供給は価格の上昇につれて増加し、価格の下落につれて減少。供給曲線は右上がりの曲線。

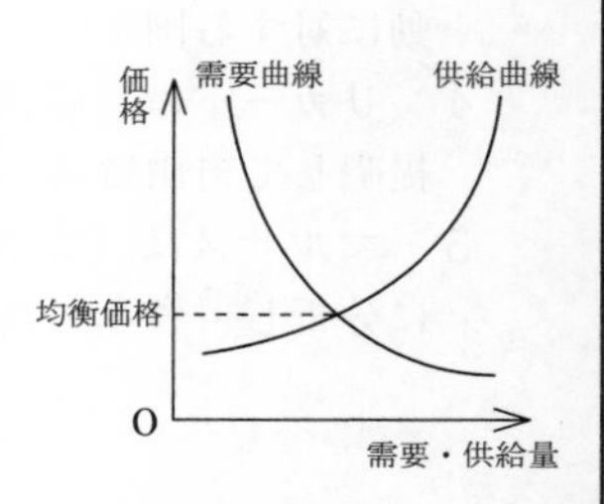

●**均衡価格**……需要量と供給量が一致するときの価格。価格の変化に応じて需要量と供給量が変化し、やがて一致する働きを**価格の自動調節機能**という。

●**需要曲線の移動**……所得の増加などにより需要が増えると、需要曲線は右に移動し、供給曲線が不変であれば価格は上昇する。

●**供給曲線の移動**……原材料費などの生産コストが上がれば、供給は減少するため供給曲線は左に移動し、需要曲線が不変であれば価格は上昇する。原材料費の低下や技術革新により生産コストが下がれば供給は増加するため、供給曲線は右に移動し、需要曲線が不変であれば価格は下落する。

●**市場メカニズム（市場機構）**……市場での自由競争のもと、需要と供給のはたらきによって価格や生産量が調節される経済の仕組み。

② 現代の市場

●**寡占市場**……少数の企業が市場を占める市場。

●**管理価格**……寡占市場において、市場で支配力をもつ企業（**プライス＝リーダー**）が設定した価格に他の企業が追随する価格。

●**価格の下方硬直性**……寡占市場において管理価格が設定されると、生産コストの低下や需要の減少などがおこっても価格が下がりにくくなること。

●**非価格競争**……寡占市場では、品質、広告など価格以外の領域で競争が行われる。

③ 市場の失敗

●**市場の失敗**……市場メカニズム（市場機構）が十分に機能しないこと。

・市場の失敗の例……独占市場や寡占市場の形成、公共財や公共サービスの提供、**外部不経済（公害、環境汚染など）**の発生など。

④ 株式会社

●**株式会社の特徴**

・現代の資本主義経済におけるもっとも一般的な企業形態。株式を発行し、多くの出資者から資金を集める。日本の企業の約半分が株式会社。

・現在は資本金規制が撤廃され、資本金1円でも株式会社を設立できる。

・出資者は**株主**と呼ばれ、出資額に応じて企業の利潤の一部を**配当**をとして受ける。

・株主には、個人株主と法人株主がある。

・企業が倒産した場合、**株主は出資額を限度に責任を負う。（有限責任）**

●**株主総会**

・株式会社の最高議決機関。株主は**一株一票の議決権**をもつ。

・経営を担う取締役を選出する。

・**資本と経営の分離**……株式会社の規模が大きくなると、株主（資本の所有者）は経営に参加せず、株主総会で選出した経営者に経営をゆだねるようになる。

●**株式会社以外の企業形態**

・会社には株式会社のほか**合資会社、合名会社、合同会社**などがある。

・有限会社の新設はできない（既存の有限会社は存続できる）。

⑤ 独占の形態

●**カルテル**（企業連合）……同種企業が価格、生産量などについて**協定**を結ぶこと。

●**トラスト**（企業合同）……**同種企業が合併**して一つの企業となること。

●カルテルとトラストは**独占禁止法で禁止**されている。

●**コンツェルン**（企業連携）……親会社（持株会社）が**株式保有**を通じて企業を支配すること。

●**コングロマリット**（複合企業）……**異なる業種の企業を吸収合併**し、巨大化した企業。

●**多国籍企業**……世界各国に進出し、子会社などをもつ企業。

⑥　我が国の中小企業

●**中小企業**……製造業では、資本金3億円以下または従業者数300人以下と定義。日本の企業数の99％が中小企業。

●**経済の二重構造**……中小企業と大企業との間で、生産性、収益性、賃金などに大きな格差が存在すること。

●**ベンチャービジネス**……独自のアイデアや技術を生かして独創的な商品・サービスを展開する中小企業。

●**ニッチ産業**……市場規模が小さく既存の企業が進出しにくい産業。

⑦　企業の社会的責任

●**企業の社会的責任（CSR）**……企業は利潤を追求するだけでなく、環境保全活動などを行い社会の一員としての責任をもつこと。芸術・文化の促進活動（**メセナ**）や寄付などの慈善行為（**フィランソロピー**）など。

●**コンプライアンス**……企業活動にあたり、法令や各種規則、社会規範を守ること。

●**ディスクロージャー**……企業などが株主などの利害関係者に対し経営や財務など各種の情報を公開すること。

演　習

50 市場経済に関する次の文章の空欄 [A] ～ [C] に当てはまる語句の組合せとして、妥当なのはどれかどれか。　　［東京都］

完全競争市場の下では、ある財の需要が供給を [A] と価格は需要と供給が一致するまで上昇する。その逆に、ある財の供給が需要を [A] と、価格は需要と供給が一致するまで下落する。 需要と供給が一致したときの価格を [B] という。また、このように価格の変化により需要と供給が調整されていくことを、 [C] という。

	A	B	C
1	上回る	均衡価格	価格の自動調節機能
2	上回る	独占価格	価格の自動調節機能
3	上回る	独占価格	景気の自動安定化装置
4	下回る	均衡価格	価格の自動調節機能
5	下回る	独占価格	景気の自動安定化装置

51 図は完全競争における商品の需要曲線がｄｄからｄ′ｄ′に動いたところを示したものである。ア～カのうちで、この図に当てはまるものはどれか。　　［市町村］

ア　家計収入が上がった時の牛肉
イ　家計収入が下がった時の牛肉
ウ　猛暑が続いたときのビール
エ　冷夏の時のビール
オ　好天で豊作の時の米
カ　悪天候で不作の時の米

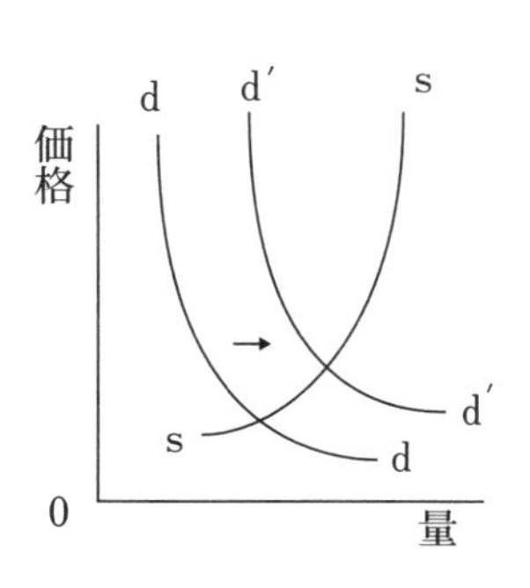

1　ア　ウ
2　ア　オ
3　イ　オ
4　ウ　エ
5　ウ　カ

52 少数の大企業により市場が独占される寡占市場において起こることとして妥当なのはどれか。 [県・政令指定都市]

1　大規模生産のため、生産性が向上して商品価値が下がる。
2　各企業間で、広告、品質の強調、デザインなどの非価格競争が激しい。
3　需要の変化にすばやく対応できるため、需要と供給の均衡が自動的に行われる。
4　商品に関する情報が豊富になり、いわゆる消費者主権が守られやすくなる。
5　一定利潤が得られるので、設備投資、新商品の開発、研究が停滞する。

53 市場機構だけにゆだねていたのでは解決できない問題は「市場の失敗」と呼ばれるが、このうち「外部不経済」の典型的な例を挙げたものとして最も妥当なのはどれか。 [海上保安等]

1　企業が環境対策を行わずに生産活動を行った結果、水質汚濁や大気汚染などの公害が発生して、社会全体に不利益をもたらされる。
2　大企業による生産集中が進み、最も有力な大企業がプライス＝リーダーとなって自己に有利な独占価格を決定し、大企業による価格支配が行われる。
3　医療費や年金支払額などの社会保障費が増大し、国民負担率が上昇することによって、若年層の勤労意欲の低下などを招いて経済の活力が損なわれてしまう。
4　インフレーションが進行し、消費者物価の上昇が激しくなると、実質賃金の低下をまねき、賃金労働者の生活が圧迫されるなどの問題を生ずる。
5　産業のウェイトが第１次産業から第２次産業、第３次産業へと変化していくことにより、農業の衰退による地方の過疎化現象や産業立地の変化による地場産業衰退が生ずる。

54 我が国の株式会社に関する記述として妥当なのはどれか。 [国家一般]

1　株式会社は、その必要とする資本を数多くの小口に分割して広範囲に募集することができるため、全体として巨額の資本を円滑に確保することが可能である。

2　株主は、株式会社の業績が悪化してもその会社の株式を売ることにより簡単に株主であることをやめることができるが、もし倒産した時に株主である者は、株式の保有割合に応じて会社の負債を負担しなければならない。

3　株主は、配当金を得ることや株式の売買によって利益を得ることのみを求めることは許されず、株式会社の経営についても責任を分担し、自分が株主である会社の利益に関する行為は禁止される。

4　株式会社の重要な基本方針は株主総会で決定されるが、実際に会社の仕事を進めるのは、株主総会で選ばれた取締役で構成する取締役会であり、この取締役には株主である者しか就くことができない。

5　株主には、株式会社が利益を生み出している限り決算期ごとに配当金が支払われる。また、その会社の株主総会に出席して、一人１票の議決権をもって議決に参加することができる。

55 わが国の企業に関する記述として最も適当なものはどれか。 [裁判所]

1　企業は、従業員数や資本金の額によって中小企業と大企業に分けられ、日本全体における事業所数では中小企業と大企業がほぼ半数ずつを占めている。

2　2006年に施行された会社法により、株式会社と合同会社の形態が統合され、既存の合同会社は存続できるが、新たに合同会社を設立することはできなくなった。

3　2006年に施行された会社法により、株式会社の設立に必要であった最低1000万円の資本金の制限が撤廃され、資本金1円での起業が可能となった。

4　株式会社の出資者は株主と呼ばれ、株主総会では一人一票の議決権が認められている。

5　現代の企業は利潤追求の一方、社会の一員として社会的責任を果たすことが求められる。その一つに芸術や文化的な活動を支援するディスクロージャーがある。

56 カルテルに関する記述のうち正しいのはどれか。 [市町村]

1　市場独占の形態としては他にトラスト、コンツェルンがあるが、カルテルはこれらのうちで最も強固な独占形態である。

2　企業合同ともいい、同一産業で複数の企業が独立性を捨て、新しい企業として独占体を形成したもので利潤維持などを目的としている。

3　巨大企業が持株会社や資本参加等の金融的手段で各分野の企業を子会社、孫会社として系列化したものである。

4　国際的な競争力の強化を目的に同一産業部門の主要企業が統合するよう政府が指導することである。

5　同一産業の複数の企業が価格や生産量等について協定を結ぶことで、独占禁止法で原則として禁止されている。

57 我が国の中小企業に関する記述として、妥当なのはどれか。 [東京都]

1 中小企業は、中小企業基本法において、業種にかかわらず、資本金が1億円以下又は従業員が100人以下の企業であると定義されている。
2 中小企業は、その占める割合が製造業において、事業所数及び従業者数がともに90%を超え、我が国の経済に重要な役割を果たしている。
3 中小企業には、大企業と比べ、資本装備率、生産性、賃金をはじめとする大きな格差が存在しており、この格差は日本経済の二重構造とよばれている。
4 中小企業が、大企業の仕事の一部を受注することを系列化といい、さらに大企業による株式保有や役員派遣などの関係がある場合を下請けという。
5 中小企業のなかには、独自の技術や製品を開発して中堅企業に成長した企業があるが、未開拓の分野に乗り出しているベンチャー＝ビジネスの例はない。

58 市場経済に関する記述として最も妥当なのはどれか。 [刑務官]

1 価格の変化を通じて需要量と供給量を一致させる働きは、価格の自動調節機能と呼ばれ、一般に、価格が上がると需要量は減少し、価格が下がると供給量は減少する。
2 市場経済では、規模が最も大きく、有力な企業がプライス・リーダーとなって市場価格を決定するという規模の経済が働いている。
3 独占市場とは、少数の大企業が支配した市場であるが、電気・ガスのような公共財の分野では、政府が介入することで独占が回避されている。
4 我が国の独占禁止法は、自由な競争を確保するため、カルテルを認めているが、産業や業種を超えた企業の合併・買収を禁止している。
5 外部不経済とは、広告、宣伝、商品の差別化などによる非価格競争により、巨額の費用が価格に上乗せされ、需要側に不利益を与えることをいう。

59 市場経済の機能等に関する記述として最も妥当なのはどれか。［国家一般］

1　市場で自由競争が行われている場合、需要量が供給量を上回ると価格は下落し、供給量が需要量を上回ると価格は上昇する。これを需要・供給の法則という。

2　市場の失敗のうち、ある経済主体の活動が市場を通さずに他の経済主体に対して不利益を与えることを外部不経済という。例えば、自動車の排気ガスによる大気汚染で住民の健康が害されることが挙げられる。

3　同一産業・業種の企業の合併をカルテル、同一産業の複数企業による価格などに関する協定締結をトラストという。これらは、我が国ではいわゆる独占禁止法により禁止されている。

4　国民経済全体の活動水準を表す指標に、一国の国民が生産した付加価値の合計である国内総生産（GDP）がある。これから海外からの純所得を差し引いた額を、国民所得（NI）という。

5　物価が持続的に上昇するインフレーションの下では、貨幣価値が高まり企業などの債務が実質的に重くなる。特に、景気過熱の下でのインフレーションをスタグフレーションという。

60 家計・企業・市場経済に関する記述として最も妥当なのはどれか。［国家一般］

1　経済が発展して所得が多くなると、消費支出に占める交際費の割合であるエンゲル係数や、教育・教養・娯楽関係の支出の割合は大きくなる傾向にある。

2　企業の社会的責任（CSR）の例として、芸術・文化を支援するフィランソロピー、環境保護や環境配慮型の商品を提供するコンプライアンスなどが挙げられる。

3　19世紀後半から、同一産業の企業が価格協定を結ぶトラストなどの形態が生まれ、さらに、20世紀後半には、産業が異なる企業が合併するカルテルが登場した。

4　寡占市場では、価格支配力をもった大企業がプライスリーダーとなって価格を決め、他の企業がそれに従う形の管理価格が成立する傾向がみられる。

5　市場経済では、必要なモノやサービスが適正な価格で必要なだけ供給され、資源の最適配分が実現するので、外部不経済が生じることはない。

I - 10

経済の変動

出題頻度 ★★★

要点

① 国民所得

●ストックとフロー

・**ストック**……土地、建物、工場、道路、外国に保有する資産など、一定時点における国の有形資産と対外純資産の合計。**国富**ともいう。

・**フロー**……ある一定期間（1年間）における経済活動の成果。GDPなど、様々な指標がある。

●国内総生産（GDP）＝国内での総生産額－中間生産物の価額

外国企業も含めた国内での総生産額の合計から、原材料費（中間生産物の価額）を差し引くことで求められる。

●国民総生産（GNP）［国民総所得（GNI）］＝国内総生産＋海外からの純所得

一国の国民が、1年間に生産した財・サービスの付加価値の合計。国内総生産に海外からの純所得（海外からの受け取り所得－海外への支払い所得）を加えたもの。

●国民純生産（NNP）＝国民総生産－固定資本減耗

国民総生産から生産に用いた工場・機械などの価値の消耗分（固定資本減耗）を差し引くことで求められる。

●国民所得（NI）＝国民純生産－（間接税－補助金）

国民純生産から間接税を差し引き、政府からの補助金を加える（間接税と補助金の差額を差し引く）と、国民所得が求められる。

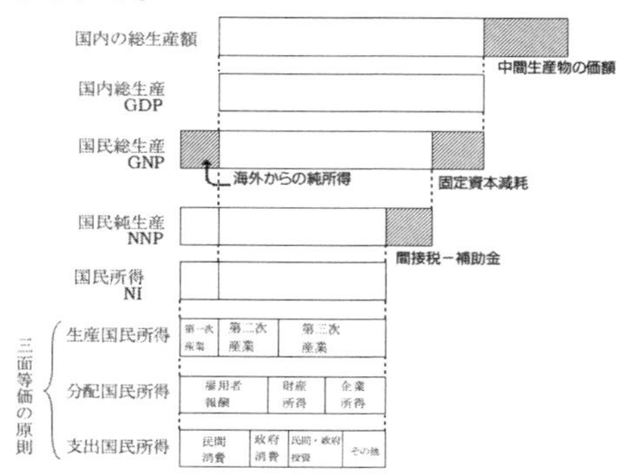

●三面等価の原則……国民所得は、**生産・分配・支出**の

3つの面からとらえることができ、それらの大きさは一致する。

② **経済成長**……国内総生産（GDP）が年々増加すること。

●**実質GDP成長率**……物価変動の影響を取り除いて得たGDP成長率。

●**名目GDP成長率**……物価変動の影響を取り除かずに得たGDP成長率。

③ **経済の変動**

●「好況→後退→不況→回復」と周期的に変動（循環）。需要と供給のバランスが崩れることにより発生。

●計画経済を実施する社会主義経済では景気の循環が起こらない。

④ **インフレーションとデフレーション**

●**インフレーション（インフレ）**

・**物価が継続的に上昇**する現象。通貨供給量が増大し、通貨の価値が下落する。**好況時**に起こりやすいが、過度なインフレは経済が混乱する。

●**インフレの影響**……**通貨の価値が下落する**ため、次のような影響が見られる。

・固定収入（年金や預貯金など）で生活する者が不利益を受ける。

・負債（借金）を抱える企業や家計の負担が軽減される。

●**インフレの種類**

・**コスト＝プッシュ＝インフレ**……原材料費や賃金の上昇によって発生するインフレ。

・**ディマンド＝プル＝インフレ**……需要が供給を上回ることによって発生するインフレ。

●**デフレーション（デフレ）**

・**物価が継続的に下落**する現象。通貨供給量が減少し、通貨の価値が上昇する。**不況時**に起こりやすい。

●**景気の悪化と物価**

・**デフレスパイラル**……物価の下落と企業業績の悪化が相互に作用し、景気がどんどん悪化する現象。

・**スタグフレーション**……景気が停滞（悪化）しているにもかかわらず物価が上昇する現象。

演　習

61 国民経済の規模を表す指標に関する記述として最も妥当なのはどれか。

［海上保安（特別）］

1　国富は、可処分所得と実物資産で構成される。可処分所得は、ある時点での経済的な蓄積を示すストックであり、実物資産は、一定期間における取引の大きさを示すフローである。

2　国内総生産（GDP）は、一定期間内に国内で生み出された付加価値の合計であり、付加価値は総生産額から中間投入額を差し引いて算出される。

3　国民総所得（GNI）には、国内で働いている外国人の生み出した所得は含まれるが、海外で働いている日本人が生み出した所得は含まれない。

4　国民所得（NI）は、国民総所得に、家事労働などの市場で取引されない労働の貨幣換算額を加え、環境維持費などを差し引いて算出される。

5　経済活動の実態を示す経済成長率には、物価変動の影響を除く必要があるので、名目 GDP を用いて計算される消費者物価指数の伸び率が指標として用いられる。

62 次のA～Eのうち、国民所得に関する記述の組合せとして、妥当なのはどれか。

［東京都］

A　国内総生産（GDP）とは、国内で新たに生産された付加価値の総額であり、国内での総生産額から中間生産物の価額を差し引いたものである。

B　国民総生産（GNP）とは、GDP に海外からの純所得を加え、古い設備を更新するための固定資本減耗を控除した額である。

C　国民所得（NI）は、生産、分配、支出の三面から捉えることができ、これらの額が等しいことを国民所得の三面等価の原則という。

D　生産国民所得は、第一次産業、第二次産業及び第三次産業の生産額の合計であるが、我が国では第二次産業の占める割合が最も高い。

E　分配国民所得は、雇用者報酬、財産所得及び企業所得の合計であるが、我が国では企業所得の占める割合が最も高い。

1　A、C　　2　A、D　　3　B、C
4　B、E　　5　D、E

63 物価の動きに関する記述として、妥当なのはどれか。 [大阪府]

1 物価が持続的に下落する現象をインフレーションといい、商品価格は下落し、生産活動が低下して賃金は下がり、失業者が増加し、消費は落ち込み、経済は不活発になる。

2 総需要の増加で発生するインフレーションをディマンド＝プル＝インフレーションといい、生産コスト増大で発生するものをコスト＝プッシュ＝インフレーションという。

3 物価が持続的に上昇する現象をデフレーションといい、通貨価値が下落するため、生活保護世帯や年金受給者といった固定収入に頼るものの生活が苦しくなる。

4 物価が短期間に数十倍に高騰するような現象をスタグフレーションといい、第一次世界大戦後のドイツや第二次世界大戦直後の日本で発生した。

5 1970年代には、日本を含む先進資本主義国が経験したような、不況下で物価上昇が起こる現象をデフレ＝スパイラルという。

64 インフレに関する記述として最も妥当なのはどれか。 [市町村]

1 有効需要が低下し、国内の需要が供給を下回ったときや、外国から安価な原材料や商品の輸入量が増加するとインフレになりやすい。

2 家計がインフレが進行すると予測した場合、消費が将来に先送りされるため、現在の消費意欲が低下する。

3 毎月定額の収入で生活する人は、インフレにより貨幣価値が低下するため、実質的な収入が目減りし、不利益を受ける。

4 借り入れを行っている企業は、インフレにより貨幣価値が上昇するため、実質的な返済の負担が重くなる。

5 日本銀行が、民間金融機関から国債を引き受けると、市場に資金が供給されるため、インフレを抑制することができる。

I - 11

日本経済の発展

出題頻度 ★★★

要点

① 経済の民主化……終戦（1945年）の直後

● **農地改革**……政府が地主から農地を強制的に買い上げ、小作人に売り渡す。これにより自作農が増加した。

● **財閥解体**……軍国主義と結びついていた財閥を解体し、企業間の自由競争を促進。財閥を復活させないよう**独占禁止法**を制定。

● **労働三法**…… 労働基準法、労働組合法、労働関係調整法を制定。労働組合の結成を促進し、労働条件の改善を図る。

② 戦後復興期……1946年～1950年代

● **傾斜生産方式**……工業生産回復のため、**石炭・鉄鋼**などの基幹産業に資金や労働力を重点的に投入。

● **ドッジ＝ライン**……終戦直後の**激しいインフレーション**（ハイパーインフレ）を収束させるための経済安定政策。

● **朝鮮戦争**（1950年～53年）……アメリカ軍から物資や武器補修などの**特需**が発生し、工業生産が戦前の水準にまで回復。

③ 高度経済成長……1950年代半ば～1970年代初め

● **高度経済成長**……経済成長率が年平均10％を超えた。神武景気、岩戸景気、オリンピック景気、いざなぎ景気の4つの好景気からなる。国民総生産がアメリカに次ぐ第2位となる。

● **国民所得倍増計画**……1960年に池田勇人内閣が策定。国民所得を10年間で2倍にすると宣言。

④ 第1次オイルショック……1973年

● **高度経済成長の終了**……**第4次中東戦争**にともないアラブ諸国が原油供給を制限したため、原油価格が約4倍となる（**第1次オイルショック**）。日本経済は**戦後初めてマイナス成長**を記録し、高度経済成長が終了。世界経済は**スタグフレーション**にみまわれた。

⑤　**プラザ合意と円高不況**……1980年代半ば

●**プラザ合意**……対アメリカを中心に貿易黒字が拡大していたが、1985年の**プラザ合意**によって**ドル高是正**が図られると、日本経済は急激な円高・ドル安のもと輸出が伸び悩み**円高不況**におちいった。

⑥　**バブル経済（平成景気）**……1986年～1991年

●**バブル経済**……円高不況に対し超低金利政策が実施されると、通貨の供給量が増大し、土地や株式への投資が促進され、**地価・株価が高騰**。これによって好況（バブル経済）が発生した。

⑦　**バブル経済の崩壊（平成不況）**……1990年代

●**バブル経済の崩壊**……地価・株価の急落により企業や個人に多額の損失が発生し、景気が急速に後退した。デフレーションが進行し、失業率が5%超まで上昇した（デフレスパイラル）。バブル崩壊後の景気低迷は**「失われた10年」**ともよばれる。

⑧　**2000年代の日本経済**

●**景気回復と世界同時不況**……2000年代に入ると景気が回復したが、2008年にアメリカの大手証券会社が倒産した**リーマン＝ショック**などをきっかけに世界経済が低迷した。日本経済も深刻な影響を受け、マイナス成長を記録。2010年代に入ると、景気はゆるやかに回復へと向かった。

演　習

65 我が国の第二次世界大戦後の経済情勢に関する記述として最も妥当なのはどれか。　[刑務官]

1　敗戦後、連合国軍総司令部（ＧＨＱ）の指導による経済民主化政策の一つとして財閥解体が行われた。
2　敗戦後の経済復興のために立案された傾斜生産方式により、電気機械、精密機械を重点的に増産した。
3　戦後デフレーションを早期に収束させるため、財政支出を大幅に削減する措置がとられた。
4　東京オリンピックの特需により、1950 年から高度経済成長期に入り、国民の間で所得格差が拡大した。
5　1970 年代前半の第１次オイルショック直後のプラザ合意を経て、変動為替相場制から固定為替相場制へ移行した。

66 第二次世界大戦以降の我が国の経済に関する記述として、最も妥当なのはどれか。　[海上保安（特別）]

1　第二次世界大戦後、経済力が戦前と比べて大幅に低下した我が国では政府主導で経済民主化が進められ、三大改革と呼ばれる農地改革、金融自由化、労働民主化が行われた。
2　ドッジ・ラインと呼ばれる均衡財政の実施などの政策により激しいインフレーションに見舞われたが、ベトナム戦争での米軍の特需によりインフレーションは収束した。
3　高度経済成長期には、実質 GDP 成長率が年平均で 5% 成長し、産業構造も大きく変化した。経済に占める第一次・第二次産業の割合が大幅に低下し、第三次産業の割合が増加した。
4　第三次中東戦争を契機とした石油危機により、我が国の経済は大きな打撃を受け、戦後初めて赤字国債を発行した。また、戦後から現在までの間で最低の実質 GDP 成長率を記録した。
5　ドル高を是正するためにドル売りの協調介入を定めたプラザ合意の結果、為替レートは大幅な円高・ドル安となった。このため我が国の輸出産業は打撃を受け、円高不況となった。

67 第二次世界大戦以降の我が国の経済に関する記述として最も妥当なのはどれか。

[刑務官]

1　戦後の経済復興のため、基幹産業に重点的に資金や資材を投入したが、1950年代初頭には、朝鮮戦争による海上交通の混乱により輸入資材が不足したため、深刻な不況が生じた。

2　1950年代半ばから1970年代初頭にかけて、神武景気、岩戸景気などの好景気を経験し年平均実質経済成長率10%前後という高度経済成長を遂げた。

3　1980年代前半の第1次石油危機による原油価格の引上げにより、激しいデフレーション（デフレ）が生じたため、政府は総需要抑制政策を採った。

4　1980年代後半から1990年代後半まで、バブル経済と呼ばれる好景気が持続したが、その後は不景気とインフレーション（インフレ）が同時に進行する状態となった。

5　2001年から2010年までは「失われた10年」と呼ばれ、自由化や規制緩和などの構造改革が進められたが、激しいインフレから脱却できなかった。

Ⅰ - 12

金融と日本銀行の役割

出題頻度 ★★★★

要点

①　通貨制度と金融

●**通貨制度**

・**金本位制**……一国の中央銀行の**金の保有量**にもとづいて通貨を発行する制度。紙幣は、金との交換が保証された**兌換紙幣**。

・**管理通貨制度**……金の保有量とは関係なく、政府や中央銀行の自由裁量で通貨を発行する制度。現在、多くの国が採用している。紙幣は金と交換できない**不換紙幣**。

●**通貨の種類**

・個人や企業、地方公共団体などが保有する通貨の総量を**マネーストック**という。

・通貨には、**現金通貨**と預金通貨などに分類され、日本のマネーストックの内訳は、現金通貨よりも**預金通貨の比率が高い**。

●**資金の調達方法**

・**直接金融**……企業が株式などを発行して資金を調達する方法。

・**間接金融**……企業が金融機関から資金を借り入れる方法。

●**信用創造**

・銀行が、預かっている預金額の何倍もの資金を貸し出すこと。

●**貨幣の機能**

・**価値尺度**……財やサービスの価値を価格によって決定する。

・**交換・支払い手段**……財やサービスを購入する。

・**価値貯蔵手段**……資産として貨幣を保存する。

②　日本銀行（日銀）の業務

●**銀行の銀行**……市中銀行への貸し付けや預金の受け入れを行う。個人や企業とは取り引きをしない。

●**政府の銀行**……税金などの国庫金の出納などを行う。

●**発券銀行**……紙幣(日本銀行券)を発行する。硬貨は日本銀行ではなく、政府が発行する。

●**金融政策**…… 景気に応じて通貨量(マネーストック)を調節。**不況時は通貨量を増やし**景気の回復を図る(金融緩和)。**好況時は通貨量を減らし**インフレを抑制する(金融引き締め)。

③ 日本銀行の金融政策

●**公開市場操作(オープン=マーケット=オペレーション)**

・日本銀行が、**市中銀行と国債などの有価証券を売買**することで通貨量を調節する。

・**不況時**(景気停時)は、日本銀行が**市中銀行から国債などを買い**、資金を市中銀行に供給することで通貨量を増加させ、景気を刺激する(**買いオペレーション**)。

・**好況時**(景気加熱時)は、日本銀行が**市中銀行に国債などを売り**、資金を市中銀行から吸収することで通貨量を減少させ、インフレを抑制する(**売りオペレーション**)。

●**預金(支払)準備率操作**

・市中銀行は受け入れた預金の一定割合を日本銀行に預けなければならない。その割合を預金(支払)準備率という。

・**不況時**には預金準備率を**引き下げ**、通貨量の増加を図り、**好況時**には預金準備率を**引き上げ**、通貨量の減少を図る。

●**金利政策**

・日銀が市中銀行に資金を貸し出すときの利子率を**公定歩合***という。

＊2006年以降、日本銀行は「公定歩合」という名称を使わず、「基準割引率および基準貸付利率」としている。

・**不況時**には公定歩合を**引き下げ**、通貨量の増加を図り、**好況時**には公定歩合を**引き上げ**、通貨量の減少を図る。

●**現在の金融政策**

・現在、預金準備率操作と金利政策は行われておらず、**公開市場操作が金融政策の中心**である。

演　習

68 金融に関する記述として最も妥当なのはどれか。　［刑務官］

1　企業が必要な資金を銀行から借り入れることを直接金融といい、国が国債の発行で財政資金を賄ったり、企業が株式や社債の発行で資金を調達することを間接金融という。
2　金融市場においても、資金には需要と供給の関係があり、財やサービス市場における価格の役割を果たすのは金利である。資金の需要が供給に比べて増大すれば、金利は下落する。
3　預金者は、自分の判断で金融機関を選択する責任が求められるようになり、そのため金融機関は、経営に関する十分な情報を公開するペイオフが義務づけられた。
4　銀行に預けられた資金が、銀行を介して預金と貸出の過程を繰り返すことにより、最終的に、銀行部門全体としては最初の預金の何倍もの預金通貨が作り出されるが、これを信用創造という。
5　金融機関の経営が破綻した場合、その金融機関にかわって預金者に払戻を実施するディスクロージャーの制度が導入されたが、元本1000万円とその利息が上限となっている。

69 日本銀行に関する記述として最も妥当なのはどれか。　［県・政令指定都市］

1　日本銀行は、発券銀行として金本位制に基づき紙幣を発行している。
2　日本銀行は、市中銀行との間で預金の受け入れや資金の貸し出しを行うとともに、家計の預金も受け入れている。
3　日本銀行は、市中銀行との間で国債等を売買することによって通貨量を調整する。
4　日本銀行は、景気安定のため、増減税や公共事業などのための財政支出を調整する財政政策を実施する。
5　日本銀行は、デフレーションを脱却するため、金利を上げる政策を実施する。

70 次の文のA～Dに当てはまるものの組合せとして最も妥当なのはどれか。
[海上保安]

景気を安定させるために、日本銀行が通貨量や金利を調整することを［ A ］といい、代表的な手段として日本銀行が一般の銀行との間で国債などを売買する［ B ］がある。

例えば景気が悪いとき、日本銀行は、一般の銀行が持つ通貨量を［ C ］ため、国債などを［ D ］。その結果、金利が下がり、企業や家計が資金を借りやすくなるので経済活動が活発になり、景気によい影響を及ぼすこととなる。

	A	B	C	D
1	金融政策	公開市場操作	減らす	売る
2	金融政策	公開市場操作	増やす	買う
3	金融政策	預金準備率操作	減らす	買う
4	財政政策	公開市場操作	減らす	買う
5	財政政策	預金準備率操作	増やす	売る

71 中央銀行が行う金融政策に関する次の記述中のA～Cの空欄に入る語句の組合せとして、最も妥当なものはどれか。
[裁判所]

不況期などに景気の刺激を目的として、公開市場操作で（ A ）や、基準割引率、および基準貸付利率の（ B ）、支払準備率（預金準備率）の（ C ）などが行われる。

	A	B	C
1	買いオペレーション	引上げ	引上げ
2	買いオペレーション	引上げ	引下げ
3	買いオペレーション	引下げ	引下げ
4	売りオペレーション	引上げ	引下げ
5	売りオペレーション	引下げ	引上げ

72 貨幣や金融に関する記述として最も妥当なのはどれか。　[海上保安等]

1　現金は紙幣であれ硬貨であれ支払手段として用いられることから、両者を併せて通貨と呼ばれるが、銀行預金は価値貯蔵機能はあるものの支払い手段としての機能はないため通貨に含まれない。

2　かつての紙幣は、貿易取引など限られた場合にしか外国紙幣との交換が認められなかったので不換紙幣と呼ばれたが、現在の紙幣は個人でも自由に外国紙幣との交換できるので兌換(だかん)紙幣と呼ばれる。

3　企業が資金を調達する場合に、金融機関から借り入れる方式を間接金融といい、企業が株式や社債を発行して資金を調達する方式を直接金融という。

4　銀行には預金を受け入れる銀行と、預金をもたずに貸出しのみを行う銀行の２種類がある。後者の銀行のように、預金の裏付けなしに貸出しを行うことを信用創造という。

5　我が国の中央銀行である日本銀行は、高度成長期には公開市場操作を主要な金融政策の手段としてきたが、現在では、主として公定歩合操作をその手段としている。

I - 13

財政のしくみと税制

出題頻度 ★★★★

要点

① 日本の予算制度

●**国の本予算**は、次の３つに分類される。いずれも国会の議決が必要。

・**一般会計**……国の基本的な予算。租税収入や国債を財源とする。近年の最大の歳出項目は**社会保障関係費**。

・**特別会計**……特定の事業のための予算。（例）東日本大震災復興特別会計。

・**政府関係機関予算**……沖縄振興開発金融公庫など政府関係の組織の予算。

●**財政投融資**……本予算とは別に、政府が資金を調達して地域活性化や中小企業支援、福祉分野などに資金を融通する。「**第二の予算**」と呼ばれる。国会の議決が必要。

② 租税の分類

●**国税と地方税**

・**国税**……（例）**所得税**、法人税、相続税、**消費税**など。

・**地方税**……（例）**住民税**、**固定資産税**など。

●**直接税と間接税**

・**直接税**……税を負担する者と納税する者が同一の税。
（例）**所得税**、住民税、固定資産税など。

・**間接税**……税を負担する者と納税する者が異なる税。
（例）**消費税**、酒税など。

・**直間比率**……日本の税収に占める直接税と間接税の比率（直間比率）は、直接税の方が高い。

●**累進税と比例税**

・**累進税**……課税対象が大きくなるほど税率が上がる税。（例）所得

税など

・**比例税**……税率が一定の税。(例) **所得税**、法人税など

●**税負担の公平性**

・**逆進性**……低所得者ほど税負担が重くなること。**消費税は逆進性をもつ**。

・**垂直的公平**……所得の多い者が、より多くの税を負担すること。
(例) 累進税である**所得税**

・**水平的公平**……同じ所得や消費額であれば、同じ税を負担すること。
(例) 比例税である**消費税**

③ 国債 (公債)

●国は国債を発行し、資金を借り入れている。国債は、個人や金融機関が購入する (国債の市中消化の原則)。日銀が国から国債を直接購入することは財政法で禁止されている (**日銀引受の禁止**)。

●**建設国債**……公共事業などのために発行。財政法で認められている。

●**赤字国債**……一般会計の歳入不足を補うために発行する国債。**財政法で禁止**されているが、第1次オイルショックによる歳入不足を補うため**特例国債**としてやむをえず発行した。以降、ほとんどの年度で赤字国債が発行されている。

④ 財政の機能

●**資源の適正配分**

・税金を用いて社会資本 (公共施設など) や社会保障を整備すること。

●**所得の再分配**

・累進課税制度 (所得税) や社会保障給付によって、**格差を是正**する。

●**景気の調整 (財政政策)**

・**フィスカルポリシー** (裁量的財政政策)

不況時＝**減税**や公共事業など財政支出の**拡大**。景気を刺激する。
好況時＝**増税**や公共事業など財政支出の**縮小**。景気を抑制する。

・**ビルト＝イン＝スタビライザー** (自動安定化装置)

累進課税制度や社会保障制度には**自動的に景気を調節**する機能が組み込まれている。

不況時＝税率が低下、社会保障給付が増加し、景気後退を回避。
好況時＝税率が上昇、社会保障給付が減少し、景気を抑制。

⑤ 金融政策・財政政策のまとめ

		不況時	好況時
日銀の金融政策	公開市場操作	買いオペ	売りオペ
	預金準備率操作	引き下げ	引き上げ
	金利政策	公定歩合引き下げ	公定歩合引き上げ
政府の財政政策	租税	減税	増税
	公共事業などの財政支出	拡大	縮小

＊現在、日本銀行は「公定歩合」という名称を使わず、「基準割引率および基準貸付利率」としている。

＊現在、預金準備率操作と金利政策は行っていない。

演　習

73 わが国の租税に関する記述として最も妥当なのはどれか。［市町村］

1　税負担者と納税者が異なる税が直接税で、税負担者と納税者が同じ税が間接税である。

2　間接税は国の主要な財源となっており、国税収入における直間比率は2:8で間接税の比率が高い。

3　直接税は、国税・地方税に分けられ、国税では消費税や酒税などが直接税にあたる。

4　生活必需品が高騰すると、消費税の負担は、消費が多い高所得者の方が低所得者よりも重くなる。

5　所得税は累進課税制度を採用しており、所得格差を縮小する所得の再分配機能を備えている。

74 わが国の財政に関する記述の下線部ア～オのうち妥当なものを選んだ組合せはどれか。 [市町村]

ア：租税には、国が課税する国税と地方が課税する地方税があり、住民税は国税に、関税は地方税に分類される。
イ：租税のうち、納税者と担税者が異なる税が間接税、両者が同一の税が直接税であり、国税に占める割合は間接税が9割となっている。
ウ：間接税の例として、消費税やたばこ税があげられる。
エ：低所得者ほど負担が重くなるという税の性質を逆進性という。
オ：所得税は逆進性をもつ。

1　ア、イ　　2　ア、エ　　3　イ、ウ
4　ウ、エ　　5　ウ、オ

75 わが国の国債に関する記述として、妥当なのはどれか。 [東京都]

1　赤字国債とは、既に発行した国債を満期に償還できず、再度借り換えるために発行する、財政法で認められている国債である。
2　建設国債とは、公共事業費、出資金及び貸付金の財源に充てるために発行される、財政法上に規定のある国債である。
3　赤字国債は、第二次世界大戦後、毎年度発行されており、国債発行額は年々増加し、減少したことはない。
4　建設国債は、1970年代の石油危機による不況期に発行されたが、1980年代以降は発行されたことがない。
5　国債の引受けは、財政法上、すべて日本銀行が行うことと規定されており、市中金融機関に国債を引き受けさせることはできない。

76

次の文は財政に関する記述であるが、A～Dに当てはまる語句の組合せとして妥当なのはどれか。　［海上保安等］

財政は、公共財の提供による資源配分機能、所得の再分配機能、景気の調節機能などを有しており、国民経済に影響を与えている。不況期には、税率を（　A　）、財政支出を（　B　）して有効需要を（　C　）する。好況期にはこれと逆の財政政策を実施して景気の調整を図る。また、財政の制度には、収入面での（　D　）や支出面での社会保障のように制度そのものが経済を自動的に安定させるという役割を果たしているものがあり、これらは財政の自動安定装置（ビルト＝イン＝スタビライザー）といわれている。

	A	B	C	D
1	上げ	減額	拡大	累進課税
2	上げ	減額	縮小	累進課税
3	下げ	増額	縮小	間接税
4	下げ	増額	拡大	累進課税
5	下げ	減額	縮小	間接税

我が国の財政の機能に関する記述として、妥当なのはどれか。　［特別区］

1　所得の再分配機能とは、消費税などの間接税を課したり、生活保護や雇用保険などの社会保障支出を行うことにより、所得格差を縮小させることをいう。

2　資源の配分機能とは、国民生活や生産活動に共通に必要な教育や保険、住宅などの財やサービスを政府が関与せずに市場機構に委ね、資源を効率的に配分することをいう。

3　ビルト・イン・スタビライザーとは、累進課税制度や社会保障制度を組み入れておくと、財政が自動的に景気を調整する機能を持つことをいう。

4　フィスカル・ポリシーとは、景気の調整と物価の安定というような複数の政策目標を同時に達成するため、金融政策と財政政策などの各種政策を組み合わせることをいう。

5　ポリシー・ミックスとは、不況が深刻化したときに、公共事業や減税を組み合わせて、財政政策のみにより景気回復を図ることをいう。

78 我が国の租税や財政に関する記述として最も妥当なのはどれか。

［国家一般］

1　一般会計は、社会保障や公共事業などの幅広い目的で支出を行い、税を財源にしなければならない。また、特別会計は、第二の予算とも呼ばれ、公債を財源としなければならない。

2　財政の資源配分の機能とは、累進的な税制や生活保護などの社会保障給付によって、高所得者から生活が困難な人々に所得を配分することで、所得の平等化を図ることである。

3　財政の自動安定化装置とは、景気の動向に左右されにくく、安定した税収を得られる仕組みのことをいい、代表的なものとして固定資産税や相続税が挙げられる。

4　裁量的財政政策を採ると、不況期には増税を行い、財政支出を増やすことで有効需要を拡大し、好況期には減税を行い、財政支出を減らすことで有効需要を抑制する。

5　消費税は、所得にかかわらず消費額に一律の税率を適用するため、低所得者ほど所得に対する税負担の割合が高くなるという逆進性がある。

I - 14

国際経済

出題頻度　★★★

要点

①　貿　易

●**自由貿易**……関税、輸入制限などの国家の介入を排して当事者の自由な活動に任せる貿易。イギリスの**リカード**が比較生産費説により主張。

●**保護貿易**……自国産業の保護・育成のため、国家が関税、輸入制限などを設ける貿易。19世紀後半にドイツの**リスト**が主張。

●**国際分業**

・**水平的分業**……先進国どうしで工業製品を交換すること。

・**垂直的分業**……先進国が工業製品を生産し、途上国が原材料や部品などを生産して交換すること。

②　国際収支

●1年間に外国との間で行った貨幣の受け取りと支払いの差額を国際収支という。国際収支は、次のように分類される。

- **経常収支**
  - **貿易・サービス収支**……商品の輸出入・旅行など。
  - **第一次所得収支**……雇用者報酬・投資収益。
  - **第二次所得収支**……援助・国際機関拠出金など。
- **資本移転等収支**……社会資本の無償提供など。
- **金融収支**……不動産購入・株や公債の購入など。

③　外国為替相場

●**外国為替相場（為替レート）**……自国通貨と他国通貨の交換比率。
（例）1ドル＝110円

●**固定為替相場制**……為替レートを特定の水準に固定すること。

●**変動為替相場制**……為替レートが需要と供給によって変動すること。

●**円高**

・円の価値（需要）が高くなることを円高という。

(例) 1ドル120円が1ドル100円に変化＝円高・ドル安となった。

・**円高の背景①**……アメリカに対する**日本の輸出が増加**すると、アメリカが支払うドルが日本国内に大量に流入する。日本国内でドルは円に両替される(ドル売り円買い)。結果的に円の需要が増え、ドルの需要が減るため**円高・ドル安となる**。

・**円高の背景②**……**日本の金利が上昇**すると、外国からの円預金が増えるため、ドル売り円買い(両替)が生じ、**円高・ドル安**となる。

●**円高の影響**

・輸出価格が上昇するため、海外での売れ行きが落ち、自動車産業など**日本の輸出には不利**となる。

・原油などの輸入価格が低下するため、**日本の輸入には有利**となる。

④ 国際経済の動向

●**ブレトン＝ウッズ体制 (1945年)**

・戦後の国際通貨体制。**ドルを基軸通貨**とし、ドルと金の交換をアメリカ政府が保証した(金・ドル本位制)。

・**固定為替相場制**を採用した。

・IMF(国際通貨基金)やIBRD(国際復興開発銀行・世界銀行)を設立。

●**変動為替相場制への移行 (1973年)**

・**ニクソン＝ショック**……アメリカの国際収支悪化により、ドルへの信頼が落ち、大量の金がアメリカ国外に流出した。1971年、**ニクソン大統領**は経済立て直しのため、**金とドルの交換停止を発表**した。

・その結果、ドルの価値がさらに下落し、固定為替相場制の維持が困難となったため、各国は1973年に**変動為替相場制に移行**、1976年のキングストン合意で正式承認された。

●**プラザ合意 (1985年)**

・アメリカの貿易赤字を是正するため、日・米・英・仏・独の先進5か国財務省会議 (G5) が開催され、**ドル高を是正**するプラザ合意が成立。

●**リーマン＝ショック (2008年)**

・2008年にアメリカの大手証券会社が倒産した**リーマン＝ショック**などをきっかけに世界経済が低迷。

⑤ 貿易をめぐる動向

● **GATT（関税と貿易に関する一般協定）**

・関税や輸入制限を排し自由貿易の促進を図るため、戦後に設立。

・多国間交渉（ラウンド）を通して、関税の引き下げなどを目指す。

● **WTO（世界貿易機関）**

・1986年から始まった**ウルグアイ＝ラウンド**によって、GATTは**WTO（世界貿易機関）に改組**された。また、同ラウンドでは、**サービス貿易や知的財産権に関する国際ルールが確立**した。

⑥ 地域的経済統合

● **OECD（経済協力開発機構）**

・**先進国**による経済協力機関。加盟国の経済発展や途上国の援助を目的とする。

● **ASEAN（東南アジア諸国連合）**

・東南アジア10か国の経済協力機構。

● **EU（ヨーロッパ連合）**

・1993年の**マーストリヒト条約**により、EC（ヨーロッパ共同体）から発展。経済・外交・安全保障などの統合をはかる。**共通通貨ユーロ**をデンマークやスウェーデンを除く約7割の加盟国で使用。

・加盟国が増加し28か国体制となったが、2020年に**イギリスが離脱**。

● **FTA（自由貿易協定）**

・2国で締結された自由貿易協定。

・**アメリカ・カナダ・メキシコによるNAFTA**（北米自由貿易協定）のように、多国間で締結する場合もある。

・FTAを発展させ、幅広い分野で連携をはかる協定を**EPA**（経済連携協定）という。日本も多くの国や地域とFTA・EPAを締結。

● **TPP（環太平洋経済連携協定）**

・日米など12か国による自由貿易などを促進する協定（2016年合意）

・2017年にアメリカが離脱したが、残り11か国によるTPP11として2018年末に発効した。

演　習

79 貿易に関する記述として最も妥当なのはどれか。 [国家一般]

1　各国はそれぞれ相対的に生産費が低い財の生産に特化してそれを輸出し、他の財を外国から輸入するのが最も利益が大きくなるという考え方を比較生産費説という。

2　国家、地域などの境界を越え、先進国が高度な工業製品を生産し、発展途上国がその原材料を生産することで地球が一つの単位になる過程を水平的分業という。

3　相手国の関税を撤廃させて自国の商品を輸出することを保護貿易というのに対し、国家の干渉の下で平等な関税をかけて貿易を行うことを自由貿易という。

4　自由貿易を守る体制として世界貿易機関（WTO）が国際連合発足時に設立されたが、近年では北大西洋条約機構など特定の地域内での自由貿易協定も結ばれている。

5　商品の輸出入に関する収支を国際収支といい、これに資金の対外取引の収支であるサービス収支と資本移転等収支を加えたものを経常収支という。

80 次の文は国際収支に関する記述であるが、A～Dに該当する語の組合せとして最も妥当なのはどれか。 [海上保安（特別）改題]

「ある国の1年間の国際的な経済活動は、国際収支によってあらわされる。それを大きく分けると、（　A　）と（　B　）からなる。

（　A　）は財・サービスの取引をあらわしたもので、貿易・サービス収支、第一次所得収支、第二次所得収支からなる。貿易収支は商品の輸出入の収支であり、サービス収支は（　C　）・保険・運輸などの収支である。第二次所得収支には、国際機関拠出金や（　D　）がある。

また（　B　）には、海外支店の設置や、配当や利子を目的とした証券投資などが含まれる。

	A	B	C	D
1	経常収支	金融収支	海外旅行	無償援助
2	経常収支	金融収支	無償援助	投資収益
3	所得収支	金融収支	投資収益	海外旅行
4	所得収支	経常収支	海外旅行	投資収益
5	金融収支	経常収支	投資収益	無償援助

81 外国為替市場と為替レートに関する次の記述で、［A］～［E］に当てはまる語句の組合せとして最も妥当なのはどれか。 [東京消防庁]

外国為替市場における自国通貨と外国通貨の交換比率を為替レートといい、現在の主要通貨の為替レートは、外国為替市場における通貨の需要と供給の関係によって決まる［A］となっている。

例えば、1ドル＝200円が1ドル＝100円になると、［B］に対する［C］の価値が高まり、［D］となる。

日本の輸出が増加した場合、日本が獲得した［B］を外国為替市場で［C］に交換するため、［C］への需要が高まる一方、［B］への需要が減少するため、［E］になる傾向がある。

	A	B	C	D	E
1	固定相場制	円	ドル	円安・ドル高	円高・ドル安
2	固定相場制	ドル	円	円高・ドル安	円安・ドル高
3	変動相場制	円	ドル	円高・ドル安	円安・ドル高
4	変動相場制	ドル	円	円高・ドル安	円高・ドル安
5	変動相場制	ドル	円	円高・ドル安	円安・ドル高

82 次は、外国為替と為替レートに関する記述であるが、[A]～[D]に当てはまるものの組合せとして最も妥当なのはどれか。 [刑務官]

我が国の企業が外国に商品を輸出して外貨で代金を受け取った場合、それを円に交換する必要が生じることがある。また、外国の株式や国債を購入したりするには外貨が必要になる。このようなとき、異なる通貨を売買する市場が外国為替市場であり、ここで決定される通貨の交換比率を為替レートと呼ぶ。例えば、1ドル＝100円が90円になる場合を[A]といい、逆に、1ドル＝90円が100円になる場合を[B]という。

変動相場制のもとでは、為替レートは外国為替市場における日々の通貨の需給関係で決まるが、通貨の受給に影響を与える要因には内外の物価水準の差や内外の金利の差などがある。例えば、日本の金利が外国の金利と比べて[C]なったときには、円の需要が[D]し、為替レートは円高となる。

	A	B	C	D
1	円高・ドル安	円安・ドル高	高く	増加
2	円高・ドル安	円安・ドル高	高く	減少
3	円高・ドル安	円安・ドル高	低く	減少
4	円安・ドル高	円高・ドル安	高く	増加
5	円安・ドル高	円高・ドル安	低く	減少

83 1960年代以降の世界経済に関する記述として最も妥当なのはどれか。

［海上保安等］

1　1960年代には、米国においてドル安が進んだために双子の赤字が膨張し、レーガン大統領が金とドルの交換停止を宣言した。

2　1970年代には、石油資源の枯渇を原因とする第1次石油危機が発生したため、石油資源の保護を目的として石油輸出国機構（OPEC）が結成された。

3　1980年代には、プラザ合意によりドル安が是正されたが、その後、急速なドル高が進んだため、為替レートの安定を目的とするスミソニアン協定が結ばれた。

4　1990年代には、中国における通貨暴落を機に、アジア通貨危機が生じたほか、中南米諸国の累積債務問題が表面化し、ブラジルやチリが財政破綻した。

5　2000年代には、米国でサブプライムローン問題が顕在化した後、投資銀行であるリーマン・ブラザーズが経営破綻し、世界金融危機が起こった。

84 国際機関や国家間の連携に関する記述として最も妥当なのはどれか。

［海上保安（特別）］

1　WTOは、自由貿易体制の維持と強化を目的とする国際機関であり、第二次世界大戦後に発足したGATTを引き継いで設立された。

2　OECDは、先進国と発展途上国の利害調整を主たる目的とする国際機関であり、先進国、新興工業国、発展途上国などの国々が幅広く加盟している。

3　NAFTAは、アメリカ合衆国、カナダ、メキシコの間で結ばれた軍事同盟であり、いずれかの加盟国への攻撃に対しては、他の加盟国が共同して防衛行動をとるとしている。

4　ASEANは、アジア諸国の加盟する自由貿易協定であり、中国、インドが加盟していることから、人口規模では世界最大の自由貿易協定となっている。

5　NATOは、冷戦期にはヨーロッパ諸国の軍事同盟としての役割を果たしていたが、冷戦終結後は地域経済統合のための組織となり、2002年以降、加盟国内の共通通貨「ユーロ」を発行している。

I - 15

国民の福祉

出題頻度 ★★

要点

① 労働三権

●**団結権**……労働組合を結成する権利。

●**団体交渉権**……労働条件の改善などについて使用者と交渉する権利。

●**争議権（団体行動権）**……ストライキなどの争議行為を行う権利。

●**公務員と労働三権**……すべての公務員は**争議権が認められていない**。

② 労働三法

●**労働基準法**

・週40時間労働など労働条件の最低基準を規定。監督機関として都道府県に労働基準監督署を設置。

・賃金の最低水準は、**最低賃金法**に規定。

・**男女雇用機会均等法**で、採用、配置、昇進などの待遇面で女性差別を禁止している。

●**労働組合法**

・労働者の労働三権を保障する法律。

・団体交渉で合意した**労働協約**は使用者が定めた就業規則に優先する。

・使用者による労働組合活動の妨害など**不当労働行為を禁止**している。

・労働者の正当な争議行為は、**民事上・刑事上免責**される（損害賠償請求の対象とならない）。

●**労働関係調整法**

・労働争議の予防と公正な解決を目的とする法律。

・**労働委員会**（労働者委員、使用者委員、公益委員の三者で構成）が労使の間にはいり、斡旋（あっせん）・調停・仲裁などにより労働争議を調整する。

③　日本の社会保障制度

●**社会保険**……疾病、老齢、失業など国民の生活不安に対し、社会的責任として国が最低限度の生活を保障する制度。費用は国民の保険料と国庫金などでまかなう。

・**医療保険**……疾病や負傷に対し、医療費などの一部を給付。日本ではすべての国民が医療保険に加入する**国民皆保険**が実現している。

・**年金保険**……65歳以上の者に対する老齢年金など。日本ではすべての国民が年金制度に加入する**国民皆年金**が実現している。

・**雇用保険**……失業者への給付。

・**労災保険**……労働業務が原因の負傷などを補償。保険料は**全額使用者が負担**。

・**介護保険**……介護が必要な者に対し、介護費の一部を給付。**40歳以上の者が保険料を負担**。

●**公的扶助**……国が公費によって、生活困窮者に必要な保護を行い、**最低限度の生活を保障**する制度。(例) 生活保護の給付など。

●**社会福祉**……児童・老人・心身障害者・ひとり親家庭など**社会的弱者に対して必要な助力を行う**制度。

●**公衆衛生**……国民全体の生活のために伝染病・公害病などの予防を目的として行われる組織的活動。

●日本の年金制度は、必要な年金給付費用を現役世代のその年の保険料でまかなう**賦課方式**を基本とする。

●日本の社会保障関係費は、**年金給付費の割合が高く**、医療給付費と合わせて全体の約7割を占める。

演　習

85 労働三法に関する記述として、妥当なのはどれか。　[特別区]

1　労働組合法は、労働組合の結成、労働組合と使用者との団体交渉や労働協約の締結、団体交渉が合意に達しない場合の争議行為について規定している。

2　労働組合法は、労働基本権を保障するために制定されているが、すべての公務員は、職務の公共的性格から、団結権・団体交渉権・争議権が認められていない。

3　労働基準法は、労働条件の最低基準を規定しているが、労働時間と休日の最低基準については、労働安全衛生法に基づいて、地域別・産業別に決められている。

4　労働関係調整法は、労働者委員と使用者委員の二者で構成される労働委員会が、斡旋・調停・仲裁の方法によって、労使間の紛争の調整を行うことを規定している。

5　労働関係調整法は、使用者の労働組合への不当労働行為の禁止や労働組合の正当な争議行為についての刑事上・民事上の免責を規定している。

86 日本の社会保障制度に関する記述として、正しいものはどれか。［警察官］

1　公的扶助には、生活扶助、住宅扶助、教育扶助などの制度があり、その費用は国からの補助と国民からの善意の拠出によって賄われている。
2　社会福祉は、老人や母子世帯などの生活を助けるもので、民間人によるボランティア活動を主としており、国や地方公共団体はこれを支援する立場にある。
3　社会保険は国民が平素から一定の掛金を出し合い国家からの補助を受けて病気や老齢などの必要が生じたときに、医療、年金などの給付を行うものである。
4　社会保険は、国民年金、健康保険など全国民を対象としたものをいい、労災保険や失業保険などもっぱら雇用者のみを対象としたものは含まれない。
5　公衆衛生は、社会保障制度の一環として、全国民を対象に年間を通じ常時行われる施策であり、その経費は社会保障関係費の中でも最も多額を占めている。

87 我が国の社会保障に関する記述として最も妥当なのはどれか。［刑務官］

1　満20歳以上の者は、原則として国民年金の被保険者となることが義務付けられているが、例外的に、学生及び自営業者は、国民年金の被保険者とはならない。
2　1990年代以降、生活保護受給者の数が一貫して増加しているため、平成30年度一般会計予算における社会保障関係費のうち、生活保護等対策費が半分以上を占めている。
3　介護保険の保険料は、原則として40歳以上の被保険者から徴収され、被保険者は、一定の要件を満たすことで、一部の自己負担のみで介護サービスを受けることができる。
4　労働者が失業した場合に給付を行う雇用保険と、労働者が業務による負傷等をした場合に給付を行う労働者災害補償保険の保険料は、いずれも労働者が全額を負担することとされている。
5　現在の年金制度では、被保険者自らが年金受給費用を在職期間中に積み立てる積立方式が採用されており、必要な年金給付費用を現役世代の保険料で賄う賦課方式は採用されていない。

I - 16

倫理・思想

出題頻度 ★★★★

要点

① ギリシア思想

- タレス……「万物の根源は**水**である」
- ヘラクレイトス……「万物の根源は**火**である」
- プロタゴラス……「人間は**万物の尺度**である」
- ソクラテス……「なんじ自身を知れ」 **無知の知**。問答法。
- プラトン……**イデア論**を説く。理想の政治は、哲学者による**哲人政治**。
- アリストテレス……「人間は**ポリス的（社会的）動物**である」

② 中国の思想

- 孔子……**仁**を身につけ、**礼**を実践する。徳知主義を説く。
- 孟子……**性善説**。人間は、生まれながらにして善である。
- 荀子……**性悪説**。人間には礼による矯正が必要である。
- 老子……**無為自然**を説く。理想の共同体は**小国寡民**。
- 墨子……無差別平等の人間愛である**兼愛**を主張。

③ 経験論と合理論、モラリスト

- ベーコン……経験論の創始者。**「知は力なり」**帰納法。
- デカルト……合理論の創始者。**「我思うゆえに我あり」**演繹法。
- パスカル……モラリスト。「人間は**考える葦**である」

④ 社会契約説

- ホッブズ……**「万人の万人に対する戦い」**。著書**『リヴァイアサン』**
- ロック……人民は**抵抗権（革命権）**を持つ。著書**『統治論（市民政府二論）』**
- ルソー……人民の**一般意志**にもとづく社会契約。著書**『社会契約論』**

⑤ ドイツの思想家

●**カント**……人間の行為は**定言命法（定言命令）**などの道徳法則に従う。**自律**の能力をもつ人間を**人格**とよんだ。

●**ヘーゲル**……歴史や物事は、**弁証法**により発展すると説く。

⑥ 功利主義

●**ベンサム**……人間の最善の行為は**最大多数の最大幸福**にあると説く。

●**J.S. ミル**……快楽（幸福）には質的な差異がある「満足な豚であるよりは、不満足な人間である方がよく、満足した愚か者であるよりは、不満足なソクラテスである方がよい」

⑦ 実存主義

●**ニーチェ**……**「神は死んだ」**人間の理想的なあり方は**超人**である。

●**サルトル**……**「実存は本質に先立つ」**人間は本来自由な存在である。社会に参加すること（**アンガージュマン**）が重要である。

●**ヤスパース**……**限界状況**に直面することで、真の自己が形成される。

⑧ プラグマティズム

●**デューイ**……知識は人間の行動の役に立つ道具である（**道具主義**）

⑨ 構造主義

●**レヴィ＝ストロース**……著書『**野生の思考**』で西洋文明中心の考え方を批判。

●**フーコー**……**狂気**・犯罪など反理性的なものを排除する西洋近代社会を批判。

⑩ ヒューマニズム

●**ガンディー**……**非暴力・不服従**によりインドの独立運動を指導。

●**シュヴァイツァー**……**「生命への畏敬」**アフリカで医療活動に従事。

●**マザー＝テレサ**……インドのスラムで社会的弱者を救済。

●**キング牧師**……アメリカで人種差別撤廃を求める**公民権運動**を指導。

⑪ 近代日本の思想

●**福沢諭吉**……天賦人権論にもとづく自由・独立の精神を啓蒙。
著書『学問のすすめ』『文明論之概略』

●**中江兆民**……**東洋のルソー**と呼ばれる。著書『**民約訳解**』

●**内村鑑三**……イエス(Jesus)と日本(Japan)は矛盾しない(**2つのJ**)。
●**西田幾多郎**……個人としての自己は**純粋経験**を通してあらわれる。
●**和辻哲郎**……人間は、**間柄的存在**である。
●**柳田国男**……庶民(**常民**)の生活・文化などを研究する**民俗学**の創始者。

⑫ 心理学者など

●**レヴィン**……青年は子どもとおとなの中間の存在(**マージナル=マン**)。
●**ルソー**……青年の時期を「**第二の誕生**」と表現。著書『エミール』
●**エリクソン**……青年の自己探求期間を**心理社会的モラトリアム**と呼ぶ。
●**フロイト**……葛藤や欲求不満から無意識に自己を守る働き(**防衛機制**)を明らかにした。
●**マズロー**……**欲求階層説**を提示し、人間の欲求を5段階に分類した。

演習

88 古代ギリシアの思想に関する次の記述A～Dのうち、妥当なもののみを挙げているのはどれか。 [刑務官]

A:プロタゴラスは、相対主義の立場から、個々の判断が真理なのであって、万物を貫くような普遍的な真理は存在しないとして、「人間は万物の尺度である」と述べた。
B:ソクラテスは、真理の探究方法として、相手と共同で問いと答えを繰り返しながら、相手に無知を自覚させて、それを出発点に真の知恵を発見させようとする問答法を用いた。
C:プラトンは、哲学者が国家を統治する哲人政治は理想主義によるものであって現実的ではないと批判し、ポリスの市民が参加する共和政治が最も安定性が高いとした。
D:アリストテレスは、快楽を人生の目的とする快楽主義を批判し、理性や意志によって自らの感情や欲望を抑制して理想の境地に到達しようとする禁欲主義を説き、ストア派を創始した。

1 A、B　2 A、C　3 B、C　4 B、D　5 C、D

89 中国の思想家に関する記述のうち、妥当なのはどれか。 [特別区]

1 老子は、人間の本性は悪であるという性悪説を唱え、人間の欲望を放置すると必ず争いが起こるため、その欲望を抑える外的な規範としての礼に従うことによって、社会の安全と秩序が維持できるとする礼治主義を説いた。

2 墨子は、人間は、天然自然の道に従い無為自然を理想として生きるべきであると説き、政治についても自然に任せれば良く治まるとして、小国寡民という村落共同社会を理想とした。

3 荘子は、仁は人間の社会生活の根本原理であるとし、仁徳を備えた人がその徳によって政治を行えば、社会の秩序は安定し理想の政治が実現されるとする徳治主義を説いた。

4 孟子は、人間の本性は善であるという性善説を唱え、人間は生まれながらにして、惻隠(そくいん)の心、羞悪(しゅうお)の心、辞譲の心、是非の心があるとし、また、政治については、為政者が仁義に基づいて民衆の幸福をはかる王道政治を主張した。

5 荀子は、善悪や美醜の別は人為的・相対的なものであり、ありのままの世界では万物はすべて等しいとする万物斉同を唱え、何ものにもとらわれないで、天地自然と一体となった逍遙遊(しょうようゆう)の境地にある真人(しんじん)を人間の理想とした。

90 西洋の政治思想に関する記述として、最も妥当なのはどれか。［東京消防庁］

1　ロックは著書『リヴァイアサン』において、人間は自然状態では「万人の万人に対する闘争」となるので、国家に権力を譲渡する必要があるとして、国王の絶対主義を擁護した。
2　ロックは、著書『統治二論（市民政府二論）』の中で、人民が国家に権力を信託することによりはじめて自然権が成立するので、権力の濫用に対する人民の抵抗権はないと主張した。
3　ロックは、モンテスキューの唱えた権力分立論を修正・発展させ、権力を立法権と執行権の２つに分け、執行権を立法権に優先させるという権力分立を主張した。
4　ルソーは、著書『法の精神』の中で、国家権力を立法権・執行権・裁判権に分け、三権をそれぞれ異なる機関で運用させるという三権分立論を唱えた。
5　ルソーは、『社会契約論』を著し、個々人相互の自由な契約による社会の成立と、一般意志に基づく人民主権を論じた。

91 ヨーロッパの思想家に関する記述として最も妥当なのはどれか。

［海上保安］

1　デカルトは「知は力なり」と主張するとともに、多くの事例を整理することによりそこから一般的な法則を見いだす方法である帰納法を確立した。
2　ヘーゲルは方法論として弁証法を確立するとともに、階級闘争により社会主義社会を実現させなければならないとした。
3　カントは「われ思う、ゆえにわれあり」を哲学の第一原理とし、一つの基本原理から出発して個々の事例を推理し論証する考え方である演繹法を確立した。
4　キルケゴールはプラグマティズムの先駆者であり、知識というものは我々が現実社会の中の困難や障害を克服するための道具であると主張した。
5　ニーチェは形式化したキリスト教道徳を批判するとともに、無気力な生き方から脱出するための道徳として、生への意志を持ち続ける「超人」の理想を説いた。

92 近代以降の思想家に関する記述として最も妥当なのはどれか。［国家一般］

1　デカルトは、普遍的な命題から理性的な推理によって特殊な真理を導く帰納法を用いて、物事を正しく認識することを重要とし、これを妨げる偏見や先入観を「イドラ」と呼んだ。

2　ヘーゲルは、イギリス経験論と大陸合理論を総合した。また、自律の能力を持つた理性のある存在を人格と呼び、互いの人格を尊重し合うことによって結び付く社会を「共和国」と呼んだ。

3　ベンサムは、人間の生き方を探求し、「モラリスト」と呼ばれた。快楽には精神的な快楽と感覚的な快楽があり、人間の幸福にとって大きな要素となるのは、精神的な快楽であると主張した。

4　サルトルは、人間は自由であることから逃れることは許されず、また、自己の在り方を選ぶ行動は、全人類に対しても責任を負うとして、社会参加（アンガージュマン）の大切さを説いた。

5　フロムは、ニヒリズムの立場から、より強くなろうとする力への意志に従い、たくましく生きようとする人間を「超人」と呼び、神への信仰を捨てるよう説いた。

93 行動や思想に関する次のA～Cの記述の正誤の組合せとして最も適当なものはどれか。 [裁判所]

A　ガンディーは、インド独立運動の指導者として、非暴力・不服従の抵抗通動を続けた人物であり、彼の思想には、アヒンサー（不殺生）の精神がこめられていた。

B　シュヴァイツァーは、アフリカで医療活動に身をささげ、「密林の聖者」と呼ばれた人物であり、彼の思想は、「生命への畏敬」という全ての命あるものを敬うものであった。

C　マザー＝テレサは、インドで社会的弱者の救済に献身した人物であり、彼女は「この世で一番大きな苦しみは、だれからも必要とされず、愛されていないこと」と語った。

	A	B	C
1	正	正	正
2	正	誤	正
3	正	正	誤
4	誤	誤	正
5	誤	正	誤

94 我が国の思想家に関する記述として、妥当なのはどれか。 [特別区]

1　内村鑑三は、自己のうちなる「内部生命」の要求を現実世界においてではなく、精神の内面世界（想世界）において実現しようとした。
2　北村透谷は、文字によって残された資料ではなく、「常民」によって受け継がれてきた民間の伝承から日本の伝統文化を明らかにしようとした。
3　西田幾多郎は、主観と客観とが区別される以前の直接的な経験の事実にこそ、最も根本的な真の実在が表れているとして、これを「純粋経験」と呼んだ。
4　柳田国男は、西洋近代の個人主義を批判し、人間は人と人との「間柄」において存在すると考え、また、著作「風土」で風土と思想との関係を説いた。
5　和辻哲郎は、教会や儀式にとらわれることを排し、直接、聖書の言葉によることを重んじて無教会主義の立場をとった。

95 青年期の特徴に関する記述として、最も妥当なのはどれか。 [刑務官]

1　フロイトは、欲求階層説を説き、青年期において最も高次の欲求である自己実現の欲求が満たされることで、自分自身の持っている能力・可能性を最大限発揮できるとした。
2　ルソーは、青年期が子どもと大人の時期に挟まれた、どちらにも属さない中間的なものであることから、青年を境界人（マージナル＝マン）と呼んだ。
3　エリクソンは、青年期を、社会的な責任や義務の一部が猶予されているとして心理社会的猶予期間（モラトリアム）と呼んだ。
4　マズローは、その著書『エミール』の中で、文明社会の青年の葛藤・緊張には、文化的要因が強く作用していることを指摘した。
5　レヴィンは、人が無意識のうちに欲求不満を解消しようとしてとる、合理化や抑圧といった青年期に特徴的な適応の方法を、防衛機制と呼んだ。

II
日本史

II - 1

原始・古代

出題頻度 ★

要点

① 原 始

●**旧石器時代**……狩猟中心の生活。**打製石器**。

●**縄文時代**（1万年前～紀元前3世紀頃）

・狩猟中心の生活。**磨製石器**。厚手でもろい**縄文土器**。

●**弥生時代**（紀元前3世紀～紀元後3世紀頃）

・**水稲耕作**。稲などを貯蔵する**高床倉庫**。薄くて丈夫な**弥生土器**。

・貧富の差や身分の別が発生。

② 律令国家の形成

●**ヤマト政権による統一**（4世紀）

・大王（おおきみ）が豪族を**氏姓制度**により支配。

●**聖徳太子（厩戸王（うまやとのおう））の政治**（6世紀末～7世紀初頭）

・推古天皇の摂政として、天皇中心の国家体制づくりを進める。

・**冠位十二階**（人材の登用）、**憲法十七条**（官吏の心得）、小野妹子を**遣隋使**として派遣。

●**大化改新**

・645年**中大兄皇子（なかのおおえのみこ）**や**中臣鎌足（なかとみのかまたり）**が蘇我氏を打倒し、天皇を中心とする中央集権国家の形成をめざす。

・改新の詔（みことのり）を発し、**公地公民制**、地方行政組織の整備、**班田収授法**の実施、新しい税制の施行などを目標に掲げた。

●**大宝律令**……701年に制定。律令国家体制が確立した。

・律＝刑法、令＝国政上の諸規定。

・中央官庁として二官八省が政治を担う。地方に国・郡・里を設け、国に国司、郡に郡司を置く。

・班田収授法にもとづき農民に口分田が与えられ、**租**・**庸**・**調**・**雑徭**(ぞうよう)・兵役などを負担させた。

●奈良時代（701 ～ 784 年）

・重い税負担が原因で、口分田を放棄し逃亡する農民が増加。

・**墾田永年私財法**（743 年）により開墾地の永久所有を認めたため、公地公民の原則が崩れる。

・**聖武天皇**が、**鎮護国家の思想**にもとづき国家の安定をはかり、東大寺に大仏を造立。

③　平安時代（794 ～ 1185 年頃）

●平安時代初期

・**桓武天皇**……平安京に遷都し、律令政治の立て直しを図る。
　勘解由使(かげゆし)を設け、国司の不正を監視。
　坂上田村麻呂を征夷大将軍に任命し東北地方平定。

・**嵯峨天皇**……天皇の秘書官として**蔵人頭**(くろうどのとう)を設ける。
　都の警備のため**検非違使**(けびいし)を設ける。
　弘仁格式(きゃくしき)により、社会の変化にあわせ律令を補足。

●摂関政治

・藤原氏が天皇の外戚として摂政・関白を独占し政治の実権を握る。

・11 世紀初め、**藤原道長**・**頼通**の時代に最盛期となる。

●武士のおこり

・東国に源氏、西国に平氏の二大武士団が形成される。

・**承平**(じょうへい)・**天慶**(てんぎょう)**の乱**……10 世紀半ばにおこった武士の反乱。平将門の乱（関東）と藤原純友の乱（瀬戸内海）の総称。

●院　政

・11 世紀後半、譲位した天皇が、上皇として国政を主導。**白河上皇**から始まり、約 100 年続いた。武士を重用。

●平氏政権

・12 世紀半ばの**保元の乱**、**平治の乱**をきっかけに**平清盛**が太政大臣となり平氏政権を樹立。

・**大輪田泊**（神戸港）を改修し、**日宋貿易**に力を入れる。

演　習

96　次のA～Eのうち、わが国における弥生時代についての記述として、妥当なものをすべて挙げてあるのはどれか。［警察官］

A　この時代の人々は、まだ金属器を使うことを知らず、石器及び素焼の土器を使用していた。
B　この時代の人々を祖型として、その後の生活環境の変化や渡来人との混血によって、現代の日本人が形成されたと考えられる。
C　この時代において、ようやく貧富の差や身分の別が発生し、階級社会が形成されていった。
D　この時代になると、木製及び鉄製農具による水田耕作が行われ、集落は低湿地帯に移っていった。
E　この時代には古墳を築く風習が広まり、多種多量の副葬品が埋葬されるようになった。

1　A、B　　2　B、C　　3　B、E　　4　C、D　　5　D、E

97　7世紀以前の我が国に関する記述として最も妥当なのはどれか。［刑務官］

1　紀元前の縄文時代には、稲の栽培が食糧生産の中心となり、薄くて固く文様の少ない縄文土器が作られた。また収穫したもみを蓄えておくための高床式倉庫も建てられるようになった。
2　『漢書』地理志によれば、2世紀初め頃までには、邪馬台国による支配が全国に広がり、氏姓制度による統治がなされていた。
3　4世紀には、蘇我馬子を大王とするヤマト政権が成立し、全国に支配を広げた。同王権下になってからは、それまで行われていた古墳造りの風習は急速に衰えていった。
4　6世紀末には、女性である推古天皇が即位し、摂政として聖徳太子を登用した。聖徳太子は、仏教や儒教の教えをもとにした十七条の憲法を定めた。
5　7世紀半ばには、勢力を増していた物部氏を、蘇我入鹿や藤原基経らを中心とした勢力が倒し、大化の改新と呼ばれる改革を行った。

98 我が国の古代の政治に関する記述として最も妥当なのはどれか。

［国家一般］

1　聖徳太子は推古天皇の摂政となって政治を行い、大宝律令を制定するなど律令国家の体制を整えたが、政権を独占したことから反感を買い、中大兄皇子と中臣鎌足らによって倒された。

2　桓武天皇は途絶えていた唐との国交を回復するため小野妹子を唐に派遣したり、唐の都長安にならって奈良に平城京を建設するなど、積極的に唐の制度や文化を取り入れた。

3　藤原不比等は冠位十二階の制や憲法十七条を制定するなど、大化の改新と呼ばれる一連の政治改革を行ったが、藤原広嗣が勢力の回復をはかって反乱を起こしたことを契機に失脚した。

4　聖武天皇は社会の動揺が続く中なかで都を転々と移すとともに、国分寺建立の詔を出すなど、政治や社会の不安を仏教の力を借りて鎮めようとした。

5　醍醐天皇は院政を行い、菅原道真とともに墾田永年私財法を発布して開墾を励行するなど、律令政治の再建をはかったことから、後にこの時代は延喜・天暦の治と呼ばれた。

99 次のA～Dの記述のうち、桓武天皇に関する内容として、妥当なものを選んだ組合せはどれか。

［特別区］

A　天智天皇が亡くなると、壬申の乱において大友皇子を倒し、飛鳥浄御原宮で即位して、天皇を中心とする中央集権国家の建設を進めた。

B　寺院勢力の影響を排除するため、平城京から山背国の長岡京に遷都し、次いで、より大規模な平安京に再遷都した。

C　政情不安のもと、恭仁京、難波京、紫香楽宮と遷都をくり返し、ふたたび平城京にもどったが、この間、仏教を厚く信仰し、大仏造立の詔を発した。

D　律令政治の再建のため、国司交替の事務引継ぎを監督する勘解由使を設け、また、蝦夷の反乱を鎮圧するため、坂上田村麻呂を征夷大将軍に任命した。

1　A　B　　2　A　C　　3　A　D　　4　B　C　　5　B　D

100 平安時代に関する記述のうち下線部分が誤っているのはどれか。［市町村］

1　794年に平安遷都を行った桓武天皇は律令政治の立て直しをはかり、勘解由使などの新しい官職を設けた。

2　894年、菅原道真の建議によって遣唐使が廃止され、それ以後中国大陸からの影響が薄れて、国風文化が発達した。

3　10世紀後半以降、各地で荘園が中央貴族に寄進されるようになり、これらの荘園は寄進地系荘園とよばれ不輸・不入の特権を有した。

4　10世紀後半から11世紀半ばごろ藤原氏が天皇の外戚として権勢をふるい、院政が全盛期を迎えた。

5　10世紀になると、新しい地方勢力として武士団が勢力を伸ばし、11世紀半ば以降、彼らの棟梁として源氏は東国で活躍し、平氏は西国武士を組織した。

II - 2

中　世

出題頻度 ★★

要点

① 鎌倉時代（12 世紀末～ 1333 年）

●鎌倉幕府の機構

・**源頼朝**が鎌倉幕府を開く。

・**封建制度**……土地をなかだちとする将軍と御家人の主従関係。

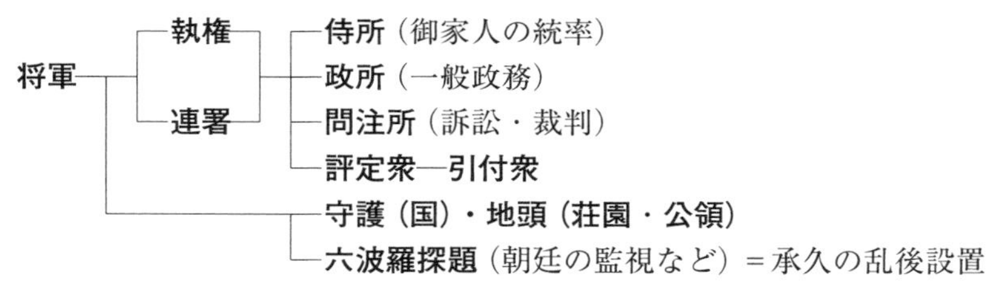

●執権政治

・源氏の将軍が 3 代で途絶え、**北条氏**が**執権**として政治を主導。

・**承久の乱**……1221 年、**後鳥羽上皇**が倒幕のため挙兵。幕府に鎮圧される。朝廷監視のため**六波羅探題**を京都に設置。

・**御成敗式目**……執権**北条泰時**が制定した初の武家法（1232 年）。裁判の基準などを定める。御家人社会にのみ適用。

・**地頭の台頭**……地頭請や下地中分により、地頭の荘園支配が拡大。

●鎌倉幕府の滅亡

・**蒙古襲来（元寇）**……13 世紀後半、執権**北条時宗**の時代にモンゴル（元）軍が 2 度にわたり襲来（文永の役、弘安の役）。恩賞が不十分だったことなどが原因で、御家人の幕府に対する不満が高まる。

・後醍醐天皇の統幕計画をきっかけに、新田義貞、足利尊氏らが鎌倉幕府を滅ぼす。

② 室町時代（1336 ～ 1573 年）

●**建武の新政**（1333 ～ 1336 年）

・鎌倉幕府滅亡後、**後醍醐天皇**が政治を主導したが、武士の不満が高まる。足利尊氏の離反により短期間で崩壊。

●**室町幕府の成立と南北朝時代**

・**足利尊氏**が建武式目で政治方針を示し、京都に室町幕府が成立。

・守護が一国の支配権を確立し、**守護大名**と呼ばれる。

・**南北朝時代**……京都（北朝）と吉野に逃れた後醍醐天皇が開いた南朝が約 60 年間対立。

●**足利義満**（3 代将軍）

・**南北朝を合一**し、室町幕府の全盛期を築く。

・**幕府の機構**……ほぼ鎌倉幕府を踏襲。有力守護大名が幕政に参加。将軍の補佐として**管領**を設置、将軍家の一族が就任。

・**日明貿易開始**……勘合を使用して倭寇（海賊）と明との貿易船を区別したので**勘合貿易**と呼ばれる。

●**室町時代の経済**

・商業が発達。月 6 回開く**六斎市**や**見世棚**（常設の小売店）が出現。

・貨幣の流通が拡大し、**明銭**が多く使われたが、国内産の質の悪い貨幣も流通。幕府は**撰銭令**（えりぜにれい）を出し、貨幣の統制を行った。

●**惣村の形成と土一揆**（つちいっき）

・農民は自治的な村（**惣村**）を形成。荘園領主に抵抗し土一揆をおこす。

・**正長の土一揆**……1428 年、近江の民衆が徳政（借金の帳消し）を要求して起こした最初の土一揆。

・**山城の国一揆**……1485 年、南山城の国人（地方武士）が守護大名を追放し 8 年間の自治を実現。

・**加賀の一向一揆**……1488 年、加賀の一向宗の勢力が守護大名を打倒し、約 100 年間の自治を実現。

●**応仁の乱と戦国時代**

・1467 年、8 代将軍**足利義政**の後継問題が原因で**応仁の乱**がおこる。

・幕府の権威が失墜。**下剋上**の風潮が広まり、戦国時代がはじまる。

演　習

鎌倉幕府の支配機構に関する記述として、妥当なのはどれか。　[特別区]

1　鎌倉幕府は、問注所を置き、有力御家人をその長官である別当に任命し、御家人の統率や軍事、警察の職務にあたらせた。

2　鎌倉幕府は、一般政務や財務事務を扱う侍所を置き、実務に長じた京の公家を招いて責任ある地位につけた。

3　鎌倉幕府は、守護を置き、東国の御家人をそれに任命し、大番催促と謀反人や殺害人の逮捕を行う大犯三カ条などの職務にあたらせた。

4　鎌倉幕府は、全国の荘園や公領に鎮西奉行を置き、年貢の徴収や土地の管理、治安の維持にあたらせた。

5　鎌倉幕府は、政所を置き、有力な御家人や政務にすぐれた人々の合議により裁判を行わせた。

102 鎌倉時代の政治に関する記述として最も妥当なのはどれか。　[国家一般]

1　源頼朝は、中央に御家人を統率するために侍所、一般政務を司るために問注所を設置した。また、地方には年貢を徴収するために守護を置いた。

2　鎌倉幕府が朝廷を監視する目的で京都に六波羅探題を置くと、これに反発した後白河法皇は幕府に不満をもつ勢力を結集して承久の乱を起こした。

3　北条泰時は、評定衆を置くなど執権を中心に御家人たちが幕府を運営する体制を整えた。また、武家独自の最初の法典である御成敗式目を定めた。

4　北条時宗は、執権政治を確立するために和田氏や畠山氏などの有力御家人を滅ぼした。また、幕府の経済基盤を強化するために日宋貿易を始めた。

5　鎌倉時代後半、元が二度にわたって日本に襲来した後、国内では尊皇攘夷運動が盛んになった。幕府の内部においても、有力御家人が二派に分かれて争う応仁の乱が起こった。

103 鎌倉時代に関する記述として、妥当なのはどれか。 [東京都]

1 鎌倉幕府は、朝廷が任命する国司を廃止し、国ごとに守護、地頭をおいて全国支配を進め、朝廷の支配力を完全に失わせた。
2 鎌倉幕府の支配機構は、中央に一般政務を担う公文所、裁判実務を担当する侍所をおいたほか、地方には守護をおいて年貢の徴収を行った。
3 後鳥羽上皇は、幕府と対立し、北条義時を追討する兵をあげて承久の乱を起こしたが、幕府に敗れて配流された。
4 建武式目は、御家人同士や御家人と荘園領主との間の紛争を公平に裁く基準を明らかにした法典であり、北条時宗により定められた。
5 六波羅探題は、蒙古の再度の襲来に備えるため、北条時政が北条氏一門を送り込んで九州北部に設置された。

104 13世紀後半、我が国は、二度にわたって元の襲来を受けたがこれを撃退した。その後の状況に関する記述として最も妥当なのはどれか。

[海上保安（特別）]

1 将軍の勢力が弱まり、代わって将軍の補佐役である執権の北条氏が勢力を拡大した。
2 厭戦気分や社会不安が人々の間に急速に広がり、来世の極楽浄土を願う密教が盛んになった。
3 幕府は、元のさらなる襲来に備えて、全国に守護・地頭を新設し、警備を強化した。
4 後鳥羽上皇は、幕府に不満をもつ西国の武士を集めて承久の乱を起こした。
5 戦功に対する恩賞が不十分であったことなどから、戦いに参加した御家人は幕府への不満をいだいた

105 我が国の封建体制を形づくっていた室町幕府に関する記述として正しいのはどれか。　［国家一般］

1　幕府は六波羅探題を置き、朝廷の監視と京都の警備、尾張以西の御家人の統制に当たらせていた。
2　国ごとに守護、荘園・国衙領ごとに地頭が初めて置かれ、国内の御家人たちの指揮、土地の管理、年貢の徴収、治安の維持に当たった。
3　将軍の下に、将軍を補佐し、幕府の諸機関を統轄する管領が置かれ、将軍家一門から任ぜられていた。
4　将軍を摂関家や皇族から迎え、幕府の実権は執権、さらに将軍を補佐する連署がもち、政務を行っていた。
5　中国とは正式な国交は結ばなかったが、日宋貿易によって多くの宋銭が輸入され、年貢の銭納制も行われていた。

106 室町幕府に関する以下の記述の｛　｝から、妥当なものを選んでいるものはどれか。　［市町村］

室町幕府は将軍足利｛a 義政／b 義満｝の時に南北朝の動乱などもおさまり、政権機構が充実し、｛a 管領・侍所／b 老中・大目付｝が設置された。また幕府は、半済令などによって鎌倉幕府に比べると守護の権力が｛a 強化された。／b 弱体化した。｝外交では、冊封体制を取る明に対して、｛a 鎖国を維持した。／b 朝貢による勘合貿易を行った。｝

将軍権力の弱体化に伴い、8代将軍の後継者争いが起こると、これに介入した｛a 後鳥羽上皇が山城の国一揆／b 細川勝元と山名持豊が応仁の乱｝を起こした。

1　a・義政
2　a・管領・侍所
3　b・弱体化した
4　a・鎖国を維持した
5　a・後鳥羽上皇が山城の国一揆

II - 3

近　世

出題頻度　★★★

要点

①　安土桃山時代

●**織田信長**の統一政策

・**楽市令**……商業の振興のため座の特権を廃止。

・関所の撤廃、仏教勢力の弾圧とキリスト教の保護。

●**豊臣秀吉**の統一政策

・**太閤検地**……従来の自己申告による指出検地にかえて、統一基準で全国的に耕地を測量し、検地帳を作成。**一地一作人**の原則が確立。

・**刀狩令**……農民から武器を没収し、兵農分離をすすめる。

・当初はキリスト教を保護→**バテレン追放令**により弾圧に転じる。

②　江戸幕府の成立

●**関ヶ原の戦い**……1600年、秀吉の死後、**徳川家康**が石田三成に勝利し、1603年に江戸幕府を開く。

●**大坂の役**……家康が２度の戦いで豊臣氏を滅ぼす（1614、15年）。

●**幕府の機構**

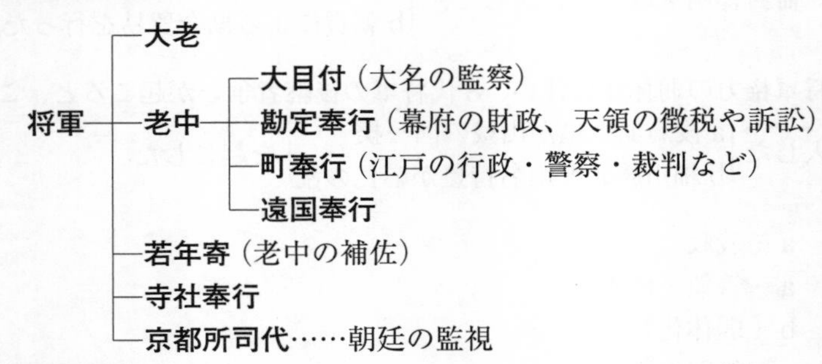

●**大名の統制**

・大名を親藩、譜代、外様の３つに分ける。

{ **親藩**（徳川氏一門）、**譜代**（従来の家臣）……要地に配置。
{ **外様**（関ヶ原の戦い前後にしたがった者）……辺境に配置。

・**武家諸法度**……大名統制のため2代目秀忠が制定、3代目**徳川家光**のとき参勤交代を制度化。

●**その他の統制政策**

・**禁中並公家諸法度**を制定し、朝廷を統制。士農工商の身分制度。農民には**五人組制度**により年貢納入や犯罪防止に連帯責任。

●**外交政策**

・**徳川家康**の外交

{ 朝鮮と国交回復……将軍の代替わりごとに通信使が来日。
{ **朱印船貿易**を奨励……東南アジア各地に**日本町**形成。

・**徳川家光**の外交

{ キリスト教禁止と貿易統制を目的に**鎖国**を実施（1639年）。
{ →**オランダ**と**中国**（清）に限り**長崎**で貿易。

③　幕政の改革

●**元禄時代**（1680～1709年）……5代将軍**徳川綱吉**

・財政難を克服するため貨幣の質を落とし、物価が高騰。

・生類憐みの令を発布。

●**正徳の治**（1709～16年）……**新井白石**（6代家宣、7代家継の時代）

・貨幣の質を元に戻す。

・**海舶互市新例（長崎新令）**で長崎貿易を制限し、金銀の流出を防ぐ。

●**享保の改革**（1716～45年）……8代将軍**徳川吉宗**

・**上げ米**……財政難克服のため大名に米を上納させるかわりに参勤交代の負担を軽減。

・**定免法**……年貢率を固定し収入の安定化をはかる。

・**足高の制**……家柄の低い者が高い役職につくことを可能とする。

・**公事方御定書**……裁判の基準を定める。

・**目安箱**の設置……庶民の意見を政治に反映。

●**田沼時代**（1767～86年）……老中**田沼意次**（10代家治の時代）

・**株仲間の奨励**……商人の同業者組合による株仲間を広く公認し、営業税として運上（うんじょう）・冥加（みょうが）を徴収。

・長崎貿易の奨励、新田開発（印旛沼・手賀沼の干拓）

●**寛政の改革**（1787 ～ 93 年）……老中**松平定信**（11 代家斉の時代）

・**囲米**（かこいまい）……凶作にそなえ大名に米を備蓄させる。

・**七分積金**……飢饉にそなえ、町人に積み立てさせる。

・**人足寄場**……無宿人を救済する施設。

・**棄捐令**（きえんれい）……武士（旗本・御家人）の借金を帳消しにする。

・**寛政異学の禁**……幕府の学問所で**朱子学**以外の講義を禁止する。

●**文化・文政時代**（1793 ～ 1841 年）……11 代家斉の時代

・ロシア使節**ラクスマン**が根室に来航。幕府に通商を求める（1792 年）。

・外国船の接近に対し**異国船打払令**により取り締まりを強化（1825 年）。

・**蛮社の獄**（1839 年）……漂流民返還のため来航したアメリカ船を幕府が撃退したモリソン号事件などを批判した**高野長英・渡辺崋山**らが処罰される。

・**大塩の乱**（1837 年）……**大塩平八郎**が天保の飢饉による貧民救済のため大坂で武装蜂起。

●**天保の改革**（1841 ～ 43 年）……老中**水野忠邦**（12 代家慶の時代）

・**人返しの法**……江戸に流入した農民を帰村させ、農村再建を図る。

・**上知令**……財政安定化などのため、江戸・大坂の周辺を直轄領にしようとしたが、大名らの反対で失敗。

・**株仲間の解散**……高騰した物価を抑えるため、株仲間を解散。

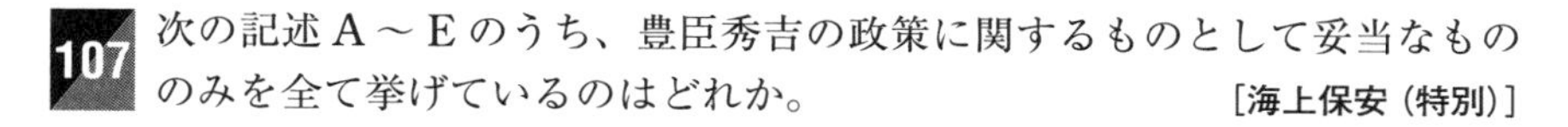

107 次の記述Ａ～Ｅのうち、豊臣秀吉の政策に関するものとして妥当なもののみを全て挙げているのはどれか。 ［海上保安（特別）］

A　禁中並公家諸法度を定め、天皇に学問を第一とするなどの心構えを説くとともに公家の席次や昇進にまで規制を加えた。

B　自治都市として繁栄した函館を従わせて直轄地とし、安土城下では商工業者に自由な営業を認める楽市・楽座の令を初めて出して都市の繁栄を図った。

C　土地測量の基準を統一し、全国の村の田畑・屋敷地ごとに面積と等級を定める太閤検地を行い、それに基づいて年貢の石高を決めた。

D　武家諸法度を制定し、大名の心構えを示すとともに、城の新築や無断修理を禁じ、大名間の婚姻には許可が必要であるとした。

E　農民が一揆を起こさず、耕作などの生業に専念するように、刀狩令を出して、刀、槍、鉄砲などの所有を禁じた。

1　A B　　2　A C　　3　B D　　4　C E　　5　D E

108 織豊政権に関する下文の下線部ア〜オについて正しく述べているものはどれか。 [市町村]

世界史上で大航海時代とよばれた時代にはヨーロッパ人が活発に海外進出したが、日本でも16世紀半ばに、ア鉄砲やキリスト教が伝来し、南蛮貿易が始まって、日本は新しい世界と接触して各方面で大きな影響を受けた。

当時の日本はイ応仁の乱後約1世紀にわたった戦国争乱がようやく終息にむかった頃で、全国統一の先頭に立ったのが織田信長であった。彼は各地の大名を打ち破り室町幕府を滅ぼして天下人への道を歩んだが、彼の成功の要因には濃尾平野を基盤とする豊かな経済力や鉄砲隊を中軸とする強大な軍事力とともに、積極的なウ商業政策、エ宗教政策などがあった。

さらに、信長と彼を継承した豊臣秀吉の統一事業で重要なものは、オ検地と刀狩、身分統制令の実施で、これにより兵農・商農分離が進められ近世身分制の骨格が確立した。

1 ア——南蛮貿易の主導権を握ったヨーロッパ人は、イギリス人であった。
2 イ——この過程で室町幕府の勢力が衰え、各地で守護・地頭が領国支配を強化した。
3 ウ——信長は楽市楽座の制を廃止し、また関所を設けて領内産業を保護した。
4 エ——信長はキリスト教布教を認めると同時に、比叡山や一向宗などの仏教界の権威を肯定し保護した。
5 オ——秀吉の太閤検地によって直接の土地耕作農民が年貢負担者として登録された。

109 17世紀前半における江戸幕府の大名及び朝廷への統制に関する記述として妥当なのはどれか。 [国家一般]

1　武家法の最初の成文法典である御成敗式目を制定し、大名に対し文武の奨励、新規築城の禁止、城の修理の許可制、大名間の婚姻の許可制などを定めた。
2　3代将軍徳川家光により参勤交代が制度化され、大名は常時国許に住むことが強制される一方、その大名の妻子は人質として江戸におかなければならなかった。
3　大名の配置にあたって、重要な地域や東北及び九州地方には親藩・譜代大名をおき、有力な外様大名は監視する必要があることから、江戸に近い関東地方に集中しておいた。
4　天皇や公家に対しては、禁中並公家諸法度を定めて、天皇が第一にすることは学問であるとし、朝廷が政治に関与しないようにした。
5　朝廷と大名が接近するのをおそれて老中のもとに大目付を設置し、これを京都に派遣して朝廷内部や公家の行動を監視した。

110 江戸時代の幕政改革に関する記述として最も妥当なのはどれか。 [刑務官]

1　徳川綱吉は、「正徳の治」において、旗本・御家人に対して武芸を奨励し、質素倹約を命じて武士の気風を引き締めるとともに、参勤交代を制度化するなど大名統制の強化を図った。
2　徳川吉宗は、「寛政の改革」において、人足寄場に浮浪人や無宿者を収容して保護するとともに、諸大名に膨大な負担を強いていた参勤交代の制を廃止した。
3　田沼意次は、飢饉により荒廃した農村を復興するため、江戸に流入した農民を強制的に帰村させる人返しの法や、備蓄用の米を社倉・義倉に貯蔵する囲米を実施した。
4　松平定信は、「享保の改革」において、商品経済のもたらす利益を取り込むため、農村からの出稼ぎを奨励したり、貿易制限を緩めて銅や俵物の輸出増加を図る施策を行った。
5　水野忠邦は、「天保の改革」において、株仲間が商品流通を独占して物価をつり上げているとして、株仲間の解散を命じ、一般商人等の自由な取引を命じた。

111 寛政の改革に関する記述として、最も妥当なのはどれか。

［海上保安（特別）］

1　天皇・朝廷にも幕府の統制に従うことを求め、禁中並公家諸法度を制定し、天皇の生活や公家の席次・服制・昇進にまで規制を加えた。
2　年貢に加えて経済・流通政策による収入も重視し、都市の商工業者や在郷町の商人らに株仲間の設立をすすめ、営業独占を認めるかわりに運上・冥加を上納させた。
3　旗本・御家人に対して朱子学を儒学の正学とし、湯島の聖堂で朱子学以外の講義と研究を禁止した。
4　幕府財政の安定と権力の強化を図るため、江戸・大坂周辺の地を幕府の直轄地にする上知令を出したが、そこに知行地をもつ譜代大名や旗本の反対にあって実現しなかった。
5　元禄の悪貨を改鋳して高品位に戻す一方、金銀の海外流出を防ぐため、海舶互市新例を定め、長崎貿易の制限を強化した。

112 江戸時代の政策に関する記述として最も妥当なのはどれか。　［国家一般］

1　徳川綱吉は、足高の制を採用して柳沢吉保や新井白石などの有能な人材を広く登用し、彼らの助言に従って、生類憐みの令を廃止した。
2　徳川吉宗は、享保の改革を行い、飢饉に苦しむ農民に米を支給する上げ米を実施するとともに、参勤交代を廃止して諸大名の負担の軽減を図った。
3　田沼意次は、上知令を出し、庶民に厳しい倹約を命じた。また、幕府財政の再建のために、印旛沼の干拓を中止し、支出の削減に努めた。
4　松平定信は、寛政の改革を行い、旧里帰農令を出して江戸に流入した没落農民の帰村や帰農を奨励した。また、寛政異学の禁を発し、朱子学を正学とした。
5　水野忠邦は、天保の改革を行い、株仲間を結成させ、商品の流通を促進して商業を活性化させた。また、棄捐令を出して札差の救済を図った。

II - 4

近代・現代1（明治時代）

出題頻度 ★★★★

要点

① 開国と討幕運動

●**ペリー来航**（1853年）

・浦賀に来航し開国を要求。

・1854年、**日米和親条約を締結**。下田、函館を開港。

●**日米修好通商条約**（1858年）

・**ハリス**と幕府の大老**井伊直弼**が勅許（天皇の許可）なく調印。

・新たに神奈川、長崎などを開港。貿易が始まる。

・**治外法権（領事裁判権）**を認め、**関税自主権**が欠如した不平等条約。

・オランダ、ロシア、イギリス、フランスとも同様の条約を締結。

・**開国の影響**……輸出増加により国内で品不足となり物価が高騰。外国勢力排除をめざす**攘夷運動**の一因となる。

●**討幕運動の展開**……井伊直弼が反対派を弾圧（**安政の大獄**）したが、**桜田門外の変**（1860年）で暗殺される。薩摩藩などの公武合体派と長州藩などの尊王攘夷派が対立したが、やがて倒幕の気運が高まる。

・**薩英戦争**（1863年）
薩摩藩士がイギリス人を殺傷した**生麦事件**が原因でおこる。攘夷の不可能を理解した薩摩藩は倒幕に傾く。

・**四国艦隊下関砲撃事件**（1864年）
イギリスなどが下関を砲撃。攘夷の不可能を理解した長州藩も倒幕に傾く。

・**薩長連合**（1866年）
薩摩藩・長州藩が同盟。倒幕勢力の主力となる。

・**大政奉還**（1867年）
15代将軍**徳川慶喜**が政権を朝廷に返上。

・**王政復古の大号令**（1867 年）
薩摩藩・長州藩の倒幕派が新政府樹立を宣言。

② 明治時代（1868 ～ 1912 年）

●**戊辰戦争**（1868 年）……新政府と旧幕府の戦い。新政府が勝利。

●**明治維新**……近代国家形成をめざした改革

・**五箇条の誓文**
公議世論の尊重、開国和親の方針を示す（1868 年）。

・**版籍奉還**
全藩主が土地と人民を政府に返上。旧藩主は引き続き知藩事として旧藩領を支配（1869 年）。

・**廃藩置県**
藩を全廃して府・県を置く。中央政府から**府知事・県令**を派遣。知藩事は罷免された（1871 年）。

・**学制**
国民皆学をめざした学校制度の基本構想（1872 年）。

・**徴兵令**
国民皆兵をめざし、20 歳以上の男性を徴兵（1873 年）。

・**四民平等**
華族（大名・公家）、士族（武士）、平民（農工商）とし、士農工商の身分制度を撤廃。平民に苗字の許可。

・**地租改正**
地価の 3%を土地所有者が金納する課税制度。土地所有者に地券を発行して土地の所有権を認め、地価を定めた。

・**殖産興業**
政府が**富岡製糸場**などの**官営**模範工場を設立し、近代産業を育成。

●**自由民権運動**

・**新政府への反抗**
士族の特権を廃止する新政府に対し士族が反乱をおこす。西郷隆盛を首領とする**西南戦争**（1877 年）が最後の武力による反政府運動。

・**民撰議院設立の建白書**の提出（1874 年）
板垣退助が政府に国会の開設を要求し、**自由民権運動**がはじまる。特定の藩の出身者が主導する藩閥政治を批判。

・政府は、集会条例などにより弾圧するが、運動は拡大した。

・**国会開設の勅諭**（1881 年）
伊藤博文らの主導のもと、政府は 9 年後の国会開設を約束。

・民権派は国会開設に向け政党を結成。
自由党（板垣退助）……フランス風の急進な自由主義。
立憲改進党（大隈重信）……イギリス風の議会主義。

●憲法の制定

・憲法制定に先行して内閣制度を創設。初代内閣総理大臣は伊藤博文。

・**大日本帝国憲法**（1889 年）
伊藤博文らがドイツ憲法を模範として草案を作成。

・**第 1 回帝国議会**（1890 年）
衆議院と貴族院の二院制。衆議院議員の選挙権は**直接国税 15 円以上を納める 25 歳以上の男性**に限られた。

●不平等条約の改正……政府は当初から幕末に締結した条約の治外法権の撤廃と関税自主権の回復をめざしていた。

・1894 年、外相**陸奥宗光**が**治外法権撤廃**。関税自主権も一部回復。

・1911 年、外相**小村寿太郎**が**関税自主権を回復**。

●日清戦争（1894 年）

・朝鮮でおこった**甲午農民戦争**をきっかけに開戦。

・日本が勝利し、**下関条約**調印……清が朝鮮の独立を承認、**遼東半島・台湾**などを日本に割譲、**多額の賠償金**などが決まった。

・賠償金をもとに金本位制を確立。**官営八幡製鉄所**の建設。

・**三国干渉**（1985 年）
ロシア・ドイツ・フランスが遼東半島の返還を勧告し、日本はこれを受け入れる。これをきっかけにロシアへの敵意が高まる。

・**日英同盟**（1902 年）……ロシアの南下に備え、イギリスと同盟。

●日露戦争（1904 年）

・朝鮮・満州における両国の利害をめぐり開戦。

・**日本海海戦の勝利**など、戦況は日本有利であったが、決着つかず。

・米大統領セオドア＝ローズヴェルトの仲介で**ポーツマス条約**調印。
日本は韓国に対する指導権や満州での鉄道の利権などを得たが、**賠**

II 日本史

償金を獲得できなかった。

・**日比谷焼討ち事件**……賠償金がないことに対し起こった暴動。

・**韓国併合**（1910年）……韓国を植民地化。

演　習

113 江戸時代の我が国の出来事A～Dを、年代順に古いものから新しいものへ並べ替えた場合、妥当なのはどれか。 **[東京都]**

A　安政の大獄　　B　桜田門外の変
C　薩長同盟の成立　　D　日米和親条約の調印

1　A→B→C→D　2　A→B→D→C　3　A→C→B→D
4　D→A→B→C　5　B→D→A→C

114 江戸時代末期に関する記述として最も妥当なのはどれか。 **[刑務官]**

1　幕府は、キリスト教の禁圧と貿易の統制を強化するため、対馬でスペインとのみ貿易を行う鎖国政策をとっていたが、幕末に島原の乱が起きると、幕府はキリスト教禁止令を撤回した。

2　異国船打払令の発出を求めた渡辺崋山や高野長英らが、幕府に通商を求めて来航したオランダ船に捕らえられ、処刑される事件が起こった。

3　大老井伊直弼は、アメリカ総領事ペリーと交渉を進め、勅許を得て、日米和親条約に調印し、この条約調印を非難する吉田松陰らを江戸城桜田門外で公開処刑した。

4　尊王攘夷派の会津藩主松平容保が朝廷から太政大臣に任命されると、会津藩は長州藩とともにロシアなど4か国と交戦し、それらの連合艦隊から砲撃を受けた。

5　将軍徳川慶喜が朝廷に政権を返還した後、王政復古の大号令が出され、新政権が樹立されるとともに、慶喜に対しては、辞官（内大臣辞任）と納地（旧幕府領地の返上）が命じられた。

115 明治政府が近代化のために行った政策として最も妥当なのはどれか。

［市町村］

1　中央集権化を目指して、版籍奉還を行い、その後廃藩置県を断行して藩主に代えて地方に府知事・県令を派遣した。
2　四民平等を目指し、今までの身分制度を廃止したが、農民などは平民となり、武士は士族として帯刀など一部の特権は残され、軍人として採用された。
3　地租改正を行い、収穫高に応じて税を徴収したため、安定した税収を得ることができなかった。
4　殖産興業を図り、官営模範工場として八幡製鉄所をつくり、軽工業から重工業への発展を目指した。
5　大日本帝国憲法が制定され、天皇より議会の権限を強くして、議会中心の立憲政治を行った。

116 明治初期の近代化政策に関する記述として最も妥当なのはどれか。

［刑務官］

1　廃藩置県を断行した後、旧藩主が所有する領地の朝廷への返上を進めるため、旧藩主を府知事・県令に任命する版籍奉還を実施した。
2　江戸時代以来の身分制度を改め、華族・士族・平民に再編成する一方、平民については、苗字の使用や華・士族との結婚を禁止した。
3　地租改正を行い、土地所有者に地価の５％を地租として貨幣で納税することを義務づけたが、従来に比べ減収となったため、地価の８％に引き上げた。
4　教育制度の近代化を目指して、学制を発布し、９年制の義務教育とその無償化、男女共学を制度化するとともに、高等教育機関を設置した。
5　近代産業を育成するために、フランスの技術を導入した富岡製糸場などの官営模範工場をつくり、政府自ら鉱山や工場を経営して殖産興業につとめた。

117 明治初期における政策に関する記述として、最も妥当なのはどれか。

[国家一般]

1　廃審置県により、全国の藩に替えて府県が設置された。しかし、旧藩主を府知事・県令に任命して引き続き任務に当たらせたため、本来の意図である全国の政治的統一には至らなかった。

2　徴兵令が公布され、満18歳に達した男子は3年間の兵役に服することが定められた。免除規定は設けられず、労働力を奪われた各地の農村で血税一揆が頻発した。

3　地租改正が行われ、課税対象が収穫高から地価に変更された。しかし、土地の所有権は認められず、また、地租率が全国統一されたことで地域的な格差が広がり、大規模な農民一揆が起きた。

4　殖産興業の一環として、工部省は、群馬県の富岡製糸場を始めとする大規模民営工場に対し、直接紡績業等の指導に当たったほか、勧業博覧会を開いて新技術の開発と普及を図るなどした。

5　小学被教育の普及に力が注がれ、全ての6歳以上の男女の就学が目指されたが、性急な教育制度は地方の実情に合わず、後に教育令を公布して、義務教育年限を短縮するなど、制度の実際化を図った。

118 自由民権運動に関する記述ア～ウを年代の古い時期から並べ替えたものとして妥当なのはどれか。

[県・政令指定都市]

ア　征韓論争に敗れた西郷隆盛らが参議を辞職し、西郷は西南戦争を起こしたが、政府軍に鎮圧された。

イ　板垣退助、後藤象二郎らが、民撰議院設立の建白書を提出したことから、自由民権運動が始まった。板垣らは愛国社などを設立し、運動の拡大を目指したが、政府は新聞紙条例などを定めて活動を取り締まった。

ウ　政府の内部からも立憲政体設立の声が上がりはじめると、政府は国会開設の勅諭を出し、10年後の国会開設を約束した。

1　ア→イ→ウ　　2　ア→ウ→イ　　3　イ→ア→ウ

4　ウ→ア→イ　　5　ウ→イ→ア

119 自由民権運動に関する記述として、妥当なのはどれか。［東京都］

1　板垣退助は、征韓論争で敗れて参議を辞し、後藤象二郎らとともに、民撰議院設立建白書を政府に提出して国会の開設を要求した。
2　伊藤博文は、国会開設を求める意見書を提出して政府から追放された後、立憲改進党を結成し、イギリス流の議院内閣制の確立を主張した。
3　大久保利通は、開拓使官有物の払い下げを実現する一方、国会の開設を約束する国会開設の勅諭を出した。
4　大隈重信は、憲法の諸制度を調査するためヨーロッパへ派遣され、主にフランスの憲法を学んで帰国し、大日本帝国憲法を起草した。
5　福沢諭吉は、ルソーの「社会契約論」を翻訳した「民約訳解」を発表し、ドイツ流の立憲君主制を主張する自由党の党首として、その結成に加わった。

120 日清戦争及び日露戦争に関する記述として、最も妥当なのはどれか。［東京消防庁］

1　朝鮮で起こった甲午農民戦争（東学党の乱）の際、出兵した日清両国が朝鮮の内政改革をめぐって対立を深め、日清戦争がはじまった。
2　日清戦争で清を破った日本は、下関条約によって朝鮮、遼東半島、香港の割譲や賠償金２億両の支払いなどを清に認めさせた。
3　日清戦争後、日本はロシア、フランス、イギリスの三国から遼東半島の返還を要求され、やむなくこれを承諾した。
4　清で起こった義和団事件（北清事変）を機にロシアが満州を占領すると、危機感を高めた日本はアメリカと同盟を結んで、ロシアとの開戦準備を進めた。
5　日露戦争ではイギリスが講和を斡旋し、両国間にポーツマス条約が結ばれたが、日本は賠償金を得ることができなかった。

121 日露戦争前後の日本をめぐる状況に関する記述として正しいのはどれか。

[国家一般]

1　日清戦争により日本は台湾を獲得したが、ロシアはこの領有に対しアメリカ合衆国、フランスとともに三国干渉を行い、台湾の清国への返還を求めた。

2　北清事変を機に満州に勢力を伸ばしたロシアに対抗するため、日本はイギリス、ドイツと同盟するとともに、ロシアに対し二十一か条の要求を出し、満州での権益の確保に努めた。

3　日露戦争の直前には、キリスト教徒の内村鑑三や吉野作造などにより非戦論、反戦論が盛り上がったが、政府は治安維持法を制定しこれらの弾圧を行った。

4　日露戦争開戦後、日本は日本海海戦に敗れたもののイギリスの協力を得て旅順、奉天を攻略したのち、首都ペテルスブルクを占領し、軍事的勝利を収めた。

5　日本は、アメリカ合衆国大統領セオドア＝ローズヴェルトの斡旋によりポーツマス条約を締結したが、国民はこの内容を不満とし日比谷焼き打ち事件などを起こした。

122 日清戦争から日露戦争までの時期の我が国に関する記述として最も妥当なのはどれか。

[刑務官]

1　日清戦争の講和条約として下関条約が結ばれ、我が国は、当時の国家歳入を超える多額の賠償金を得たほか、清から遼東半島や台湾を割譲されることとされた。

2　ロシア、米国、英国は、我が国が清から得た台湾を返還するよう要求した。これは三国干渉と呼ばれ、不満を抱いた民衆は日比谷焼打ち事件を起こした。

3　大隈重信と福沢諭吉により我が国最初の政党内閣が成立し、普通選挙法と共に治安維持法が制定された。

4　民間資本により八幡製鉄所が設立され、重工業の急成長を支えたほか、運営を担った岩崎弥太郎や田中正造を中心として財閥が形成された。

5　日露戦争の講和条約としてポーツマス条約が結ばれ、我が国は、戦費に相当する多額の賠償金を得たほか、ロシアから満州と千島列島を割譲されることとされた。

II - 5

近代・現代２（大正時代）

出題頻度 ★★★★

要 点

① 大正時代（1912 ～ 26 年）

●**第一次護憲運動**（1912 年）

犬養毅・尾崎行雄らが「憲政擁護」などを掲げ民衆を巻き込み、非立憲的な桂太郎内閣を退陣に追い込む。

●**第一次世界大戦**（1914 ～ 18 年）

・日本は日英同盟を理由に参戦。

・山東半島など中国におけるドイツの拠点を占領し、中国の袁世凱政府に**二十一カ条の要求**をつきつけ、権益の拡大をはかる。

・**大戦景気**

大戦中は造船・海運業を中心に好況となる。

・**米騒動**（1918 年）

ロシア革命に干渉するため**シベリアに出兵**したことが原因で米が買い占められ米価が高騰し、全国で暴動が起こる。

・**原敬内閣**

米騒動のあと内閣が総辞職し、**初の本格的な政党内閣**である原敬内閣が成立。平民宰相と呼ばれる。

●**第一次世界大戦後の日本**

・大戦終結後、**ヴェルサイユ条約**（1919 年）により日本は山東省のドイツ権益を継承→中国で反日運動（**五・四運動**）が起こる。

・**ワシントン海軍軍縮条約**を締結し、主力艦の保有量を制限（1922 年）。

・戦後、ヨーロッパが復興し、日本は**不況**に転じる。**関東大震災**（1923）も経済に大きな打撃を与えた。

●**加藤高明内閣**（1924 年）

・非立憲的な清浦奎吾内閣に対し、護憲三派（立憲政友会、憲政会、革新倶楽部）を中心に**第二次護憲運動**が起こる（1924 年）。

・護憲三派による**加藤高明**内閣が成立

- **普通選挙法**（1925 年）……25 歳以上の男性すべてに選挙権。
- **治安維持法**（1925 年）……社会主義勢力の抑圧を図る。
- 外相**幣原喜重郎**による協調外交。

演　習

123 大正時代に関しての文章の下線部ア～オに関する記述として正しいのはどれか。

［県・政令指定都市］

大正時代に入ると、ア ヨーロッパ大陸において第一次世界大戦が勃発した。この間、イ 貿易では日本では大幅な輸出超過となり、ウ 国内では相次いで工場が設立され、機械の国産化や発電事業が展開し産業が発達した。

政治では、吉野作造がエ 民本主義を提唱したこともあり、政治の民主化を求める声が国民の間で広がっていった。こうした動きに合わせ、オ 衆議院では護憲運動が起こり、元老の意見に左右された内閣を批判し、政党内閣の成立を目指した。

1　ア－日本は日独伊三国軍事同盟に基づき連合国側で参戦し、イギリス、フランス、アメリカと交戦した。

2　イ－大戦中は好景気が続き船成金などが生まれたが、戦後は一転し不況になり、さらに関東大震災が起こり大きな打撃を受け、長らく不況が続いた。

3　ウ－日露戦争の賠償金を元に設立された八幡製鉄所を軸に重工業で産業革命が起こり、その後遅れて綿紡績などの軽工業も続いた。

4　エ－社会主義の影響を受けた自由民権運動が労働者を中心に起こり、政府は反発を抑えるため治安維持法を撤廃した。

5　オ－原敬を首相とする初の本格的な政党内閣が成立し、普通選挙法が制定された。その結果、25 歳以上の女性にも参政権と被選挙権が与えられた。

124 1914（大正3）年に起きた第一次世界大戦以降の我が国の歴史に関する記述として最も妥当なのはどれか。 [海上保安]

1　第一次世界大戦では、我が国は日英同盟を理由にドイツに宣戦し、ドイツの勢力範囲である中国の山東半島などを攻撃した。また、中国の袁世凱政府に対して二十一カ条の要求を提出した。
2　第一次世界大戦後のヴェルサイユ条約では、我が国は中国での旧ドイツ権益を受け継ぎ、旅順、大連の租借権などを得た。これに対して、中国国内では、三・一運動と呼ばれる抗議運動が起きた。
3　第一次世界大戦終了後まもなく、ロシア革命が起こった。アメリカ合衆国、イギリスなどが行ったロシア革命への干渉戦争（シベリア出兵）に我が国は参加せず、後に米英との亀裂を生む一因となった。
4　第一次世界大戦の反省から国際連盟が創設された。我が国は直ちに連盟に加わり、アメリカ合衆国、イギリス、フランス中国とともに5常任理事国の一つなった。
5　第一次世界大戦中、我が国は欧米諸国との貿易が落ち込んだことなどから深刻な不況に見舞われたが、大戦終了後は、1920年を通じて長期にわたる好景気が続いた。

II - 6

近代・現代３（昭和・平成時代）

出題頻度　★★★★

要点

①　第二次世界大戦

●軍部の台頭

・**満州事変**（1931年）
関東軍（満州に駐留した日本の陸軍）が南満州鉄道を爆破した**柳条湖事件**をきっかけに日本の傀儡（かいらい）国家である満州国が建国される。
1933年に国際連盟を脱退。

・**五・一五事件**（1932年）
海軍青年将校らが**犬養毅**首相を暗殺。政党政治が終結した。

・**二・二六事件**（1936年）
陸軍青年将校らがクーデタを起こす。軍部の政治介入が強まる。

●第二次世界大戦

・**日中戦争**開戦（1937年）
日中両軍が衝突した**盧溝橋（ろこうきょう）事件**をきっかけに開戦。

・**太平洋戦争**開戦（1941年）
日本軍のハワイ攻撃などをきっかけに第二次世界大戦に参戦。

・**ポツダム宣言**受託（1945年）……日本が無条件降伏。

②　占領下の政策

●占領の開始（1945年）

・マッカーサーを総司令官とするGHQが日本政府に指令・勧告を行う間接統治。

●民主化政策

・選挙法の改正……女性参政権を認め、20歳以上の男女に選挙権。

・経済の民主化……**農地改革、財閥解体**。

・労働政策の民主化……労働組合法など**労働三法**制定。

・教育制度の民主化……義務教育が**9年**に。

③　平成時代戦後の動向

●吉田茂内閣

・1950年**朝鮮戦争**……特需により経済回復。

・1951年**サンフランシスコ平和条約**……独立を回復。ソ連・中国などをのぞく48か国と締結した。

・1951年**日米安全保障条約**……アメリカ軍の駐留を承認。

・1955年高度経済成長期はじまる……神武景気。

●鳩山一郎内閣

・1956年日ソ共同声明……**ソ連**と国交回復し、**国際連合に加盟**。

●岸信介内閣

・1960年**新安保条約**……日米安全保障条約を改定。アメリカの日本防衛義務や、日本の自衛力増強などを規定した。

●池田勇人内閣

・1960年**所得倍増計画**……高度経済成長を推進。

・1964年東海道新幹線開通、**東京オリンピック**開催。

●佐藤栄作内閣

・1965年日韓基本条約……**韓国**と国交回復。

・1967年公害対策基本法……経済成長にともない様々な公害が発生。

・1972年**沖縄返還**

●田中角栄内閣

・日本列島改造論……新幹線や高速道路整備により地方振興を図る。

・1972年日中共同声明……**中国**と国交回復。

・1973年**第１次オイルショック**……高度経済成長が終わる。

●中曽根康弘内閣

・「戦後政治の総決算」を掲げ、電電公社、専売公社、国鉄を民営化し、それぞれNTT、JT、JRとする（1985～87年）。

●竹下登内閣

・1989年税率3%で**消費税**導入。

●小泉純一郎内閣

・「構造改革」を推進。2005年**郵政民営化**。

演　習

125 第一次世界大戦から第二次世界大戦に至る大正・昭和期の日本史上の出来事についてア～エの各文の｛　｝から正しい語を選んであるのはどれか。

［市町村］

（ア）1918年、米騒動などの責任をとって、時の内閣が倒れた後｛犬養　毅／原　敬｝を首相とする最初の本格的な政党内閣が出現した。

（イ）護憲運動の結果、成立した政党内閣の下で1925年普通選挙法と｛国家総動員法／治安維持法｝が同時に成立した。

（ウ）1931年日本軍のおこした｛義和団事件／満州事変｝に対し、リットン調査団に基づく国際連盟の撤兵勧告を受けると、日本は国際連盟を脱退した。

（エ）1936年の｛大逆事件／二・二六事件｝以後軍部の発言権が強化され、政治体制のファシズム化が決定的となった。

	ア	イ	ウ	エ
1	犬養毅	国家総動員法	義和団事件	大逆事件
2	犬養毅	治安維持法	義和団事件	二・二六事件
3	原　敬	国家総動員法	満州事変	大逆事件
4	原　敬	治安維持法	義和団事件	大逆事件
5	原　敬	治安維持法	満州事変	二・二六事件

126 次は第二次世界大戦前の我が国と中国に関する記述であるが、A、B、Cに当てはまるものの組み合わせとして最も妥当なのはどれか。

［海上保安等］

満州を中国から分離することを主張していた関東軍は、1931年9月、奉天（現在の瀋陽）郊外の［A］で南満州鉄道の線路を爆破し、それを中国軍の行為とし主張して軍事行動を開始し、満州事変が始まった。国際連盟は、［B］を団長とする調査団を派遣し、調査にあたらせた。1933年2月の総会において、調査団が提出した報告書が採択されると、この受け入れを拒否した日本政府は、翌月、国際連盟を脱退した。1937年7月、北京郊外の［C］で日本軍と中国軍の間で武力衝突がおこった。その後、宣戦布告が行われないまま、両国間の戦争は激化した。

	A	B	C
1	柳条湖	リットン	盧溝橋
2	柳条湖	シャウプ	ノモンハン
3	盧溝橋	リットン	ノモンハン
4	盧溝橋	シャウプ	柳条湖
5	ノモンハン	リットン	柳条湖

127 第二次世界大戦後のわが国の民主化に関する記述として、最も妥当なのはどれか。

［市町村］

1　自作農を増やすため、政府は地主から一定面積を超える土地を強制的に買い上げ、小作人に優先的に安く売り渡す農地改革を実施した。
2　政府は経済復興を優先するため、財閥の形成を容認し、三井・三菱・住友・安田の四大財閥を中心にカルテルが結ばれた。
3　労働基準法の制定や労働省の設置が行われたが、労働組合に関する法律は制定されず、団結権や争議権は保障されなかった。
4　女性参政権を認めた新選挙法が制定され、一定額の国税を納入した満20歳以上の男女に選挙権が与えられた。
5　教育基本法によって、義務教育を6年と定めるとともに、都道府県・市町村には官選による教育委員会が設置された。

128 明治時代以降の我が国の産業等に関する記述として最も妥当なのはどれか。 [海上保安等]

1　明治時代初期、政府は、民間の鉱山、製糸工場などの官営化を進めようとしたが、財閥の反対を受けたため、三池炭鉱や富岡製糸場が官営化されたのは日清戦争後であった。
2　第一次世界大戦により、連合国への軍需品の輸出が急増し、繊維などの軽工業を中心に発展したが、欧米諸国からの技術導入が途絶えたため、造船業や化学工業は停滞した。
3　第二次世界大戦で破壊された産業を復興するため、石炭・鉄鋼などの軍需産業に集中していた資材や資金を、食料品や繊維などの軽工業に振り替える傾斜生産方式が採られた。
4　朝鮮戦争が始まると、軍需品の生産などの特需によって鉱工業生産が拡大したが、ドッジ＝ラインによる円高のため、米国向けを中心に輸出が減少した。
5　第二次世界大戦後、高度経済成長期には、技術革新や設備投資が進み、石油化学などの新しい産業も発展した一方、公害などの問題が生じ、公害対策基本法が制定された。

129 第二次世界大戦後の我が国の外交に関する記述として最も妥当なのはどれか。 [特別区]

1　第3次吉田茂内閣は、全面講和路線を進め、サンフランシスコ講和会議において、全交戦国と講和条約を結び、日本は独立国としての主権を回復した。
2　鳩山一郎内閣は、自主外交路線を掲げ、日ソ平和条約を締結してソ連との国交を回復したが、その結果、日本の国際連合加盟は実現した。
3　岸信介内閣は、日米安全保障条約を改定して日米関係をより対等にすることをめざしたが、吉田茂内閣時に締結された同条約を改定できず、総辞職した。
4　佐藤栄作内閣は、沖縄返還協定を結び、翌年の協定発効をもって沖縄の日本復帰が実現されたが、広大なアメリが軍基地は存続することとなった。
5　田中角栄内閣は、日中共同声明によって中国との国交を正常化する一方、台湾との国交も継続した。

II - 7

文化史

出題頻度　★★

要点

①　飛鳥文化

- 聖徳太子の頃、中国の南北朝時代の影響を受けた日本最初の仏教文化。
- **法隆寺**は世界最古の木造建築として知られる。

②　白鳳文化

- 律令国家形成期の文化。薬師寺東塔、高松塚古墳壁画など。

③　天平文化

- 奈良時代の**聖武天皇**の頃を中心とした文化。
- 最盛期の唐文化の影響を受けた国際色豊かな仏教文化。
- 最初の和歌集『**万葉集**』と最初の漢詩集『**懐風藻**』の編纂。
- **歴史書『古事記』**……稗田阿礼が誦みならったものを太安万侶が筆録。
　　　『**日本書紀**』……国家の正史の最初。
- **鎮護国家の仏教**……仏教の力で国家が繁栄することを期待→東大寺大仏。

④　弘仁貞観文化

- 平安初期の文化で、密教の影響と漢文学の隆盛を特色とする。
- **密教**……**最澄**（伝教大師）＝**天台宗**。**空海**（弘法大師）＝**真言宗**。

⑤　国風文化（藤原文化）

- 菅原道真の建議で遣唐使廃止→日本の風土や生活と調和した貴族文化。
- **国文学の隆盛**……**かな文字の発達**。『土佐日記』『源氏物語』『枕草子』。
- **浄土教の流行**……末法思想を背景に流行。空也・源信『往生要集』。
- 建築……**寝殿造**（貴族の住宅）。**平等院鳳凰堂**（阿弥陀堂）。

⑥　平安末期の文化

- 院政期の文化で、武士や民衆の文化が台頭し、地方にも文化が伝播。

⑦　鎌倉文化

●武士の生活を反映した力強さと写実性を特徴とする文化。

・建築……**東大寺南大門**、円覚寺舎利殿

・絵画……絵巻物、似絵（肖像画）

・歴史書……慈円『愚管抄』　・**軍記物**……『平家物語』

●**鎌倉新仏教**

・**浄土宗**（法然）……念仏（南無阿弥陀仏）を唱えれば救われる。
＝**専修念仏**

・**浄土真宗**（親鸞）……悪人こそ救われる。＝**悪人正機説**

・**一遍**（時宗）……**踊念仏**により全国に布教。

・**日蓮宗**（日蓮）……**題目**（南無妙法蓮華経）を唱えれば救われる。

・**栄西**（臨済宗）……禅宗の一派。鎌倉・室町幕府の保護。

・**曹洞宗**（道元）……ひたすら座禅に徹する**只管打坐**（しかんだざ）を説く。

⑧　北山文化

●室町時代前期、**3代将軍義満**の時代を中心とした文化。

・金閣（鹿苑寺）・**能楽の大成**（観阿弥・**世阿弥**）・臨済宗の保護。

⑨　東山文化

●室町時代後期、**8代将軍義政**の時代を中心とした文化。

・**幽玄・わび**を精神的な基調とする。

・**銀閣（慈照寺）**……**書院造**＝近代の和風住宅のもと。

・**枯山水の庭園**　・**水墨画**……雪舟　・**正風連歌**……宗祇

⑩　桃山文化

●織豊政権の時代を中心とした文化で、大名や豪商を担い手とする豪華絢爛で、仏教文化を脱した清新な文化。

・**城郭建築**　・**障壁画**……「唐獅子図屏風」　・侘び茶……**千利休**

⑪　元禄文化

●江戸時代前期、5代将軍綱吉の時代を中心とした、**上方中心**の町人文化

・浮世草子……**井原西鶴**　・正風俳諧……**松尾芭蕉**『奥の細道』

・人形浄瑠璃……**近松門左衛門**　・浮世絵……**菱川師宣**

⑫ 化政文化

●江戸時代後期、11代将軍家斉の時代を中心とした、**江戸中心**の町人文化。

・**川柳**や**狂歌**などの風刺や皮肉の文芸。　・読本・洒落本などの小説。

・**浮世絵**……喜多川歌麿、葛飾北斎など。

⑬ 明治文化

●**文明開化**……西洋文明の流入　鉄道の開通・電灯の実用化など。

●**御雇外国人**……**フェノロサ**（岡倉天心とともに日本美術の復興に貢献）。

・ベルツ（医学）　・クラーク（札幌農学校）

・モース（動物学・大森貝塚の発見）

演　習

130 飛鳥文化の特徴として、正しいのはどれか。　［市町村］

1　朝廷や貴族が享受した文化であり、平城京を中心とした都市文化である。

2　律令国家の隆盛期を反映して、その文化には国家的意識の高揚を認めることができる。

3　中国の南北朝時代の様式の影響を受けた文化であり、東西文化の交流がうかがわれる。

4　遣唐使の派遣によってもたらされた唐文化の影響の色濃い文化である。

5　美しい姿や豊かな肉体をもつ理想化された人間像を写実的に表現した仏像を中心とする仏教文化である。

131 我が国の仏教に関する記述として最も妥当なのはどれか。 [国家一般]

1　聖徳太子は、政治に仏教の教えを取り入れるため唐に留学僧を派遣して仏教を学ばせ、大阪に本願寺、奈良に法隆寺を造営した。
2　聖武天皇は、仏教の力により政治を安定させようと考え、国分寺・国分尼寺の建立を命じ、平城京に盧舎那大仏を本尊とする東大寺を建てた。
3　最澄は唐で天台宗を学び、帰国後高野山に延暦寺を建てて布教活動を行い、念仏を唱えれば人は誰でも悟りを開いて仏になれると説いた。
4　空海は、多くの戦乱や災害による末法思想の広まりに対して、現世でなく死後の世界に浄土を求める浄土教を広めた。
5　親鸞が説いた浄土真宗は、弟子の法然が念仏に踊りを取り入れたことにより、文字の読めない武士や庶民を中心に全国に広まった。

132 次に掲げる日本の各時代の文化の説明が最も妥当なのはどれか。 [市町村]

1　天平文化……都の貴族を中心に受け入れられた唐風の文化で、仏教は鎮護国家の意識が強く、史書や地誌が編纂され国家意識を高めた。
2　鎌倉文化……密教の影響が強く、学問や文学には唐の影響が目立った。また漢文体の国史が書き継がれるなど漢文学の隆盛をみた。
3　東山文化……地方の農民の間から起こった武士の生活を反映して質実剛健で力強い風格をもった文化で、軍記物に代表される戦記文学が盛んであった。
4　桃山文化……上下の秩序を重んじ礼節を尊ぶ封建思想が生活のすみずみまでゆきわたった。町人が次第に社会的に勢力を得て上方地方を中心に町人文芸が盛んであった。
5　元禄文化……貴族的・仏教的な性格がすたれ、新興大名や貿易商人の気風を反映し、豪壮で華やかな南蛮文化の要素が加わったものであった。

133 室町文化に関する記述として、最も妥当なのはどれか。 ［東京都］

1　歴史書では、南北朝の内乱期に、後嵯峨上皇が、北朝の立場から皇位継承の道理を説いた「神皇正統記」をあらわした。
2　建築では、足利義政が京都の北山に金閣を建て、その建築様式は書院造りであり、近代の和風住宅の原型となった。
3　能では、観阿弥・世阿弥父子が足利義満の保護を受け、芸術性の高い猿楽能を完成した。
4　連歌では、応仁の乱後、与謝蕪村が正風連歌を確立して「新撰菟玖波集」を編み、連歌は地方でも大名・武士・民衆のあいだに広く流行した。
5　茶道では、千利休が茶と禅の精神との統一を主張して侘茶を始め、その後、村田珠光がこれを大成した。

134 わが国の文化に関する記述として、最も妥当なのはどれか。 ［市町村］

1　鎌倉時代には、天守閣を持つ城郭が各地で建てられ、居館の内部には、濃絵の豪華な障壁画や屏風絵が描かれた。
2　室町時代には、東山に書院造を持つ銀閣が建てられ、芸能の分野では猿楽・田楽の中から、能が発達していった。
3　平安時代には、唐の影響を受け、鎮護国家の思想が広まり、都の東大寺をはじめ、各国には国分寺が建てられた。
4　奈良時代には、文化の国風化が進み、かな文字が発達し、『源氏物語』や『枕草子』などのすぐれた文学作品が生まれた。
5　安土桃山時代には、国内で浄土宗や時宗など新たな仏教が生まれたほか、中国からは禅宗が伝わり、武士の間で広まっていった。

135 日本文化に関する記述として、妥当なのはどれか。 [裁判所]

1　飛鳥文化は最初の仏教文化であり、薬師寺東塔や高松塚古墳壁画が著名である。

2　天平文化では鎮護国家思想に基づき、法成寺や平等院鳳凰堂が建立された。

3　弘仁貞観文化は平安時代初期に栄え、密教と漢文学の隆盛が特徴である。

4　鎌倉文化では新仏教が花開き、一遍は坐禅を、栄西や道元は念仏を重視した。

5　室町時代には金閣に代表される東山文化と、銀閣に代表される北山文化がある。

136 ア～ウは、古代日本の各時代における政治・社会に関する記述である。ア～ウそれぞれの時代の文化に関する記述をＡ～Ｃから正しく選んであるのはどれか。 **[県・政令指定都市]**

ア　唐のような中央集権国家を建設しようという動きが高まり、朝廷は全国に律令制度による統一的な政治体制をうち立てようとした。

イ　仏教の鎮護国家の思想により政治を安定させようとして、国ごとに国分寺、国分尼寺を建設した。

ウ　都では藤原氏を中心とする摂関政治が行われ、地方では平将門や藤原純友が反乱を起こすなど武士が台頭してきた。

Ａ　清新さと明朗性が特色で、代表的な美術作品に薬師寺の東塔、高松塚古墳の壁画などがあり、また、漢詩文などの影響のもとに長歌や短歌の形式が整えられた。

Ｂ　仮名が発達して漢文学のほかに国文の文芸が盛んになり、建築では寝殿造という様式ができあがって貴族の住宅に取り入れられた。

Ｃ　東大寺戒壇院の四天王像など、唐の様式を受けついだ仏教美術がある一方で、「万葉集」の編集のように日本の伝統文化の発展もあった。

	ア	イ	ウ
1	A	B	C
2	A	C	B
3	B	C	A
4	C	A	B
5	C	B	A

III
世界史

III - 1

古代文明の成立

出題頻度 ★

要点

① 四大文明の発生

●共通点……大河流域で起こる、文字を持つ、青銅器文化。

●**エジプト文明**……**ナイル川**流域

・ピラミッド、スフィンクス、太陽暦、**象形文字**（ヒエログリフ）。

●**メソポタミア文明**……**ティグリス・ユーフラテス川**流域

・シュメール人が国家を形成＝**楔形文字**、太陰暦。

・**バビロン第一王朝**……ハンムラビ王が**ハンムラビ法典（復讐法）**を制定。ヒッタイト（鉄器使用）に滅ぼされる。

・**アケメネス朝**……全盛期**ダレイオス１世**
全国を州に分け、知事を置き、その監視役（王の目、王の耳）を派遣。
ゾロアスター教を信仰。
ギリシャに敗退（ペルシア戦争）→衰退。アレクサンドロス大王に征服される。

●**インド文明**……インダス川流域。**インダス文字**。

・**計画都市**が建設：モエンジョ＝ダーロ、ハラッパーなど。

・アーリア人によって征服。

●**中国文明**……**黄河**、**長江**流域。**甲骨文字**。

・農業……黄河流域で雑穀、長江流域で稲作。

・土器……彩陶、黒陶。

●**アメリカ文明**……とうもろこし栽培。文字を持たない。

・**アステカ文明**……メキシコで起こる。絵文字を使用。16 世紀にスペインの**コルテス**が征服。

・**インカ文明**……ペルーのアンデスで起こる。**キープ（結縄）**を使用。遺跡：**マチュピチュ**。16 世紀にスペインの**ピサロ**が征服。

② ギリシア文明

●**ポリスの成立**……前8世紀頃。アテネ、スパルタなど。

●**ペルシア戦争**（前500～499年）……アケメネス朝vsギリシア
- ・原因……アケメネス朝に対するギリシア植民市の反乱。
- ・結果……ギリシア勝利。無産市民の活躍により参政権を要求。
  直接民主政が成立（18歳以上の男性市民が有権者として民会に参加）

●**ペロポネソス戦争**（前431～404年）……アテネvsスパルタ
- ・スパルタが勝利したが、ポリスの分裂（衰退）状態が続き、マケドニアに支配される。

③ ローマ文明

●**政治の流れ**（前6～1世紀）
- ・**共和政**……貴族中心だったが、ソロンの改革により平民も参加。
- ・**ポエニ戦争**（前3～2世紀）……ローマvsカルタゴ
  ローマ勝利で、地中海を支配。
- ・**第1回三頭政治**（前1世紀）……カエサルの独裁政治。暗殺される。
- ・**第2回三頭政治**……オクタヴィアヌスが皇帝の称号（**アウグストゥス**）を得る。

●**ローマ帝国**（前1世紀末～後4世紀末）
- ・**帝政**……オクタヴィアヌス～五賢帝の時代が最盛期。その後、軍人皇帝時代へ。
- ・**専制君主政**（3世紀末～）
  - **ディオクレティアヌス帝**：キリスト教弾圧。
  - **コンスタンティヌス帝**：キリスト教公認（**ミラノ勅令**）。
  - **テオドシウス帝**：4世紀末に帝国が東西分裂。
    - **西ローマ帝国**：5世紀末にゲルマン人に滅ぼされる。
    - **東ローマ帝国（ビザンツ帝国）**：全盛期**ユスティニアヌス帝**。
      ハギア（セント）＝ソフィア大聖堂、ローマ法大全編纂など。
      15世紀に**オスマン帝国**に滅ぼされる。

III 世界史

演　習

137 世界の四大文明に関する記述Ａ～Ｄと、それぞれの発祥地に該当する地図上の地域ア～オを正しく組合せているのはどれか。　［国家一般］

Ａ　青銅器の文化が発展し、獣骨による占いによって政治や祭りなど重要なことを決め、人々を支配した。

Ｂ　「神の子」と称する国王が支配し、太陽暦がつくられ、建築技術や測地術が進んだ。神聖文字とよばれる象形文字がパピルスに書かれた。

Ｃ　排水設備のある道路、整然と並んだ住宅、公共浴場などを備えた都市がつくられ、モヘンジョ・ダロやハラッパが遺跡として知られる。

Ｄ　法典を作って人民や奴隷を支配し、太陰暦がつくられ、時間や角度を計るときに使う60進法が発明された。楔形文字が用いられた。

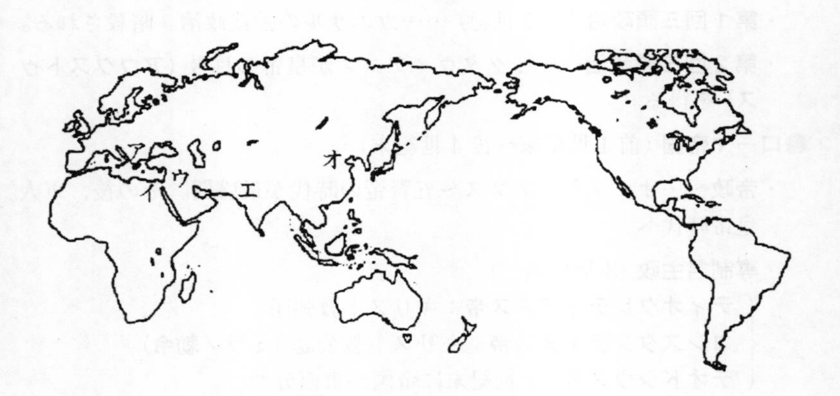

	A	B	C	D
1	イ	ウ	ア	オ
2	エ	ア	オ	イ
3	エ	イ	ア	ウ
4	オ	ア	エ	イ
5	オ	イ	エ	ウ

138 古代アメリカ世界に関する次の記述の［A］～［D］に入る語句の組合せとして、最も妥当なのはどれか。 ［東京消防庁］

アメリカ大陸で最初に農耕文化が発展したのはメキシコ高原と中央アメリカ、そしてアンデス高地である。

メキシコ高原では、アメリカ大陸原産で乾燥に強い［A］を栽培する独自の農耕文化が生み出され、定住社会がつくられていった。12世紀ごろにはアステカ族が中央高原一帯を支配し、やがて帝国にまで発展したが、1521年にスペインの［B］によって滅ぼされた。

中央アメリカのユカタン半島には、3世紀ごろに［C］が成立した。この文明においては、絵文字で飾られた石造建築による都市が多数建設され、天文観測も高度に発達し、精密な暦法がつくりだされた。

また、アンデスの高地でも都市文明が発展し、15世紀初頭には広大な地域を支配するインカ帝国が成立した。各地には巨大な石造の神殿や要塞が建設され、特に標高2500メートルの急峻な地形の上に建てられた［D］は、インカ帝国の文化のレベルの高さをうかがわせるものである。

	A	B	C	D
1	トウモロコシ	コルテス	マヤ文明	マチュ・ピチュ
2	トウモロコシ	ピサロ	オルメカ文明	マチュ・ピチュ
3	トウモロコシ	ピサロ	マヤ文明	テノチティトラン
4	小麦	ピサロ	マヤ文明	マチュ・ピチュ
5	小麦	コルテス	オルメカ文明	テノチティトラン

139 次のＡ～Ｅはいずれもローマ帝国に関する記述であるが、これを年代の古い順に並べたものとして正しいのはどれか。 [国家一般]

Ａ　コンスタンティヌス帝が、キリスト教を公認する。
Ｂ　オクタヴィアヌスが元老院からアウグストゥスの称号を受ける。
Ｃ　帝国の最盛期である五賢帝時代を迎える。
Ｄ　カルタゴとの間に前後３回にわたるポエニ戦争が起こる。
Ｅ　カエサル、クラッスス、ポンペイウスにより第１回三頭政治が始まる。

1　Ｄ→Ｅ→Ｂ→Ｃ→Ａ
2　Ｄ→Ｅ→Ａ→Ｂ→Ｃ
3　Ｄ→Ａ→Ｅ→Ｂ→Ｃ
4　Ｅ→Ｄ→Ｂ→Ｃ→Ａ
5　Ｅ→Ｂ→Ｃ→Ｄ→Ａ

140 古代ギリシアやローマに関する記述として最も妥当なのはどれか。
[国家一般]

1　ギリシアでは、紀元前８世紀頃に大西洋沿岸にポリスが建設された。ポリスでは、周囲が城壁で囲まれ、各地との交易が制限された。
2　ギリシアでは、紀元前５世紀頃にアテネで、平民による共和政が始まった。その後、貴族の政治参加が進み、平民と貴族による直接民主政に移行した。
3　ローマでは、アレクサンドロスが、北アフリカの商業国家カルタゴを破り、ギリシアとマケドニアを征服するなど、領土を広げた。
4　ローマでは、カエサルが独裁権を握るが、共和派に暗殺された。その後、オクタヴィアヌスがアウグストゥスの称号を受け、元首制が開始された。
5　ローマでは、キリスト教が生まれた。キリスト教徒は、コンスタンティヌス帝の時代に厳しい迫害を受け、カタコンベと呼ばれる地下墳墓に幽閉された。

III - 2

ヨーロッパ世界の形成

出題頻度　★

要点

①　西ヨーロッパ世界の成立

●**ゲルマン人の大移動**……4世紀後半、フン人に追われヨーロッパ各地に建国。

●**フランク王国**……西ヨーロッパの最強国

・**トゥール＝ポワティエ間の戦い**（732年）……イスラーム勢力（ウマイヤ朝）を破る。

・**カール戴冠**（800年）……教皇よりローマ皇帝の冠をカール大帝に授けられる。

・**フランク王国分裂**……カール大帝死後、三分裂。

●**ローマ＝カトリック教会**

・8世紀前半ビザンツ皇帝レオ3世の**聖像禁止令**により、ビザンツ皇帝とローマ教会が対立。

・11世紀ローマ＝カトリック教会（教皇）とギリシャ正教会（ビザンツ皇帝）に分裂。

●**西ヨーロッパの封建社会**

・11～13世紀の西ヨーロッパでは、領主（王・諸侯・騎士）の間で土地を媒介として主君と家臣となる**双務的な契約関係**が結ばれていた。

・領主は、荘園と農奴を支配し、**不輸不入権**をもつ。農奴は、賦役・貢納の義務と移動の自由がない。

・地方分権的で王権が弱い。

②　十字軍の派遣

●**ローマ教会の隆盛**

・**カノッサの屈辱**（1077年）……聖職叙任権をめぐって争った神聖ローマ皇帝がローマ教皇に破門され、謝罪。

・カノッサの屈辱後、ローマ教皇の権威は高まり、インノケンティウス3世のとき、絶頂に達した。

●**十字軍の派遣**（1096～1270年）

・原因……セルジューク朝が聖地イェルサレムを占領。

→ビザンツ皇帝が教皇に援助を依頼。

→計7回派遣も聖地回復ならず。

・影響……1）東方貿易が盛んになり、北イタリア都市が繁栄＝貨幣経済へ。

2）都市と商業の発達により荘園制崩壊＝封建制も崩壊。

3）諸侯・騎士が衰退し、王権が伸張＝中央集権国家形成。

4）王権の伸張・十字軍の失敗により教皇権衰退。

●**教皇権の衰微**

・**アナーニ事件**（1303年）……教会領への課税をめぐり、フランス国王と教皇が争い、フランス国王に捕らえられた教皇は屈辱のうちに死亡。

・**教皇のバビロン捕囚**（1309～77年）……フランス国王が教皇庁をアヴィニョンに移す。

③ 中央集権国家の成立

●**百年戦争**（1339～1453年）

・**原因**……毛織物の産地フランドル地方をめぐるイギリスとフランスの対立とフランス国王継承権をめぐる争い。

・**経過**……はじめはイギリスが優勢だったが、**ジャンヌ＝ダルク**の出現により形勢逆転。

・**結果**……イギリス・フランスとも王権が伸張し、中央集権化が進む。

●**バラ戦争**（1455～85年）

・百年戦争後、イギリスでは王位継承をめぐって内乱が起こる。

→ヘンリ7世が即位しテューダー朝を開き、中央集権化。

演　習

141 右の図は中世西ヨーロッパの封建社会のしくみを模式的に示したものであるが、図中のA～Dに入るものの組合せとして正しいものはどれか。 ［警察官］

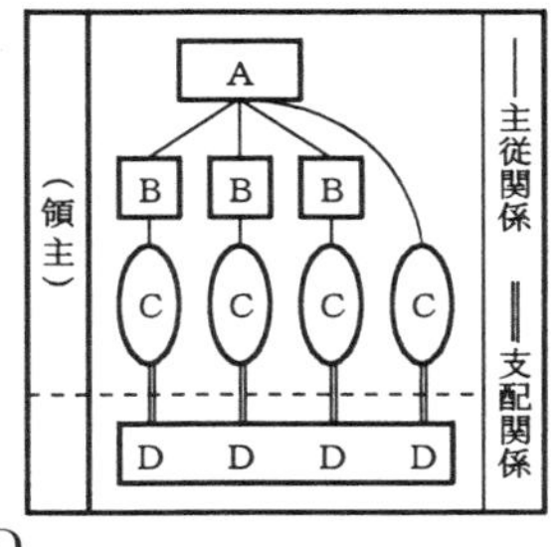

	A	B	C	D
1	法　王	国　王	諸侯・司教	農民（農奴）
2	法　王	国　王	騎　士	市民・商人
3	法　王	諸侯・司教	傭　兵	市民・商人
4	国　王	諸侯・司教	傭　兵	市民・商人
5	国　王	諸侯・司教	騎　士	農民（農奴）

142 下文ア～エの記述のうち、11～13世紀ころの西ヨーロッパの封建制の説明として、妥当なもののみをすべてあげているのは、1～5のどれか。 ［海上保安等］

ア　農業生産が社会の基盤であることから、農民は職人や商人よりも身分的には上位とされ、荘園内への手工業者の居住は制限されていた。

イ　荘園の農民の多くは領主に対して、賦役や貢納の義務をもつほか、移転の自由がないなど、さまざまの身分的束縛を受けていた。

ウ　支配階級の内部には、主君は臣下に封土を与えて保護者となり、臣下は主君に忠誠を誓って軍役を主とする義務を負担するという双務的な関係があった。

エ　支配階級の内部にも幾段もの階層があり、分家である臣下は本家である主君に仕えるという形で血縁的に結束を固めた。

1　ア・ウ　　2　ア・エ　　3　イ・ウ
4　イ・エ　　5　ウ・エ

III 世界史

143 中世のヨーロッパに関する記述として最も妥当なのはどれか。［国家一般］

1　十字軍の遠征は、ビザンツ帝国に奪われた聖地エルサレムの奪回を目的として行われたが、数度の遠征の結果、ローマ教皇の権威が非常に強まった。
2　イギリスのジョン王は、フランス国内の領土を拡大するとともに、大憲章（マグナ＝カルタ）を発して貴族・聖職者への課税強化を行い、王権を高めた。
3　イギリスとフランスは毛織物業の中心地フランドルの支配をめぐり百年戦争を起こしたが、長期間の戦争の結果、両国ともに王権は弱体化し、諸侯の勢力が拡大した。
4　神聖ローマ帝国の中核を構成したドイツでは、大諸侯の力が強く、また、歴代の皇帝がイタリア政策に力を注いでドイツの統治に熱心でなかったため、統一国家は形成されなかった。
5　イベリア半島では11世紀にスペイン王国やポルトガル王国が建国されたが、十字軍の遠征の失敗を契機としてイスラム勢力が15世紀に同半島にグラナーダ王国を築いた。

144 8世紀にピピンが教皇領を献上して以来ローマ教皇の権威が強大となって、13世紀初めに絶頂期を迎えた。その後14世紀にはいると教皇権は衰退していく。それを示すものはどれか。［国家一般］

1　教皇庁のアヴィニョン移転
2　クレルモンの宗教会議
3　カノッサ事件
4　東西教会（ローマ・カトリックとギリシア正教）分離
5　オットー1世の戴冠

III - 3
近代ヨーロッパの成立

出題頻度 ★

要点

① ルネサンスと宗教改革

●**ルネサンス**（14 ～ 16 世紀）

・イタリアの**フィレンツェ**を中心に起こる。
→芸術の保護者の存在：**メディチ家**、教皇など。

・人間らしさの解放を目指す**ヒューマニズム（人文主義）**を根本精神とする。

・**ルネサンスの三代発明**……**火薬・羅針盤・活版印刷術**。

●**宗教改革**（16 世紀）

・**ルター**（ドイツ）……16 世紀前半に**贖宥状（免罪符）販売**に反対し、95 か条の論題を発表。信仰によってのみ救われ、信仰のよりどころは聖書であるとし、教会や聖職者の特権を否定。

・**アウグスブルクの和議**……ルター派が公認され、諸侯・都市がその領内でカトリックかルター派か、いずれかの信仰を選ぶ自由を承認。

・**カルヴァン**（スイス）……各人が救いを信じて自分の職業にいそしむべきであると主張（**予定説**）し、蓄財を肯定。商工業者に広まる。

・カルヴァン派の呼称……イングランド：**ピューリタン**、フランス：**ユグノー**

・**対抗宗教改革**……トリエント公会議で教皇至上権を再確認。イエズス会が海外布教活動を行う。（フランシスコ＝ザビエルら）

② 大航海時代（15 ～ 17 世紀）

●**背景**……ヨーロッパで香辛料の需要増大→オスマン帝国が陸路妨害＝アジアへの新航路が必要。

●**新航路・新大陸の発見**

・**ポルトガル**……ヴァスコ＝ダ＝ガマ：インド航路発見。

・**スペイン**……1) コロンブス：インドを目指し、西インド諸島に到達。
　　　　　　　2) マゼラン一行：世界周航（マゼランはフィリピンで死亡）。

●影響

・**植民活動**……ポルトガルは主にアジア・ブラジルへ進出、スペインは主に新大陸へ進出。

・**商業革命**……商業の中心が地中海沿岸から大西洋岸へ移動。
→リスボンは16世紀初め世界商業の中心として繁栄。

・**価格革命**……新大陸から銀の流入により、ヨーロッパの物価高騰。

演　習

145 ルネサンスは［ A ］をはじめとする北イタリアの都市で起こった。イタリアのルネサンス文化は、東方貿易で巨富を得た大商人や金融業者などの保護のもとで栄えた。大商人［ B ］はその代表的例であり、多くの学者や美術家を養った。しかし当時のイタリアでは小国の分立、国内の党派争い、外国の干渉など、権力闘争が渦巻いており、そのような状況のもと［ C ］は「君主論」を著し、君主たるものは宗教や道徳にとらわれず、あらゆる手段を用いて権力強化と国家の発展を図るべきであると説いた。

上の文の［　］に入る語の組合せとして適当なのは、次のうちどれか。

［裁判所］

	A	B	C
1	フィレンツェ	ハプスブルク	マキャベリ
2	フィレンツェ	メディチ	マキャベリ
3	ミラノ	メディチ	マキャベリ
4	ミラノ	メディチ	ダンテ
5	ミラノ	ハプスブルク	ダンテ

146 ヨーロッパにおける宗教改革に関する記述として妥当なのはどれか。

[刑務官]

1　イギリスでは、ヘンリ8世がイギリス国教会を解散させてピューリタンを迫害したため、多くのピューリタンは北アメリカへ逃れ植民地を建設した。
2　ドイツで、教皇を批判したルターの指導のもとに、領主制の廃止などを要求するドイツ農民戦争が起こると、エラスムスはこれを批判し皇帝や諸侯に鎮圧を呼びかけた。
3　フランスでは、信仰の自由を制限するナントの勅令を契機に、ユグノーと呼ばれる新教徒とカトリック教徒との間に三十年戦争が起こり、このなかでブルボン朝が断絶した。
4　ネーデルランドでは、カトリック勢力の強い諸州がスペインの援助を受けて新教側の神聖ローマ帝国からの独立戦争を起こし、オランダとして独立し、中継貿易で繁栄した。
5　カトリック教会は、宗教改革の動きに対し、トリエント公会議を開いて教皇の至上権と教義を再確認するとともに、イエズス会などの修道会を中心に信仰の刷新を図った。

147 15～17世紀ヨーロッパ諸国の世界進出に関する記述として、最も妥当なのはどれか。

[東京消防庁]

1　1492年、スペインの援助を受けたコロンブスの艦隊は、アフリカ南端の喜望峰に達して、海路でインドに行けることを明らかにした。
2　17世紀になると、オランダはインドネシアを拠点に東インド会社を設立するなどして、東アジアでの貿易の実権を握った。
3　宗教改革に対抗するために結成されたプロテスタント系のイエズス会は、アジアでの布教を積極的に行い、1549年にはザビエルが日本に到着した。
4　イギリスはスペインの無敵艦隊に勝利し、その領土であったインドやオーストラリアを植民地として世界中に領土を広げ、「日の沈まない帝国」といわれた。
5　16世紀前半にポルトガルはアメリカ大陸に進出し、インカ帝国やアステカ文明などを武力で征服し、これらを滅ぼした。

148 イタリア人のコロンブスの船隊は15世紀末には大西洋を横断してカリブ海の島に達した。その後ヨーロッパやアメリカ大陸に起きた出来事として妥当なのはどれか。 [国家一般]

1　コロンブスを後援したスペインに対抗して、イギリス国王はバスコ＝ダ＝ガマの戦隊を派遣してアフリカ南端経由のインド航路を開かせようとした。

2　スペイン人のピサロの率いる軍隊が、中米ユカタン半島のマヤ帝国を征服し、大量の金をヨーロッパに持ち帰った。

3　中南米産出の金は、スペイン、ポルトガルのアジアにおける香辛料や陶磁器貿易の資金となって、アジアに大量に流入した。

4　ポルトガル、スペイン及びイギリスは、ブラジル、その他の中南米、北米をそれぞれの植民地として支配するという条約を結んだ。

5　植民地となった中南米の先住民は、鉱山やプランテーションでの酷使とヨーロッパから持ち込まれた伝染病のために激減し、代替労働力としてアフリカから奴隷が大量に連れてこられた。

III - 4

主権国家体制の展開

出題頻度 ★★★

要点

① 絶対王政

●絶対王政の特色

・16 ～ 18 世紀。**王権神授説**により国王の専制政治を正当化。

・**重商主義**を採用し、**官僚制と常備軍を設置**。

●スペイン

・8 ～ 15 世紀、イスラーム勢力などを追放する国土回復運動（**レコンキスタ**）が展開され、15 世紀末に完了。

・全盛期……**フェリペ 2 世**（16 世紀後半）

レパントの海戦（スペイン vs オスマン帝国）に勝利し、地中海の制海権を得る（1571 年）。
アルマダの戦い（スペイン vs イギリス）での敗北とオランダの独立により衰退（1588 年）。

・**オランダ**……スペインから独立後、17 世紀前半にアムステルダムが世界商業の中心として繁栄。

●イギリス

・全盛期……**エリザベス 1 世**（16 世紀後半～ 17 世紀初）

・**官僚制や常備軍は形成されず**、ジェントリ（大地主）が力を持つ。

●フランス

・**ユグノー戦争**（1562 年）……新教徒と旧教徒の対立から大規模な内乱が起こる。
アンリ 4 世が**ナントの勅令**を出し、ユグノーの信仰の自由を認め、内乱鎮圧。

・**ルイ 14 世**……全盛期（17 ～ 18 世紀初）。宰相マザランとともに政治を展開し、フロンドの乱を鎮圧。マザラン死後の親政を行う。**ヴェ**

III 世界史

ルサイユ宮殿。『朕は国家なり』

●三十年戦争（1618～48年）

・ドイツではアウグスブルクの和議以後も新教徒と旧教徒の対立が続く。ベーメンの反乱を機に三十年戦争へ。ヨーロッパ諸国に波及。

・新教徒側（フランス・イギリス・デンマーク・スウェーデン）vs 旧教徒側（スペイン）。

・**ウェストファリア条約**……1）カルヴァン派公認。
2）諸侯領を主権を認め、神聖ローマ帝国は事実上分裂。
3）オランダ・スイスの独立承認。

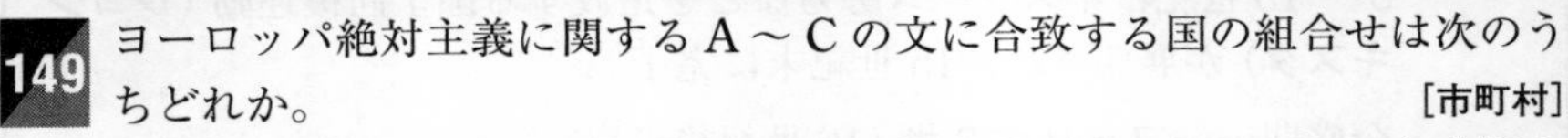

演　習

149 ヨーロッパ絶対主義に関するA～Cの文に合致する国の組合せは次のうちどれか。 **［市町村］**

A　この国の絶対主義は国内の旧教徒を抑えた君主のもとで全盛期を迎えた。この国では強力な常備軍や官僚制は形成されず、君主は地方の有力地主（ジェントリ）を地方行政に当たらせるなど、行政機構の整備に努めた。

B　この国の絶対主義の全盛期の君主は啓蒙専制君主として知られ種々の改革を試みたが、農民反乱ののちはかえって農奴制を強化した。またこの君主は領土拡大にも積極的であった。

C　この国の絶対主義の全盛期の君主は王権神授説を信奉し、豪華な宮殿を造り、文化や芸術を奨励した。またこの君主はたびたび近隣に侵略を試みたがあまり成果を得られなかった。

	A	B	C
1	イギリス	ロシア	フランス
2	イギリス	プロシア	オーストリア
3	オーストリア	ロシア	フランス
4	ロシア	フランス	イギリス
5	フランス	プロシア	イギリス

III - 5

市民社会の成長

出題頻度 ★★★

要点

① アメリカ独立革命

●イギリス革命

・**権利請願**……1628年、議会の同意なしに課税や逮捕しないことを王に約束させる。
→チャールズ1世は約束を守らず、専制政治開始。

・**ピューリタン革命**（1640年）……**クロムウェル**を中心にチャールズ1世を処刑し、共和政へ。

・**クロムウェルの独裁政治**……国民の不満が増大し、王政復古。

・**名誉革命**（1688年）……ジェームズ2世を追放し、オランダから新国王を迎える。→**権利章典**を公布し、議会政治が確立。

●イギリスの植民地政策

・18世紀前半までに、アメリカ東部に13植民地建設。

・七年戦争後、戦費や広大な領土の警備費をまかなうため、印紙法や茶法により植民地への課税と重商主義政策を強化
→植民地の不満高まる。

●独立戦争

・1775年、植民地軍総司令官**ワシントン**とし独立戦争開始。

・**独立宣言発表**……**トマス＝ジェファソン**らが起草。

・アメリカ植民地（フランス、スペイン、オランダが援助）vs イギリス
※ロシアや北欧諸国は武装中立同盟を結成＝イギリス孤立化

・イギリスはヨークタウンの戦いに敗北後、**パリ条約**で独立を承認。

・**合衆国憲法制定**……連邦派と反連邦派の対立が残る。

② フランス革命とナポレオン

●フランス革命

・ルイ 14 世以来の財政難。
　→ルイ 16 世が三部会を招集し特権身分への課税を図るが失敗。
　→第三身分（平民）は国民議会を設立→ルイ 16 世は議会を弾圧。
　→**バスティーユ牢獄の襲撃**（1789 年）→フランス革命へ。

・18 世紀末、**フランス人権宣言**をラファイエットらが起草。

・**第一共和政**が成立。
　→ジャコバン派が台頭し、ルイ 16 世を処刑。
　→ロベスピエールの**恐怖政治**。
　→**テルミドール 9 日のクーデタ**。
　→総裁政府が成立し、恐怖政治が終わるも、国民の不安は消えず。

●ナポレオン時代

・1799 年ナポレオンは総裁政府を倒し、統領政府をたて、政治・軍事の実権握る。

・**第一帝政**……**民法典（ナポレオン法典）**を制定。
　→国民投票によりナポレオンは皇帝となる（ナポレオン 1 世）。
　→**トラファルガーの海戦**でイギリスに敗北。
　→アウステルリッツの戦いで勢力拡大。
　→諸国にイギリスとの通商を禁止する**大陸封鎖令**発布。
　→ヨーロッパ全土を支配。

・**ロシア遠征失敗**。
　→ライプツィヒの戦いで敗北。
　→エルバ島に配流。
　→エルバ島脱出。
　→**ワーテルローの戦い**で敗北。
　→セントヘレナ島に配流（1815 年）。

演　習

150 近世のイギリスの政治に関する記述として最も妥当なのはどれか。

［国家一般］

1　チャールズ１世は、王権の回復を図るため、農民や商人に多かったピューリタンと手を組んだが、これに対し、議会は「権利の章典」を出して共和政の確立を求めた。
2　クロムウェルは、重商主義政策を推進し、航海法を定めてオランダの中継貿易に打撃を与えた。このことが原因となって両国間に英蘭戦争が起こった。
3　ジェームズ２世は、絶対王政の復活を目指し、議会を無視して増税を行った。議会は「代表なくして課税なし」をスローガンとする「権利の請願」を提出して、増税に反対した。
4　メアリ２世とウィリアム３世は、ウォルポールを首相に任命し、信教の自由を徹底させた。ウォルポールは国教会の政治への干渉を排し、内閣が国王に対して責任を負う責任内閣制の基盤を作った。
5　アン女王は、名誉革命の成功により、オランダから迎えられた。即位後は、貧しい農民や手工業者などの水平派の支持を得て、スコットランドの大ブリテン王国からの独立を認めた。

151 アメリカの独立に関する記述として妥当なのはどれか。 [国家一般]

1 アメリカの植民地代表はフィラデルフィアで大陸会議を開き、イギリス本国に対抗することを決定した。その後、カリフォルニアでいわゆるアメリカ独立戦争が勃発した。

2 1776年の大陸会議では、ワシントンが起草した独立宣言を発表し、アメリカ合衆国と名のることとなった。この宣言はフランス革命の影響を受けた内容となっている。

3 アメリカ西部の割譲をイギリスに約束させたフランスとロシアは、イギリス軍を支援するため、アメリカ独立戦争に参戦した。

4 イギリス軍はヨークタウンで大敗を喫し、アメリカ独立戦争は終結した。その後、ジュネーブ条約が結ばれ、イギリスはアメリカの独立を承認することになった。

5 フィラデルフィアで開かれた憲法制定会議において、合衆国憲法が制定され、その後、初代大統領にはワシントンが就任した。

152 フランス革命とナポレオンの時代のフランスに関する記述が正しいものをすべて挙げてあるのはどれか。 [市町村]

ア 人権宣言により、自由、平等、国民主権、所有権の尊重が宣言された。

イ 革命後も聖職者や貴族の封建的特権は存続した。

ウ 革命は一部の知識人によって行われ、民衆運動は起こらなかった。

エ ナポレオンは、民法典を制定し、革命の成果を定着させた。

オ ナポレオンは大陸封鎖令によって大陸とイギリスとの通商を禁止し、またロシアに遠征した。

1 ア、イ、ウ
2 ア、イ、エ
3 ア、エ、オ
4 イ、ウ、オ
5 ウ、エ、オ

III - 6

国民国家の発展

出題頻度 ★★★

要点

① ウィーン体制とその崩壊

●ウィーン会議

・1814年、オーストリアの**メッテルニヒ**の主催で開催。

・**正統主義**……ヨーロッパをフランス革命前の状態に戻す。

・**神聖同盟**……ロシアのアレクサンドル1世が提唱。ヨーロッパ全君主が加盟。自由主義を抑えることを目的とする。

・**四国同盟**……ウィーン体制維持のためイギリス・ロシア・プロイセン・オーストリアで結成。のちにフランスが加盟し五国同盟。

●ウィーン体制の動揺

・**ラテンアメリカの独立運動**……アメリカ合衆国は、アメリカ大陸とヨーロッパの相互不干渉を唱える**モンロー教書**を発布。

・**ギリシアの独立**……オスマン帝国からの独立運動をイギリス・ロシア・フランスが支援→五国同盟崩壊。

●七月革命と二月革命（フランス）

・**七月革命**（1830年）……シャルル10世を追放し、ルイ＝フィリップを王に迎える。

・**二月革命**（1848年）……ルイ＝フィリップが選挙法改正の要求を退けたことを機に暴動が起こり亡命。**第二共和政**が成立。

・**二月革命の影響**……オーストリアで暴動が起こり、メッテルニヒが追放され、ウィーン体制崩壊。

・**第二帝政**……1852年、ルイ＝ナポレオンが国民投票によりナポレオン3世として皇帝となる。
→プロイセン＝フランス戦争（1870年）に敗れ退位。

・**第三共和政**……1871年、世界最初の労働者政権**パリ＝コミューン**

が樹立したが政府が弾圧し、**第三共和政**が成立。

② 産業革命とその影響

●イギリスの産業革命

・18世紀後半、**綿工業**から始まる。

・イギリスで産業革命が起こった原因。

1) マニュファクチュア（工場制手工業）が発達＝資本が蓄積。

2) **第2次囲い込み**（エンクロージャー）により土地を失った農民が労働者へ＝労働力の増加。

3) 広大な植民地を持つ＝原料供給地、市場。

4) **石炭・鉄鉱石**などの豊富な資源＝蒸気機関の発明（ワット）。

●産業革命の影響

・資本主義が成立……イギリスは19世紀**「世界の工場」**と呼ばれる。

・マンチェスター、バーミンガムなどの工業都市が誕生。人口が都市に集中。

・社会問題、労働問題の発生……長時間労働、婦人・児童の酷使などのため健康を害するものが多く、待遇改善を求めて暴動が起こる。

・**交通機関の改良**……蒸気船（フルトン）、蒸気機関車（スティーブンソン）も実用化。

・イギリスの安価な機械織り綿布の流入により、インドの手織綿布産業は打撃を受け、インドは**イギリスの原料供給地、市場に転落**。

③ 自由主義・国民主義の発展

●アメリカの南北戦争（1861～65年）

・原因……北部は商工業が発達し奴隷制に反対、南部はプランテーション農業が発達し奴隷制が必要で対立。

・**リンカン**が大統領に当選し、これに反発した南部は**アメリカ連合国**を結成＝**南北戦争**開始。

・経過……南軍優勢→リンカンの**奴隷解放宣言**を機に形成が逆転し、北軍が勝利。

・南北戦争後、西部の開拓が急速に進み、1890年代には**フロンティア（未開拓地）消滅**。

・19世紀末、**アメリカ＝スペイン（米西）戦争**に勝利し、フィリピンなどを獲得。

●ロシアの南下政策

- **クリミア戦争**（1853 年）……オスマン帝国との戦い。イギリス・フランスがオスマン帝国を援助し、ロシアは敗北。
- **農奴解放令**（1861 年）……アレクサンドル 2 世が近代化を目的として発布。
- **ロシア＝トルコ（露土）戦争**（1877 年）……ロシアはオスマン帝国を破り、ロシアに有利なサン＝ステファノ条約を締結したが、オーストリア・イギリスはこれに反対し、ビスマルクの調停で**ベルリン会議**が開かれ、条約は破棄された。

●ドイツの統一

- **プロイセン＝フランス（普仏）戦争**に勝利した後、1871 年プロイセン王ヴィルヘルム 1 世がドイツ皇帝の位につき、ドイツ帝国成立。
- **ビスマルク**はドイツ帝国の宰相として社会主義者を弾圧する一方、社会保障制度を実施し、労働者の反発を抑えた。

演　習

153 フランス革命からウィーン体制までの間のフランスの情勢に関する記述として最も妥当なのはどれか。 [海上保安等]

1　ルイ16世が貴族・聖職者の特権身分を優遇し、国民議会を廃止したことに不満を募らせた平民は三部会の設立を求め暴動を起こし、フランス革命が始まった。
2　ナポレオンは、既に市民革命を経ていた英国などのヨーロッパ諸国からの支援を受け、反革命派のロベスピエールを追放し、フランス革命を成功した。
3　ナポレオンは統領政府をつくり、ナポレオン法典を制定した。その後皇帝となり、ヨーロッパ大陸をほぼ征服したナポレオンは、イギリスを封じ込めるために大陸封鎖令を発した。
4　ロシア遠征に成功したナポレオンに対し、ヨーロッパ諸国はウィーン会議で対仏大同盟を結成した。アウステルリッツの戦いで大同盟諸国に大敗したナポレオンは処刑されることとなった。
5　ウィーン体制下のメッテルニヒのよる圧政に対しフランス国内で不満が高まり、ウィーン体制に反発するアメリカの支援を受け、ナポレオン三世が七月革命を起こし、第二帝政を築いた。

154 フランスの二月革命の影響で起きたできごとを選べ。 [国家一般]

1　アメリカでは、ジェファソンらの起草による独立宣言が発せられた。
2　ロシアでは、憲法制定と農奴制廃止をめざして、デカブリストの乱が起きた。
3　オーストリアのウィーンでは、暴動がおこり、メッテルニヒが追放されてウィーン体制が崩壊した。
4　ドイツでは、ライン同盟が成立し、神聖ローマ帝国が解体した。
5　イギリスでは、名誉革命がおこり、「権利の宣言」が発せられた。

155 イギリス産業革命に関する記述として、最も妥当なのはどれか。[市町村]

1　積極的な海外進出による植民地獲得によって、工業化に必要な鉄や石炭などの資源を豊富に確保できるようになった。
2　農村では以前から、富農による副業的な毛織物の工場制手工業が発達し、商品経済が普及していたことが、産業革命の背景として挙げられる。
3　産業革命は、毛織物の分野での技術革新から始まったが、逆に工業化が遅れた綿工業は徐々に衰退していった。
4　産業革命以降、鉄道を始めとする交通機関が発達し、都市部へ集中していた人口が農村部に分散するようになった。
5　工場で働く者たちには、専門の技術が必要となったので、教育を受けていない女性や子どもに労働の機会は与えられなかった。

156 19世紀のヨーロッパ各国の状況に関する記述として正しいのはどれか。
[国家一般]

1　イタリアでは、ガリバルディの「青年イタリア」がローマ教皇の協力を得て、対立するサルデーニャ王国を破り、共和制の国家として統一された。
2　ドイツでは、プロイセン王のビスマルクが、いわゆる鉄血政策によりドイツ統一を推進していたが、普仏戦争でフランスに敗れたため、統一が大きく遅れた。
3　ロシアでは、クリミア戦争の敗北により改革の必要を悟ったアレクサンドル2世が農奴解放令を出し、農奴に人格的自由と土地の所有を認めた。
4　フランスでは、社会主義者を中心として自治政府であるパリ・コミューンが組織されていたが、ナポレオン3世が7月革命と呼ばれるクーデタを起こして政権を取った。
5　イギリスでは、エリザベス1世の時代に保守党のグラッドストンとディズレーリが文化闘争と呼ばれる反動的な政策を行って社会主義勢力の拡大を阻止した。

157 19世紀中頃から後半にかけてのヨーロッパ諸国の状況として、妥当なもののみをすべて挙げているのはどれか。 **[国家一般]**

ア　七月革命により第二帝政が倒れ、ブルジョワジーによるパリ＝コミューン政府が成立したフランスは、英仏戦争に勝って領土を拡大した。
イ　イタリアでは、「青年イタリア」による統一運動などを経て、サルデーニャが名宰相カヴールの下で徐々に領土を広げイタリア王国を成立させ、ほぼ全土の統一を達成した。
ウ　ロシアは、バルカン半島方面への南下政策を企てたが、クリミア戦争でトルコに敗北したのを機にこれを断念し、中国大陸への進出に専念することとなった。
エ　プロイセンは、首相となったビスマルクの下、オーストリア、フランスとの相次ぐ戦いに勝ち領土を広げ、プロイセン王を皇帝とするドイツ帝国を成立させた。

1　ア、イ　　2　ア、ウ　　3　ア、エ
4　イ、エ　　5　ウ、エ

19世紀の各国の情勢に関する次の記述のうち、最も妥当なのはどれか。 **[海上保安等]**

1　イギリスでは、毛織物工業での力織機の導入や動力としての蒸気機関の発明など産業革命が始まり、工場労働者の労働時間は大幅に短縮され、生活水準は向上した。
2　アメリカ合衆国では、南北戦争で自由貿易を主張する南軍が勝ち、北部にも奴隷制が拡大し、綿花栽培を中心としたプランテーションが普及した。
3　プロイセンは、ドイツ統一の主導権を握り、その障害となっていたフランスを破って干渉を排除し、ドイツ帝国を成立させた。
4　ロシアでは、農奴制の廃止を要求するナロードニキの運動を契機に十一月革命が起こり、ロマノフ制は崩壊した。
5　清は、太平天国の乱や義和団事件を平定した後、近代化により国力を充実させ、欧米諸国に対して鎖国を堅持した。

III - 7

二つの世界大戦

出題頻度 ★★

要点

① 第一次世界大戦とロシア革命

●国際関係の深刻化

・ドイツの**３Ｂ政策**とイギリスの**３Ｃ政策**の対立。

・ドイツ・オーストリア・イタリアの**三国同盟**とイギリス・フランス・ロシアの**三国協商**の対立。

・ロシアが勢力を拡大しようとする**パン＝スラヴ主義**とドイツ・オーストリアが勢力伸張を図る**パン＝ゲルマン主義**の対立。

●第一次世界大戦（1914 ～ 18 年）

・**サライェヴォ**（サラエボ）**事件**をきっかけに第一次世界大戦が勃発。
→ドイツ・オーストリア対フランス・ロシア・イギリスなどの連合国。

・ドイツが無制限潜水艦作戦開始→中立だった**アメリカ合衆国参戦**。

・ドイツではキール軍港の水兵の反乱から革命が起こり、共和国成立。

●ロシア革命（1917 年）

・**二月革命**（三月革命）……ロシア帝国滅亡。

・**十月革命**（十一月革命）……ボリシェヴィキが**レーニン**とトロツキーの指導のもとに臨時政府を倒す。
→ボリシェヴィキ（その後の共産党）の一党独裁樹立。

② ヴェルサイユ体制

●ヴェルサイユ条約（1919 年）

・**パリ講和会議**……民族自決などを定めた**アメリカ合衆国大統領ウィルソンの 14 か条の原則**を基礎にしたが、ドイツに厳しいものとなった。

・ドイツは植民地を失い、軍備の制限、多額の賠償金を課せられた。

・東ヨーロッパ諸国の独立が達成された。

・**国際連盟**の成立……**米大統領ウィルソン**が提唱したが、米国は上院の反対により**不参加**。ドイツ・ソ連はのちに加盟。

●ヴェルサイユ体制下の諸国

・**イギリス**……男女の完全普通選挙実現。初の労働党内閣成立。

・**フランス**……ドイツの賠償金未払いを理由にルール出兵→失敗。

・**ドイツ**……**ヴァイマル憲法**制定→インフレーションの激化→新紙幣発行→アメリカの援助で経済復興。

・**イタリア**……**ムッソリーニ**が**ファシスト党**結成→共産主義弾圧→一党独裁体制確立

③　世界恐慌と全体主義の台頭

●世界恐慌

・1929年、ニューヨークで株価が大暴落し、世界恐慌が起こる。

・**アメリカ合衆国**……F・ローズヴェルト大統領の**ニューディール政策**→ **TVA**などの公共事業や**ワグナー法**による労働組合結成を承認。

・**イギリス、フランス**……**ブロック経済**を採用。

・**ソ連**……五か年計画により、世界恐慌の影響をほとんど受けず。

●全体主義（ファシズム）の台頭

・**イタリア**……世界恐慌により経済が悪化→エチオピアに侵攻→国際連盟脱退

・**ドイツ**……**ナチ党**が台頭→**ヒトラー内閣**成立。再軍備などを理由に国際連盟脱退。

・**日本**……軍部が勢力拡大し、大陸侵略。国際連盟脱退。

④　第二次世界大戦（1939～45年）

●第二次世界大戦の開始……1939年ドイツの**ポーランド侵入**→イギリス・フランスがドイツに宣戦。

●大戦末期の連合国の会議

・**カイロ会議**……1943年のイタリア降伏後の対日処理方針決定。

・**ヤルタ会議**……対ドイツ最終作戦、ソ連の対日参戦決定。

・**ポツダム会議**……日本に無条件降伏を求める宣言を発表。

●終結……1945年5月にドイツ、8月に日本が無条件降伏。

演 習

159 第一次世界大戦前の各国の勢力抗争に関する下文のア～ウの［　　］に入る国名が正しいのはどれか。 ［市町村］

20世紀初めイギリス、フランスは既にアジア、アフリカを植民地や勢力範囲として分割し、その支配権を確立していた。これに対して急速に工業化を進めた［ア］はまずトルコへ勢力を伸ばそうとし、黒海から地中海への南下をめざす［イ］と対立した。バルカン半島では、パン＝ゲルマン主義を唱える［ア］及びオーストリアと、パン＝スラブ主義の［イ］が激突することとなり、ヨーロッパの火薬庫とよばれた。既に地中海、スエズ運河、インドに大きな勢力をもっていた［ウ］は［ア］などの動きに対抗するためにフランス・ロシアと結んだ。こうして各国は戦争に備えて軍備の拡張に全力を挙げ、対立はさらに深まった。

	ア	イ	ウ
1	ドイツ	ロシア	アメリカ
2	ドイツ	フランス	アメリカ
3	ドイツ	ロシア	イギリス
4	アメリカ	フランス	イギリス
5	アメリカ	ロシア	イギリス

160 第一次世界大戦から第二次世界大戦までの間の各国に関する記述として最も妥当なのはどれか。 [海上保安等]

1　イギリスは、上院の反対で国際連盟には加盟せず、新たに、ロシア、フランスと三国協商を結んで、国際連盟の常任理事国となったドイツに対抗した。
2　フランスでは、失業者が急増して社会不安が大きくなり、地主や資本家、軍部に支持されたファシスト党が政権を握った。その後、フランスは、ドイツのルール地方を併合した。
3　ドイツは、ヴェルサイユ条約で多額の賠償金を課せられたが、南太平洋の島々などの海外植民地やアルザス・ロレーヌは、引き続き保有することを認められた。
4　ロシアでは、レーニンとスターリンの対立から内戦が起こり、イギリス、フランスなどの支援を受けたスターリンを指導者としてソヴィエト政権が成立した。
5　米国は、債権国となり経済的に繁栄したが、その後、ニューヨークの証券取引所で株価が暴落し、銀行の倒産が相次いで、恐慌となった。

161 1929年の世界恐慌後に欧米諸国がとった政策に関する記述のうち正しいのはどれか。 [市町村]

1　アメリカは自由主義経済政策を修正して国家が生産や価格の調整を行い、また広く公共事業を興した。
2　イギリスはイギリス連邦会議を開き、保護貿易体制から自由貿易体制への転換を決定した。
3　ドイツではビスマルクが政権をとり、失業者救済のためにニューディール政策を行った。
4　イタリアでは世界恐慌による混乱に乗じて共産党政権が成立し、軍備を強化してポーランドに進駐した。
5　ソ連は世界恐慌の影響を強く受け、その混乱を避けるために一時期資本主義的な経営の復活を認めた。

162 第二次世界大戦前後の各国に関する記述ア～ウの記述に該当する国の組合せとして、最も妥当なのはどれか。 ［市町村］

ア　イギリスやフランスへの不信感からドイツと不可侵条約を結んだが、後にドイツが一方的に破棄したため、戦争状態となった。
イ　ドイツに対し、当初は融和政策を採っていたが、限界を認め軍部拡充を急いだが、オランダ・ベルギーを占領され、自国の首都も陥落した。
ウ　エチオピアに侵攻し領土の拡大を図るとともにドイツと同盟を結び関係を強化した。第二次世界大戦には、ドイツの優勢を見て、枢軸国として参戦した。

	ア	イ	ウ
1	ソ連	イギリス	イタリア
2	ソ連	フランス	スペイン
3	ソ連	フランス	イタリア
4	アメリカ	フランス	スペイン
5	アメリカ	イギリス	スペイン

III - 8

中国史

出題頻度 ★★★★

要点

① 中　国

●**殷**（前16世紀頃）……高度な青銅器文化（前16世紀頃）
・政治……**神権政治**を行い、占いによる統治。占った内容は**甲骨文字**で記録。

●**周**（前11世紀頃）……諸侯を各地に配置し統治。
・政治……貢納と従軍の義務を負わせる**封建制**。

●**春秋戦国時代**（前8世紀頃）……周の勢力が衰え、実力のある諸侯が争う乱世。
・農業……**鉄製農具**が普及し、生産力が向上。
・**諸子百家**……**儒家**（孔子・孟子など）、**法家**（商鞅・韓非など）、**道家**（老子・荘子など）など多くの学派が生まれた。

●**秦**（前3世紀前半）……**始皇帝**が中国統一。
・政治……**郡県制**の採用。度量衡・文字・貨幣の統一。焚書坑儒に思想の統制。匈奴の侵入を防ぐため、**万里の長城**修築。
・始皇帝死後、**陳勝・呉広の乱**などの反乱により滅亡。

●**前漢**（前3世紀末）……**劉邦**が建国。
・政治……**郡国制**（封建制と郡県制を合わせたもの）を採用。
・**武帝**……全盛期。朝鮮北部に**楽浪郡**など4郡設置。張騫を大月氏に派遣し同盟を結ぶために交渉するも失敗。
・司馬遷の『**史記**』……紀伝体で著される。

●**新**（後1世紀初）……**王莽**が建国。現実を無視した政治により、**赤眉の乱**などががおこり滅亡。

●**後漢**（後1世初）……**劉秀（光武帝）**が漢を復興。
・シルクロードを通じて東西交渉が盛んとなる。インドから仏教が伝来。

・**製紙法**が完成

・3世紀前半、**黄巾の乱**などの反乱により崩壊。

●**三国時代**（3世紀～）……魏・呉・蜀が争う。

●**南北朝時代**（5～6世紀）

・北朝……鮮卑族が北魏を建国。**均田制**を実施。

・南朝……**六朝文化**が栄える。

●**隋**（6世紀末）……楊堅が建国。

・**均田制・租庸調制・府兵制・科挙**を実施。

・**煬帝**……**大運河**の建設。計3回の**高句麗遠征**失敗。
→財政難となり、反乱が起き滅亡。

●**唐**（7～10世紀初）……李淵が建国。

・李世民……**貞観の治**。中国統一。
→**三省六部・律令格式・科挙**などの政策を実施。
→隋に引き続き、均田制・租庸調制・府兵制を実施。

・**玄宗**……**開元の治**。晩年は政治が乱れ、**安史の乱**が起きる。

・安史の乱後……均田制→**荘園制**、租庸調制→**両税法**、府兵制→**募兵制**。

・9世紀後半、**黄巣の乱**がおこり、10世紀初めに節度使の**朱全忠**に滅ぼされる。

・**祆教**（けんきょう）（ゾロアスター教）、**回教**（イスラーム教）、**景教**（キリスト教）が伝来

●**宋**（10世紀半～）……**趙匡胤**が建国

・**文治主義**……文人官僚による政治を行う。

・対外消極策→財政難→**王安石**による**新法改革**→失敗

・**靖康の変**（12世紀前半）……女真族の金が侵入し、首都を占領。
→宋は江南に逃れ**南宋**を建国。

・**印刷術、火薬、羅針盤の発明**。

・朱熹が**朱子学**を大成。

●**元**（13世紀後半～14世紀半ば）

・**チンギス＝ハン**……モンゴル族を統一し、13世紀初めにモンゴル帝国を形成。

・**フビライ＝ハン**……首都を大都に移し、国号を**元**と改める。

・**モンゴル第一主義**……モンゴル人が政治の要職を独占し、モンゴル人の次に**色目人**を重用。

・**紅巾の乱**はウイグルの援助によって鎮圧→滅亡

●**明**（14 世紀半ば～ 17 世紀半ば）……**朱元璋（洪武帝）**が建国。里甲制を実施。

・**永楽帝**……全盛期。鄭和に南海遠征を命じる。

・**北虜南倭**……永楽帝死後、モンゴル人と倭寇の侵入に苦しむ。

・税制……両税法にかわり、**一条鞭法**を採用。

●**清**（17 世紀半ば～ 20 世紀初）……女真族（満州族）が建国。

・懐柔策……満漢偶数官制、学者の優遇など。

・強硬策……辮髪の強制など。

・税制……一条鞭法にかわり、地丁銀制を採用。

・**康熙帝・雍正帝・乾隆帝**のとき、全盛期。

・**三角貿易**……イギリスは綿織物をインドへ、インドのアヘンを中国へ、中国の茶をイギリスへ。

・**アヘン戦争**……**林則徐**のアヘン密貿易対策を契機にイギリスと開戦。**南京条約**により、清はイギリスに**香港**割譲。

・**太平天国の乱**……**洪秀全**が理想郷の建設を目指して起こす。スローガンは「**滅満興漢**」。曾国藩・李鴻章らの郷勇により鎮圧。

・**義和団事件**……「**扶清滅洋**」をスローガンに反乱をおこす。列強に鎮圧され、中国の植民地化が進む。

・**辛亥革命**……**三民主義**を唱える**孫文**が革命を起こす。**袁世凱**と交渉し、清滅亡。**中華民国**が設立。

演　習

163 中国の文化に関する記述として、妥当なものはどれか。　[海上保安等]

1　殷の時代には、既に国家の正統な学問となった儒教により政治が行われており、殷墟からは木簡や竹簡に書かれた「春秋」などの歴史書が発見されている。

2　漢の時代には、紙が発明されたため庶民文学が栄え、「水滸伝」「三国志演義」「西遊記」「金瓶梅」の四大奇書が完成した。

3　三国時代には、魏・蜀・呉の各国が富国強兵策を用いて人材を登用したため、優れた思想家が輩出し、諸子百家と呼ばれる諸学派が形成された。

4　唐の時代には、首都長安を中心とした国際色豊かな文化が反映し、唐詩が確立して、李白、杜甫、王維、白居易らの詩人が活躍した。

5　元の時代には、大都で灰陶・黒陶や唐三彩などの陶磁器が製造され、イタリア商人によってヨーロッパに伝えられた。

164 漢（前漢及び後漢）の政策として妥当なもののみをすべて挙げているのはどれか。 [国家一般]

A　農民に租・調・庸を課して国家の基礎を固め、府兵制によって兵役に服させた。

B　江南と華北とを結ぶ、物資流通の大動脈である大運河を完成させた。

C　国法の根本として律令を整え、三省・六部による中央官制を整備した。

D　郡県制の手直しをして、一部に皇族や功臣を諸侯王として封建する郡国制を実施した。

E　朝鮮半島北部の衛氏朝鮮を滅ぼして楽浪・玄菟・臨屯・真番の4郡を設置した。

F　武力で南北辺境を制圧する一方、大艦隊を南海諸国からアフリカ東海岸にまで派遣した。

G　貨幣や度量衡・文字を統一するとともに、儒教を始め諸子百家の思想を厳しく統制した。

1　A、B、E
2　A、G
3　B、C、F
4　D、E
5　D、F、G

165 中国の隋又は唐に関する記述として、妥当なのはどれか。 [特別区]

1　隋は、官吏登用法について、門閥貴族に有利であった推薦制の科挙を廃止して、学科試験で採用する九品中正法を導入した。
2　隋の煬帝は、3次にわたる百済遠征を行ったが、これが失敗に終わると、各地で反乱がおこり、隋は滅んだ。
3　唐は、均田制を行って農民に土地を割り当て、土地を与えられた農民は、租・庸・調・雑徭(よう)の税役を負担し、府兵制によって徴兵された。
4　唐の太宗は、南北朝時代に開発の進んだ江南を華北と結びつけるため、南北の交通幹線である大運河を完成させた。
5　唐は、両税法と塩の専売を導入して財政再建をはかったが、塩の密売人による黄巣の乱が全国に広がると、節度使の安禄山に滅ぼされた。

166 中国の秦から宋にかけての記述として、最も妥当なのはどれか。 [刑務官]

1　秦の始皇帝は、度量衡・貨幣・文字の統一を進め、また、地方に郡や県をおいて中央から役人を派遣して統治させる郡県制を実施した。
2　漢(前漢)は、三省六部を中心とする官僚機構や華北と江南を結ぶ大運河を整備したが、黄巾の乱により滅んだ。
3　隋は、郡県制と封建制を併用する郡国制を初めて採用したが、その後の勢力は衰え、魏・呉・蜀の三国が分立する時代となった。
4　唐は、漢の時代から行われてきた、官僚を採用するための科挙を廃止し、皇帝自らが試験を行う殿試を整備した。
5　宋は、土地の所有面積に応じて課税する両税法などを整備したが、節度使の安禄山らが起こした安史の乱によって滅んだ。

167 下文は中国の歴史上の王朝である秦、唐、元、明、清についての記述であるが、王朝名が正しく示されているのはどれか。　[県・政令指定都市]

1　充実した国力を背景に積極的な対外政策をとり、しばしば南海遠征を行い東南アジアからインド、アラビア半島、東アフリカにまで達し、国威を示した。　――秦

2　律令制や科挙制などを充実させ、皇帝のもとに中央の政治組織を整えた。西方から伝わった景教・マニ教なども広がり、国際色豊かな文化が栄えた。　――唐

3　女真族による王朝であったが、中国の伝統文化を尊重した。国家的な文化事業が進められ『康熙字典』『四庫全書』などが編さんされた。　――元

4　郡県制をしいて中央集権体制を固め、思想統制によって法家以外の思想を禁じた。また，北方の匈奴を討ち、その侵入を防ぐため万里の長城を整備した。　――明

5　モンゴル人の建てた王朝で、中国統治にあたりモンゴル人第一主義をとった。駅伝制がしかれて道路が整備され、東西の交通・交易が活発となった。　――清

168 中国の王朝についての記述として妥当なのはどれか。　[国家一般]

1　唐王朝の時代には、紙が発明され書物の普及に貢献した。また、建築技術も発達し、これが遣唐使を通じて我が国に伝わり、法隆寺や四天王寺の建立につながった。

2　宋王朝の時代には、科挙による官吏の登用が始まった。文治政治により平和が続いて庶民の生活は向上し、宮廷を中心とする優雅な貴族文化が栄えた。

3　元王朝の時代には、自然科学の発達が羅針盤や火薬の発明をもたらした。特に火薬の発明により元王朝は強大な軍事力を持ち、元寇として我が国にも脅威を与えた。

4　明王朝の時代には、農学、薬学、工芸などの実学が重んぜられた。文学では、三国志演義、水滸伝、西遊記などの口語文学が庶民の間に普及した。

5　清王朝の時代には、民族意識の高まりから歴史学が発達した。学問・思想では、朱子学が起こり、君臣上下の関係を絶対視する考えは支配者層に歓迎された。

19 世紀以降の中国の歴史に関する次の記述の下線部分が正しいのはどれか。

[県・政令指定都市]

1　イギリスは清の茶をヨーロッパに運んでいたが、その代価として輸出したアヘンに清が高い関税をかけたため、アヘン戦争が起きた。
2　アヘン戦争による経済的疲弊と社会混乱を背景に、太平天国の乱が起こった。太平天国の乱は仏教の復活をかかげ、土地の均分や男女平等など、社会経済上の改革を目指した。
3　清は太平天国の乱を鎮圧したが、その後急速な西欧列強の進出により、半植民地状態になった。これに反発した義和団が全国的な反乱を起こし、外国勢力を清から追い出すことに成功した。
4　義和団事件後、孫文は三民主義をかかげて、民主主義国家の建設を目指す運動を始めた。この運動は全国に広がって辛亥革命に発展し、清朝は倒れて中華民国が成立した。
5　中華民国成立後、中国国民党は第一次国共合作を成立させて中国共産党との協力関係を強化し、国名も中華民国から中華人民共和国とした。

III - 9

アジア史

出題頻度　★★★

要点

①　その他のアジア諸国

●**イスラーム教の成立……7世紀初め、ムハンマドが唯一神アッラーへの信仰を説き、アラブ人を統一。**

・**正統カリフ時代**（7世紀半ば）……ムハンマド死後、その後継者カリフを選出。ササン朝を滅ぼし、シリア・エジプトまで勢力を拡大。

・**ウマイヤ朝**（7世紀頃半ば～8世紀半ば）……北アフリカを征服し、イベリア半島に進出。**トゥール＝ポワティエ間の戦い**で、フランク王国に敗れる。**征服地の住民だけに地租と人頭税が課された。**

・**アッバース朝**（8世紀頃半ば～13世紀半ば）……**イスラーム法に基づき、民族による差別がなくなる。**首都バグダードを造営＝唐の都長安とともに栄える。13世紀にモンゴルに滅ぼされる。

・**セルジューク朝**……11世紀にイェルサレムを占領し、ビザンツ帝国を圧迫→十字軍遠征の原因。

・**アイユーブ朝**……12世紀に**サラディン**（サラーフ＝アッディン）が建国。第2・3回十字軍を退ける。

・**ティムール朝**……14世紀後半、中央アジア～小アジアに勢力をもつ。首都サマルカンドは世界商業の中心地として繁栄。

・**オスマン帝国**……14世紀に建国。15世紀半ば、ビザンツ帝国を滅ぼし、勢力拡大→**スレイマン1世**の頃全盛期（16世紀）→第1次世界大戦に敗北→**ムスタファ＝ケマル**がトルコ共和国を建国。

●**インド**

・**仏教**の成立……前5世紀頃、ガウタマ＝シッダールタ（ブッダ）が始祖。

・**マウリヤ朝**（前4世紀末）……**アショーカ王**が仏教を保護奨励。

・**クシャーナ朝**（後１世紀）……**カニシカ王**のとき、**ガンダーラ美術**が栄える。

・**グプタ朝**（後４世紀）……**ヒンドゥー教**が発展

・**ヴァルダナ朝**(7 世紀)……唐の**玄奘**が仏教を学びにインドを訪れる。

・**ムガル帝国**（16 ～ 19 世紀）

- ・イスラーム教国。３代目のアクバルのときに、非イスラーム教徒に対しての人頭税の廃止などを行い、イスラーム教徒とヒンドゥー教の融合を図った。
- ・**18 世紀半ば、プラッシーの戦い**により、フランスを破ったイギリスがインド支配を始める。
- ・**19 世紀半ば、インド大反乱**を機に滅亡し、**イギリスの植民地**となる。

・**第一次世界大戦後、ガンディー**がイギリスの支配に対して、非暴力・不服従の独立運動を始める。第二次世界大戦後に独立達成。

●東南アジア

・**イギリス植民地**……ビルマ（現ミャンマー）・マレーシア

・**フランス植民地**……ベトナム・ラオス・カンボジア

・**スペイン植民地**……フィリピン（アメリカ＝スペイン戦争後、アメリカ合衆国の植民地）

・**オランダ植民地**……インドネシア

・**独立国**……タイ

演　習

170 イスラーム世界の成立と拡大に関する記述として、妥当なのはどれか。

［東京都］

1　イスラーム教は、イェルサレムで創始され、唯一神アッラーへの絶対服従と偶像崇拝とを求めた。

2　ムスリムの人々は、カリフの世襲をめぐって分裂し、歴代カリフの正当性を認めるスンナ派が多数派となった。

3　ウマイヤ朝は、アラブ人以外のムスリムにも官僚への道を開くなど、アラブ人の特権を廃止し、ムスリム間の平等を図った。

4　後ウマイヤ朝は、聖戦を展開してアケメネス朝ペルシアを滅ぼし、征服した地域の異教徒にイスラーム教への改宗を強制した。

5　イスラーム世界は、セルジューク朝が西ローマ帝国を滅ぼすと、自由な交易が拡大し、繁栄した。

171 イスラーム世界に関する記述として最も妥当なものはどれか。　［裁判所］

1　イスラーム教を創始したムハンマドは、アラビア半島を征服しカリフとなった。

2　ムハンマドの死後、アラブ人は宗教的な指導者を指す「スルタン」の指導下で大規模な征服活動を行った。

3　アラブ人は、東はササン朝を滅ぼし、西はシリアやエジプトまで征服した。

4　アラブ人は、ウマイヤ朝時代から、異国を征服しても、先住民や他宗教の信者を差別することなく平等に扱った。

5　10世紀には、インドに最初のイスラーム政権が成立した。

172 インドの歴史に関する記述として最も妥当なのはどれか。 ［国家一般］

1　仏教は、民間信仰とヒンドゥー教を基にガウタマ＝シッダールタがひらいた宗教である。10世紀末にインドが内陸アジアからイスラーム勢力の侵入を受けるまで、インド宗教の主流だった。
2　4世紀頃、グプタ朝がインド最初の統一王朝として成立したが、仏教への迫害やカースト制度の創設に対して不満をもった国民の反乱により滅亡し、マウリヤ朝が台頭した。
3　16世紀、イスラーム勢力はインドにムガル帝国を建国した。第3代皇帝アクバルは非イスラーム教徒に課されていた人頭税であるジズヤを廃止し、ヒンドゥー教徒とイスラーム教徒の融合を図った。
4　20世紀初め、インド帝国ではイスラーム・ヒンドゥー両教徒の分断を図るインド統治法が制定された。これに対し、全インド＝ムスリム同盟のガンディーは非暴力・不服従の運動を展開した。
5　1953年、ネルー（ネール）首相は、パキスタンの初代総督ジンナーと平和五原則を発表するとともに、1955年にはパグウォッシュ会議において、核兵器と戦争の廃絶を訴えた。

173 インドに関する次の記述のうち、19世紀に起きたことのみを挙げているのはどれか。 [国家一般]

A　法により民族運動が弾圧されたため、ガンディーを中心とする非暴力・不服従運動が広がった。
B　イギリスはプラッシーの戦いでフランスとベンガル太守の連合軍を破り、ついでベンガル地方を領有した。
C　イギリスは、アジアを中心とした地域で貿易独占権を与えられ、主にインドの植民地経営を行っていた英国東インド会社を解散した。
D　セポイと呼ばれるインド人傭兵部隊が北部インドから中部インドにかけて大反乱を起こしたが、イギリス軍により鎮圧された。

1　A、B　2　A、C　3　A、D
4　B、C　5　C、D

174 第一次世界大戦後から第二次世界大戦前までのアジア地域に関する記述として正しいのはどれか。 [国家一般]

1　パレスチナでは、フランスの援助を受けたユダヤ人がイスラエルを建国したが、独立を認めないオスマン・トルコ帝国との間に第一次中東戦争が起こった。
2　インドでは、第一次世界大戦後の自治を約束したイギリスが十分その約束を守らなかったので、ガンディーによる非暴力、不服従の抵抗運動が展開された。
3　ヴェトナムでは、ホー＝チ＝ミンが率いる民衆が武力蜂起し、南部が南ヴェトナムとして独立したが、北部では依然としてイギリスの植民地であった。
4　中国では、国民党政府が日本の21か条の要求に屈服し、満州国の独立を認めたが、これを不満とする共産党と張作霖が南満州鉄道を爆破して、日本に抵抗した。
5　朝鮮では、それぞれソビエト連邦とアメリカの援助を受け独立した北と南が対立し、東学党の乱を契機に朝鮮戦争が勃発した。

IV
地　理

Ⅳ－1

地　形

出題頻度　★★★

要点

① 大地形

●**水陸分布**……陸：海＝３：７　北半球に陸地の約３分の２が分布。

・**六大陸**……ユーラシア大陸・アフリカ大陸・北アメリカ大陸・南アメリカ大陸・南極大陸・オーストラリア大陸（面積順）

・**三大洋**……太平洋・大西洋・インド洋（面積順）

●**安定陸塊**……先カンブリア時代に形成された最も古い地形。

・**鉄鉱石**、金鉱、ウラン鉱などが多く分布。

●**古期造山帯**……古生代に形成された低くてなだらかな山脈。

・**石炭**などが分布。

・スカンディナビア山脈、ウラル山脈、アパラチア山脈など

●**新期造山帯**……中生代末期～新生代に形成された高くて険しい山脈。

・**火山帯や地震帯**と一致。

・**石油、銅鉱**などが分布。

・**環太平洋造山帯**……アンデス山脈、ロッキー山脈、日本列島、フィリピン、ニュージーランドなど

・**アルプス＝ヒマラヤ造山帯**……アトラス山脈、ピレネー山脈、アルプス山脈、パミール高原、ヒマラヤ山脈、スンダ列島など

② 小地形

●**山地の地形**

・**カルデラ**……山の中央が爆発や陥没によって形成された大凹地。
例）阿蘇山、箱根山など

●**平野の地形**

・**侵食平野**……山地が長い間の侵食作用によって平坦化（**準平原**）。長期間の侵食作用によって形成された平坦な平野で大規模（**構造平**

野）。日本にはない。（例）東ヨーロッパ平原・北アメリカ中央平原など
周辺部には**ケスタ地形**。（例）パリ盆地

・**堆積平野**……扇状地・三角州などの沖積平野や洪積台地。
扇状地……山麓に荒い砂礫が堆積。
扇央：伏流し**水無川**となる。　**果樹園・畑**などに利用。
扇端：**湧水帯**となる。　**水田・集落**などに利用。
氾濫源……中下流部に砂などが堆積。河川は蛇行し、旧河道に**三日月湖**が形成。
自然堤防……微高地で水はけが良いため、**集落・畑**に利用。
後背湿地……水はけが悪いため、**水田**に利用。
三角州……河口部に細砂などが堆積。河川は分流し低湿のため**水田**に利用され、**都市**も発達する。
洪積台地……平野が隆起して台地化。**果樹園・茶畑**に利用。

●海岸の地形

・**離水海岸**……土地の隆起、海面の低下によって形成。**単調な海岸線**。
（例）**海岸平野**：九十九里平野、宮崎平野など

・**沈水海岸**……土地の沈降、海面の上昇によって形成。**複雑な海岸線**。
リアス海岸：山地の沈降によって形成。
（例）三陸海岸、若狭湾など
フィヨルド：U 字谷に海水が浸入し形成。
（例）ノルウェー西岸、チリ南部など

●カルスト地形……**石灰岩**が雨水や地下水に溶解され形成。
・地表には、すりばち状の凹地（**ドリーネ**）が形成され、地下には**鍾乳洞**が発達。

③　さまざまな地形

●主な河川

・**ナイル川**……**世界最長の河川**。アフリカ東部を赤道付近から北流し、地中海に注ぐ外来河川。

・**アマゾン川**……**流域面積最大の**河川。南アメリカ大陸北部を東流し、大西洋に注ぐ。流域の大部分は熱帯雨林（セルバ）が分布。

・**ライン川**……アルプス山脈に源を発し、ドイツ・オランダを流れて北海に注ぐ。流域にはルール工業地帯形成。

・**ドナウ川**……ヨーロッパの中部から東部の国々を流れ、**黒海**に注ぐ。**ヨーロッパ最長**の河川（ロシアを除く）

・**ミシシッピ川**……アメリカ合衆国の中央部を**南流**。流域はプレーリーの大平原が広がり、世界的な農業地域（とうもろこし・大豆・小麦）

・**メコン川**……6カ国を流れる東南アジア最大の河川。ベトナムで南シナ海に注ぐ。

●**主な山脈**

・**ウラル山脈**……古期造山帯。**アジアとヨーロッパの境**をなし、南北に走る。

・**アパラチア山脈**……古期造山帯。米国東部に位置し、**アパラチア炭田**がある。

・**ピレネー山脈**……アルプス＝ヒマラヤ造山帯。**スペインとフランスの国境**をなし、東西に通る。

・**アルプス山脈**……アルプス＝ヒマラヤ造山帯。ヨーロッパ南部を東西に走る。

・**ヒマラヤ山脈**……アルプス＝ヒマラヤ造山帯。8000 mの山々が連なり、世界最高峰のエベレストが存在する。

・**ロッキー山脈**……環太平洋造山帯。北アメリカ大陸の西部を南北に通り、**銅山**が多く分布する。

・**アンデス山脈**……環太平洋造山帯。**世界最長の山脈**で、南アメリカ大陸の西部を南北に通る。

演　習

地形に関する記述として最も妥当なのはどれか。　[海上保安等]

1　プレートどうしが衝突したり、沈み込んだりする場所は、変動帯と呼ばれ、褶曲（しゅうきょく）や断層を伴う地殻変動や地震・火山活動が活発である。

2　古期造山帯には、一般に、高くて険しい山脈が連なるが、新期造山帯には、現在も活動している山脈が連なるため、侵食を受けやすく、その山容はなだらかである。

3　安定陸塊は、造山帯よりも新しい地質時代にできた陸地であるが、長い間の侵食によって、なだらかな山地となっている。

4　山地を削り込み、扇状地をつくりながら流れる河川は、下流に粗い砂礫（されき）や大量の土砂を運搬し侵食平野をつくる。

5　氾濫原は、海浜の砂標が漂流してつくられる海岸平野の一種で、波や沿岸流の影響を強く受け地形変化が激しい。

176 地形に関する記述Ａ～Ｄの正誤の組合せとして正しいのはどれか。

［国家一般］

Ａ　氷期の海面の低い時期に侵食された谷が海面の上昇によって沈水してできたフィヨルドは、エーゲ海沿岸やチリ南部に見られ、天然の良港となっている。

Ｂ　山地から河川によって運ばれる大量の土砂により河口付近にできる三角州は、低湿で軟弱な地盤にかかわらず、大都市が立地する場合が多い。

Ｃ　河川の活発な侵食により山地から大量の土砂が運ばれ、その土砂の堆積により形成される侵食平野は、世界の大きな平野の大部分を占めている。

Ｄ　扇状地を流れる河川は、特に扇央部ではふだんは水が砂礫中を伏流して水無川となることが多い。

	Ａ	Ｂ	Ｃ	Ｄ
1	正	正	正	誤
2	正	誤	正	誤
3	正	誤	誤	正
4	誤	正	正	誤
5	誤	正	誤	正

177 地形とその説明の組合せとして誤っているのは、次のうちどれか。

［裁判所］

1　フィヨルド――氷食谷に海水が侵入してできた海岸
2　ドリーネ―――石灰岩地方において、溶食によりできたすり鉢状のくぼ地
3　V字谷――――山腹が氷食を受けてできた氷食谷
4　塩　湖――――乾燥地域において、湖の水分が蒸発し塩分が濃くなってできる湖
5　カルデラ―――火山の一部が陥没や爆発してできたくぼ地

178 地形に関する記述として正しいのはどれか。　　[国家一般]

1　海岸部では陸地や海面の昇降によっていろいろな地形がつくられ、フィヨルドは陸地の隆起、海岸段丘は陸地の沈降によってできたものである。

2　河川の下流部には三角州が生じ、農耕には適さないが、都市は発達することが多く、パリや北京はその例である。

3　乾燥地域から飛んできた黄土の堆積層は平坦で、木がまばらに生えた特徴的な地形を作ることがあり、カルスト地形はその一つである。

4　氷河の移動によって、土地が侵食されるとV字谷や氷河湖ができ、死海や阿寒湖は氷河湖の例である。

5　大陸のまわりの海底には、傾斜の緩やかな棚状の部分があり、水深約 200 mまで続いていて、大陸棚とよばれ、漁場として利用されることが多い。

179 沖積平野に関する次のA～Cの記述の正誤の組合せとして最も適当なのはどれか。　　[裁判所]

A　扇状地は、川が山地から平野や盆地に出るところに砂礫が堆積して扇形に形成される。扇状地の中央部（扇央）では、河川水が伏流して水無川となっていることが多く、桑畑や果樹園に利用されることが多い。

B　氾濫原は、洪水時に流路からあふれた水が運ぶ土砂が堆積する場所である。氾濫原を流れる川は、蛇行した流路をもつものが多く、流路の上流部と下流部との間が切れて、新しい流路ができると、取り残された旧流路は三日月湖（河跡湖）として残る。

C　三角州（デルタ）は、河口付近にみられる地形で、川の上流から流れてきた砂などが堆積することにより形成される。三角州を流れる川は、流れが速く河床を深く掘り下げてV字谷を形成することが多い。

	A	B	C
1	正	正	誤
2	正	誤	正
3	正	誤	誤
4	誤	正	誤
5	誤	誤	正

180 世界の山脈に関する記述として最も妥当なのはどれか。　[国家一般]

1　ピレネー山脈は、新規造山帯に属しており、なだらかな山々がヨーロッパ北部を東西に走っている。この山脈の南側には、ライン川などの国際河川が流れている。

2　ヒマラヤ山脈は、古期造山帯に属しており、アフガニスタン、インド、ミャンマー及び中国の国境地帯に位置している。最高峰はモンブランで、その標高は8000 mを超えている。

3　アンデス山脈は、南アメリカ大陸東岸を南北に走っている。険しい山々が連なるが、中央アンデス周辺の低地では、リャマやアルパカが飼育されている。

4　アパラチア山脈は、古期造山帯に属しており、北アメリカ大陸南東部に位置している。鉱産資源が豊富で、周辺は炭田として開発されているところも多い。

5　グレートディヴァイディング山脈は、オーストラリア大陸中央部を南北に走っている。この山脈の中央部には、観光地としても知られているウルル（エアーズロック）がある。

181 世界の河川に関する記述として最も妥当なのはどれか。　[海上保安（特別）]

1　長江は、中国中央部を西から東に流れて渤海に注いでいる。流域の多くは豊かな稲作地帯であり、下流には政治・文化の中心都市である北京がある。

2　ミシシッピ川は、北アメリカ北東部を西から東に流れて大西洋に注いでいる。沿岸にはカナダ有数の商工業都市であるモントリオールがある。

3　ナイル川は、アフリカ大陸北東部を南から北に流れて地中海に注いでいる。中・下流域の大部分は乾燥帯であり、下流のデルタには観光都市であるカイロがある。

4　ガンジス川は、インドのデカン高原を西から東に流れている。流域の大部分は乾燥帯であり、河口のあるバングラデシュでは、しばしば干ばつの被害が生じている。

5　ライン川は、スイスのアルプス山脈に源を発し、オーストリアを西から東に流れてイタリアで地中海に注いでいる。下流域は工業地帯であり、また、オリーブの産地でもある。

IV - 2

気　候

出題頻度 ★★★★

要点

① 気候要素と気候因子

●**気候要素**……気候を構成する大気現象。
気候の三要素＝気温・降水量・風。

●**気候因子**……気候に地域差を与える、緯度・海抜高度・地形・海流・水陸分布など。

・**緯度**……高緯度ほど気温は低くなる。気温の年較差は高緯度ほど大。

・**海抜高度**……高度が 100 m増すごとに、気温は約 0.6℃の割合で低下。

・地形・水陸分布・海流……気温の**年較差**・**日較差**とも**内陸**になるほど、**乾燥**するほど大。

② 風

●**大気の循環**

・**赤道低圧帯（熱帯収束帯）**……上昇気流が盛んで、年中雨が多い。

・**貿易風**……中緯度（亜熱帯）高圧帯から赤道低圧帯（熱帯収束帯）に吹き出す風。北半球＝北東風、南半球＝南東風。

・**中緯度（亜熱帯）高圧帯**……下降気流が盛んで、降水量が少なく**砂漠**が発達。

・**偏西風**……中緯度（亜熱帯）高圧帯から高緯度に吹き出す西よりの風。大陸西岸と南半球で顕著。

●**モンスーン（季節風）**……比熱の差によって起こる風。夏は海洋から大陸へ、冬は大陸から海洋へ吹く。

●**熱帯低気圧**……日本では台風、アメリカではハリケーン、インドではサイクロンとよばれる。

③　気候区

●熱　帯

・熱帯雨林気候……赤道を中心として分布する。**年中高温で多雨**。**シンガポール**など。

・**サバナ気候**……年中高温で、**雨季**と**乾季**が明瞭。熱帯雨林気候の周辺。バンコクなど。

●温　帯

・**温暖湿潤気候**……1年中降水量に恵まれ、**四季**が明瞭。**季節風**の影響により夏高温、冬低温で温帯としては気温の年較差が大。主に大陸東岸に分布。**シャンハイ・ブエノスアイレス**など。

・**地中海性気候**……**夏は高温乾燥**、冬は温暖で降雨がある。ヨーロッパ地中海沿岸のほか北アメリカのカリフォルニアなどに分布。**ローマ・サンフランシスコ**など。

・**西岸海洋性気候**……**偏西風**により年間平均した降雨がある。高緯度のため夏涼しく、冬は偏西風と暖流のため温暖で気温の**年較差小**。**パリ・ロンドン**など。

●冷　帯（亜寒帯）……夏は短く冷涼、冬は長く寒さが厳しい。気温の年較差が大。**南半球には分布しない**。**モスクワ**・シカゴなど。

●寒　帯

・ツンドラ気候……夏には凍土の表面が融け、蘚苔（せんたい）類や地衣（ちい）類が生育。

●乾燥帯

・**砂漠気候**……日較差が年較差より大。緯度20°～30°付近に分布。

・**ステップ気候**……砂漠の周辺に分布し、ややまとまった降水がある。

④　植生と土壌

気候区	植生	土壌
熱帯雨林気候	熱帯雨林＝**セルバ**（アマゾン川流域）	**ラトソル**
サバナ気候	疎林と丈の高い草原＝**カンポ**（ブラジル高原）・**リャノ**（オリノコ川流域）	
地中海性気候	オリーブ・オレンジなどの硬葉樹	赤色土・黄色土
ステップ気候	**短草草原＝ステップ**が広がる	黒色土・栗色土
温暖湿潤気候	常緑広葉樹・落葉広葉樹が多い	褐色森林土
	北米の**プレーリー**・南米の**パンパ**・ハンガリー盆地の**プスタ**などの長草草原	プレーリー土

西岸海洋性気候	ぶな・ならなどの落葉広葉樹と針葉樹	褐色森林土
冷帯気候	針葉樹林＝**タイガ**が広がる	**ポドゾル**
ツンドラ気候	森林なし　夏に蘚苔類・地衣類生育	ツンドラ土

●間帯土壌

・**テラロッサ**……地中海沿岸に分布する赤褐色の土壌。

・**テラローシャ**……**ブラジル高原**に分布する土壌で、**コーヒー栽培**に適す。

・**レグール**……インドの**デカン高原**に分布する土壌で、**綿花**栽培に適す。

練　習

次の図は世界のある都市の気候を表したものである。
それぞれの気候区名を答えよ。

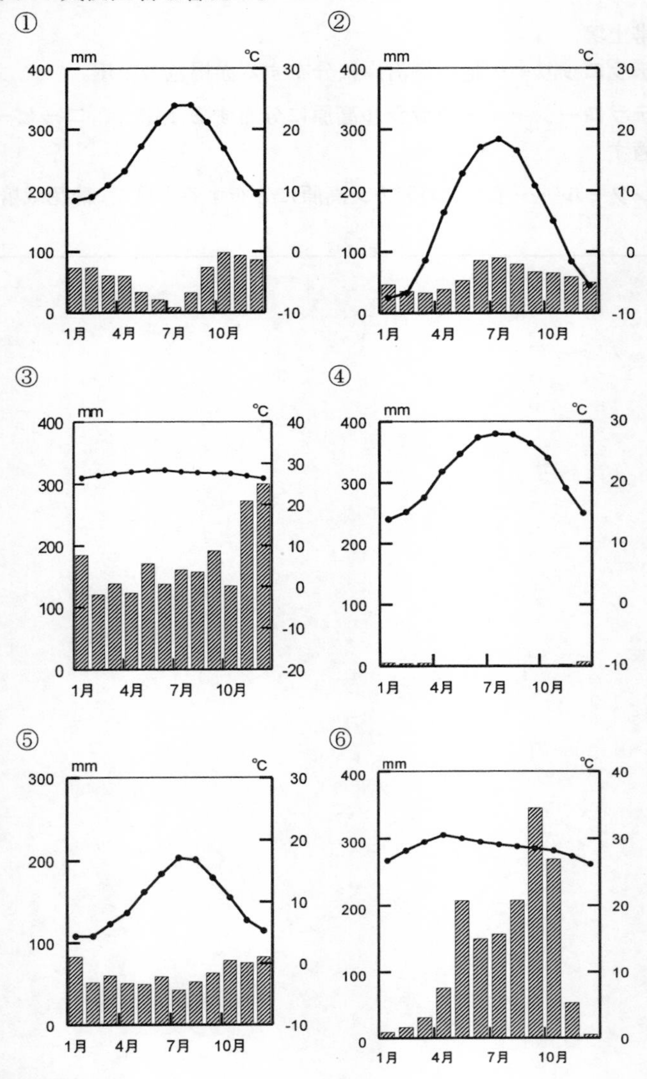

練習の解答

①地中海性気候　②冷帯気候　③熱帯雨林気候　④砂漠気候　⑤西岸海洋性気候　⑥サバナ気候

演　習

182 地球の気候に関する記述として妥当なのはどれか。［国家一般］

1　気温は、低緯度地域では高緯度地域に比べて高い。また、年較差や日較差も低緯度地域のほうが大きい。
2　気温の日較差と年較差を比較すると、いずれも内陸地方では小さく、海岸地方では大きい。
3　貿易風は中緯度高圧帯から高緯度低圧帯に、偏西風は中緯度高圧帯から赤道低圧帯に向かって吹く風で、いずれも1年中風向きは変わらない。
4　季節風は、大陸と海洋の季節による気圧の差によって夏季と冬季で風向きが反対になる。
5　降水量は中緯度高圧帯が最も多く、赤道低圧帯がこれにつぎ、高緯度低圧帯と極高圧帯で少ない。

183 次の文章で、A～Fにあてはまる語句の組合せとして正しいものはどれか。［国家一般］

ユーラシア大陸の中緯度の西岸は海流と（　A　）の影響を受け、同じ緯度の東岸と比べ、冬は気温が（　B　）、夏は気温が（　C　）なっている。また、東岸では冬は（　D　）から（　E　）に向かって風が吹く。これは（　F　）とよばれ、ユーラシア大陸の東部、南東部、南部でよく発達している。

	A	B	C	D	E	F
1	偏西風	低く	高く	海洋	大陸内部	北東貿易風
2	偏西風	高く	低く	大陸内部	海洋	モンスーン
3	北東貿易風	低く	高く	海洋	大陸内部	モンスーン
4	北東貿易風	高く	低く	大陸内部	海洋	北東貿易風
5	モンスーン	低く	高く	海洋	大陸内部	偏西風

Ⅳ地理

184 A、Bは世界の気候区のうちの二つの気候区に関する記述であるが、気候区の組合せとして正しいのはどれか。 [国家一般]

A　主に北半球の緯度40度～60度の大陸西岸では、海上をわたってくる偏西風の影響でどの季節にも適度な降水量がある。北半球では、同じ緯度帯の東岸に比べると、冬が暖かいので気温の年平均値が高く、四季を通じて温和である。

B　砂漠の周辺では、長い乾季の後に弱い雨季がみられ、年間200～500mmの降水量がある。丈の短い耐乾燥性の草が生えた草原となっているが、降水不足のため、樹木はほとんど生育していない。

	A	B
1	温暖湿潤気候	ステップ気候
2	温暖湿潤気候	サバナ気候
3	地中海性気候	サバナ気候
4	西岸海洋性気候	ステップ気候
5	西岸海洋性気候	サバナ気候

185 次のア～オの気候区の説明のうち、妥当なものを二つ選んであるのはどれか。 [県・政令指定都市]

ア　地中海性気候…………夏は乾燥，冬は雨が降るが少量である。果樹やオリーブの栽培が行われている。

イ　温帯モンスーン気候…年間の気温の差が少なく、温暖湿潤である。酪農や混合農業が行われている。

ウ　西岸海洋性気候………夏は高温多湿で、冬は低温少雨である。綿花や米の栽培が行われている。

エ　ツンドラ気候…………長い乾季の後に弱い雨季がみられ、背丈の低い草が生える。牛、馬などの遊牧、放牧が行われている。

オ　サバナ気候……………乾季と雨季が明りょうで、木がまばらに生えた草原が多い。綿花やコーヒーの栽培が行われている。

1　ア、エ　　2　ア、オ　　3　イ、ウ
4　イ、エ　　5　ウ、オ

186 A～Dの図は世界の各都市の気候をあらわしたものであるが、その都市名の組合せとして正しいものは次のうちどれか。 [国家一般]

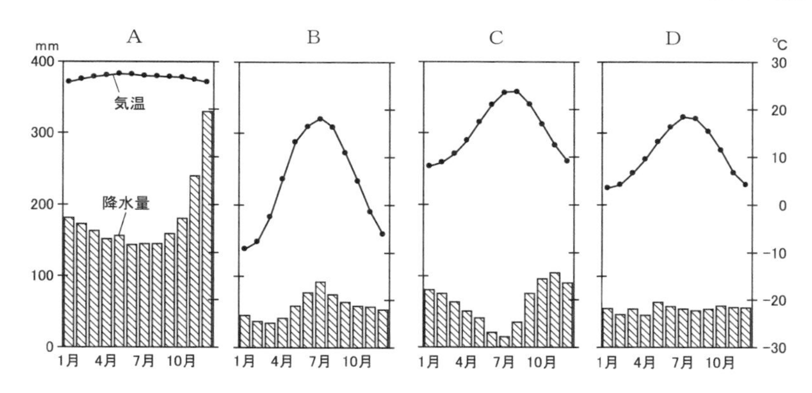

	A	B	C	D
1	シンガポール	モスクワ	ローマ	ロンドン
2	東京	ローマ	ロンドン	モスクワ
3	東京	モスクワ	ロンドン	ローマ
4	シンガポール	ローマ	モスクワ	ロンドン
5	シンガポール	東京	ローマ	モスクワ

187 ア、イ、ウは、図のＡ～Ｅのいずれかの地域の土壌の特徴に関する記述である。土壌に関する記述ア、イ、ウと、地域Ａ～Ｅの正しい組合せはどれか。 [海上保安等]

ア　雨季と乾季が規則正しく交代する地域で、雨季には塩基やケイ酸が下層に流れ、乾季には蒸発が盛んになるところにできる土壌である。アルミニウムや鉄の酸化物が多いため赤色となり、養分となるものが流亡、分散してやせている。

イ　高緯度の湿潤地帯に多く、有機物の分解が不十分で、表層は漂白されて灰白色となっている。酸性の土壌でやせており、農耕には不向きである。

ウ　半乾燥気候の温帯から冷帯に多く、表層は腐植に富み黒色で、下層は石灰集積層となっているため極めて肥沃な土壌である。

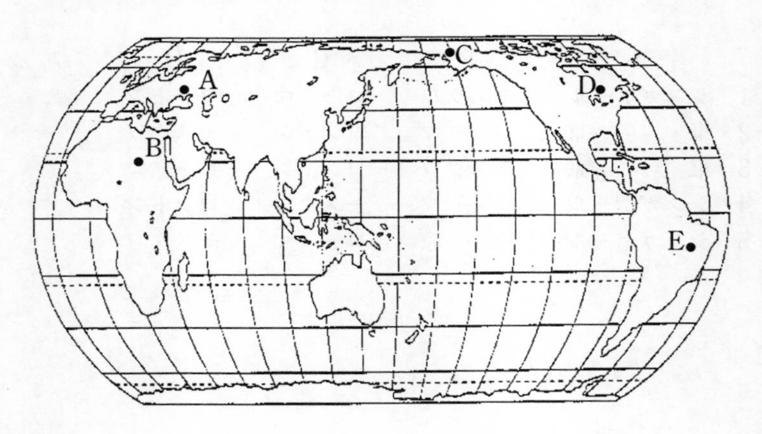

	ア	イ	ウ
1	B	C	A
2	B	D	E
3	E	A	D
4	E	C	D
5	E	D	A

Ⅳ - 3

農　　業

出題頻度　★★★

要点

① 農業の地域区分

●**自給的農業**

・**焼畑農業**……熱帯で行われ、森林を切り払い、火を入れ灰を肥料にする。ヤムイモやキャッサバ。

・**遊牧**……家畜の食料や水を求め、移動する農業。乾燥地域ではラクダ・羊・ヤギ、ツンドラ地域ではトナカイを飼育。

・**アジア式稲作農業**……年降水量が1000mm以上のアジア地域（モンスーンアジア）で全生産量の90%を占める。

・**アジア式畑作農業**……中国の北部、インドのデカン高原などで行われる。小麦・大豆などを栽培する農業。

●**商業的農業**

・**地中海式農業**……夏は乾燥に耐えるオリーブ・オレンジなどの果樹の栽培、冬は降雨があるので小麦の栽培。地中海沿岸、カリフォルニア、チリ中部など。

・**混合農業**……農業と牧畜を結合したもので、穀物と飼料作物とを輪作し、牛・豚などを飼育。ヨーロッパ中部、アメリカ合衆国とうもろこし地帯、アルゼンチンの湿潤パンパなど。

・**酪農**……乳牛を飼育し、生乳・酪農品を生産。ヨーロッパ西部と北部、五大湖周辺、ニュージーランドなど。

・**園芸農業**……新鮮な野菜・果実・花卉などを都市に供給。土地生産性・労働生産性ともに高い。促成栽培（早期出荷）・抑制栽培（晩期出荷）。オランダ、アメリカ合衆国大西洋岸など。

●**企業的農牧業**

・**企業的穀物農業**……大規模経営による小麦栽培。アメリカ合衆国の小麦地帯（**プレーリー**）・オーストラリア（**マリーダーリング盆地**）など。

・**企業的牧畜**……牛・馬・羊などを大規模に放牧。北アメリカのグレートプレーンズ、パンパ、オーストラリア内陸部など。

・**プランテーション農業**……欧米人が資本と技術を提供し、現地人や移民の豊富で安価な労働力を使って、コーヒー・カカオ・天然ゴムなどの商品作物を大規模に栽培。単一耕作（**モノカルチャー**）が多い。

② 各国の農業の特色

●アジア

・**日本**……小麦・とうもろこし・大豆などの輸入量が増加し、食糧自給率が低い。

・**中国**……**チンリン＝ホワイライン**（降水量 1000mm）を境に、北部が畑作、南部が稲作。生産責任制によって、生産性が向上。

・**東南アジア**……メコン川・チャオプラヤ川などの平野で稲作が盛ん。

・**インド**……年降水量 1000mm 以上のガンジス川流域や南西岸で稲作が盛ん。
デカン高原＝綿花、パンジャブ地方＝小麦、アッサム地方＝茶、ガンジスデルタ＝米・**ジュート**

●ヨーロッパ

・**フランス**……ヨーロッパ最大の農業国。小麦・ぶどうの生産が盛ん。

・**イギリス**……農業人口率が最も低く 1%。

・**デンマーク**……**農業協同組合**が発達。養豚や酪農が盛ん。

・**オランダ**……**ポルダー**（干拓地）で酪農、その他では園芸農業が盛ん。

・**スイス**……酪農中心でアルプスでは山地を利用した**移牧**が特色。

・**イタリア**……北部は混合農業、南部は地中海式農業。**南北格差**が問題となっている。

●南北アメリカ

・**アメリカ合衆国**……西経 100 度（年降水量 500mm）を境に、東部が農業地帯、西部が牧畜地帯。穀物の流通は**穀物メジャー**が支配。
｛五大湖周辺＝酪農、五大湖より南＝**コーンベルト**（とうもろこし・大豆）、南部＝綿花、中央部＝北：春小麦、南＝冬小麦、西部＝放牧地域、カリフォルニア＝地中海式農業

・**ブラジル**……ブラジル高原ではコーヒーの生産が盛ん。その他にカカオ・大豆・さとうきびなど。大農園ファゼンダで生産。

・**アルゼンチン**……湿潤パンパでとうもろこし・小麦・肉牛の飼育など、乾燥パンパでは羊の放牧が盛ん。

●オセアニア

・**オーストラリア**……大鑽井盆地＝牧羊、北部～東部：牧牛、北東部＝さとうきび、南東部＝小麦

・**ギニア湾岸**……カカオ・コーヒーなどの栽培が盛ん。

③　主な農産物の生産高・輸出高上位国『世界国勢図会 2019/20』による

●米

生産国	生産量(千t)	割合（%）
中国	212676	27.6
インド	168500	21.9
インドネシア	81382	10.6
バングラデシュ	48980	6.4
ベトナム	42764	5.6
世界計	769658	100

輸出国	輸出量(千t)	割合（%）
タイ	9870	24.5
インド	9869	24.5
ベトナム	5211	12.9
パキスタン	3947	9.8
アメリカ	3316	8.2
世界計	40266	100

●小麦

生産国	生産量(千t)	割合（%）
中国	134334	17.4
インド	98510	12.8
ロシア	85863	11.1
アメリカ	47371	6.1
フランス	36945	4.8
世界計	771719	100

輸出国	輸出量(千t)	割合（%）
ロシア	25327	13.8
アメリカ	24042	13.1
カナダ	19702	10.7
フランス	18344	10.0
オーストラリア	16148	8.8
世界計	183648	100

●とうもろこし

生産国	生産量(千t)	割合（%）
アメリカ	370960	32.7
中国	259071	22.8
ブラジル	97722	8.6
アルゼンチン	49476	4.4
インド	28720	2.5
世界計	1134747	100

輸出国	輸出量(千t)	割合（%）
アメリカ	55993	38
アルゼンチン	24505	16.6
ブラジル	21873	14.8
ウクライナ	11015	7.5
フランス	5441	3.7
世界計	147362	100

●大豆

生産国	生産量(千t)	割合（%）
アメリカ	119518	33.9
ブラジル	114599	32.5
アルゼンチン	54972	15.6
中国	13149	3.7
インド	10981	3.1
世界計	352644	100

輸出国	輸出量(千t)	割合（%）
アメリカ	57770	42.6
ブラジル	51582	38.2
アルゼンチン	8947	6.6
パラグアイ	5400	4.0
カナダ	4424	3.3
世界計	134888	100

●茶

生産国	生産量(千t)	割合（%）
中国	2460	40.3
インド	1325	21.7
ケニア	440	7.2
スリランカ	350	5.7
ベトナム	260	4.2
世界計	6101	100

輸出国	輸出量(千t)	割合（%）
中国	329	19.3
ケニア	293	17.2
スリランカ	287	16.9
インド	230	13.5
アルゼンチン	78	4.6
世界計	1701	100

●コーヒー

生産国	生産量(千t)	割合（%）
ブラジル	2681	29.1
ベトナム	1542	16.7
コロンビア	754	8.2
インドネシア	669	7.3
ホンジュラス	475	5.2
世界計	9212	100

輸出国	輸出量(千t)	割合（%）
ブラジル	1824	25.5
ベトナム	1400	19.5
コロンビア	735	10.3
インドネシア	413	5.8
ドイツ	336	4.7
世界計	7163	100

●カカオ

生産国	生産量(千t)	割合（%）
コートジボワール	2034	39.1
ガーナ	884	17.0
インドネシア	660	12.7
ナイジェリア	328	6.3
カメルーン	295	5.7
世界計	5201	100

輸出国	輸出量(千t)	割合（%）
コートジボワール	1174	36
ガーナ	581	17.9
ナイジェリア	227	7.0
エクアドル	227	7.0
ベルギー	187	5.7
世界計	3256	100

●オリーブ

生産国	生産量(千t)	割合（%）
スペイン	6549	31.4
ギリシャ	2720	13.0
イタリア	2577	12.3
トルコ	2100	10.1
モロッコ	1039	5.0
世界計	20873	100

●ぶどう

生産国	生産量(千t)	割合(%)
中国	13083	17.6
イタリア	7170	9.7
アメリカ	6679	9.0
フランス	5916	8.0
スペイン	5387	7.3
世界計	74277	100

輸出国	輸出量(千t)	割合(%)
チリ	708	15.9
イタリア	481	10.8
アメリカ	386	8.7
南アフリカ共和国	305	6.9
ペルー	286	6.4
世界計	4451	100

●綿花

生産国	生産量(千t)	割合(%)
インド	6188	23.7
中国	6178	23.6
アメリカ	3593	13.7
パキスタン	2374	9.1
ブラジル	1412	5.4
世界計	26157	100

輸出国	輸出量(千t)	割合(%)
アメリカ	2469	36.4
インド	866	12.8
ブラジル	805	11.9
オーストラリア	717	10.6
ブルキナファソ	307	4.5
世界計	6784	100

●牛

主要国	頭数(千頭)	割合(%)
ブラジル	214900	14.4
インド	185104	12.4
アメリカ	93705	6.3
中国	83210	5.6
エチオピア	60927	4.1
世界計	1491687	100

●豚

主要国	頭数(千頭)	割合(%)
中国	435037	45.0
アメリカ	73415	7.6
ブラジル	41099	4.2
スペイン	29971	3.1
ドイツ	27578	2.9
世界計	967385	100

●羊

主要国	頭数(千頭)	割合(%)
中国	161351	13.4
オーストラリア	72125	6.0
インド	63069	5.2
ナイジェリア	42500	3.5
スーダン	40574	3.4
世界計	1202431	100

●牛肉

生産国	生産量(千t)	割合（%）
アメリカ	11907	18.0
ブラジル	9550	14.4
中国	6898	10.4
アルゼンチン	2842	4.3
オーストラリア	2049	3.1
世界計	66250	100

輸出国	輸出量(千t)	割合（%）
オーストラリア	1081	14.1
ブラジル	1076	14.1
アメリカ	815	10.6
オランド	438	5.7
ニュージーランド	419	5.5
世界計	7653	100

●羊毛

生産国	生産量(千t)	割合（%）
中国	282	21.6
オーストラリア	216	16.5
ニュージーランド	99	7.6
イギリス	41	3.1
イラン	37	2.8
世界計	1306	100

輸出国	輸出量(千t)	割合（%）
オーストラリア	216	36.2
ニュージーランド	114	19.1
イギリス	30	5.0
南アフリカ共和国	28	4.7
ドイツ	16	2.7
世界計	597	100

④**漁業生産量**……中国（世界一）、ペルー（6位）はアンチョビの漁獲が多い。

●漁業

生産国	生産量(千t)	割合（%）
中国	15577	16.6
インドネシア	6736	7.2
インド	5450	5.8
アメリカ	5040	5.4
ロシア	4879	5.2
世界計	93634	100

輸出国	輸出量(千t)	割合（%）
中国	20323	14.2
ノルウェー	10798	7.6
ベトナム	7344	5.1
タイ	5915	4.1
アメリカ	5588	3.9
世界計	142773	100

最新の統計情報を確認できます。

演　習

188 農業の形態に関する記述として、妥当なのはどれか。 ［東京都］

1　地中海式農業は、地中海沿岸で、耐乾性の強い樹木作物と自給用の穀物を栽培する農業であり、高温湿潤な夏は小麦を栽培し、温暖乾燥な冬はオリーブ・ぶどう・コルクがしを栽培する。

2　プランテーション農業は、東南アジアやラテンアメリカにみられる商業的農園農業であり、安価・豊富な労働力を利用して、多種多様な商品作物を少量ずつ耕作する。

3　園芸農業は、都市への出荷を目的として、野菜・果樹・花卉(き)などを集約的に栽培する農業であり、限られた耕地に資本・労働力・肥料を大量に投下するため、土地生産性は高い。

4　企業的穀物農業は、北アメリカの五大湖周辺やアルゼンチンのパンパで、大型機械を用いて、小麦などの穀物を大規模に栽培し、その販売に重点をおく粗放的農業であり、労働生産性は低い。

5　酪農は、飼料作物を栽培して乳牛を飼育し、酪製品の販売を目的として行われる農業であり、牧草・根菜類・小麦などを輪作し、北西ヨーロッパなど、消費地に近い温暖で肥沃な土地で発達している。

189 プランテーション農業に関する記述として最も妥当なのはどれか。

［刑務官］

1　都市への出荷を目的として、野菜・果樹などを集約的に栽培する農業であり、大都市周辺の地域で見られる。特に、ヨーロッパの北海や地中海の沿岸で発達している。
2　1年間に2種類の異なる農作物を同一耕地に栽培する農業であり、季節風（モンスーン）の影響を強く受ける地域で盛んである。
3　360度回転するアームで、肥料を混ぜた地下水の散水などを行う農業であり、乾燥・半乾燥地域で行われる。広い範囲を灌漑することが可能であり、牧草などが栽培される。
4　地下式用水路を用いてナツメヤシや小麦の栽培などを行う農業である。中央・西アジアの高く険しい山脈や高原が分布する地域で発達している。
5　大規模な企業的農業であり、熱帯・亜熱帯地域に見られる。バナナやカカオなどの商品作物が単一耕作で栽培されている。

190 A～Dは世界の各国の農業に関する記述であるが、妥当なもののみをすべて挙げているのはどれか。

［刑務官］

A　アメリカ合衆国は、農業機械が発達し、労働生産性、土地生産性ともに高く、世界最大の農業生産国・農業輸出国であるが、近年、土壌侵食が進み、農地の荒廃が問題となっている。
B　イギリスは、西ヨーロッパ最大の農業国で、家族経営を主体とする自給的混合農業が主である。小麦のほかオリーブ、茶などの樹木作物の栽培が盛んで、紅茶の生産高は世界一である。
C　中国の農業は、気候が小麦栽培に不適なため稲作が中心で、世界最大の米輸出国となっている。農業の集団化による生産性の向上で、「万元戸」とよばれる富裕な農家が増加している。
D　イランの国土の大部分は乾燥地域で、山麓の地下水をカナートとよばれる地下水路で運び、麦類やなつめやしを栽培する灌漑農業が古くから行われている。

1　A　　2　A、C　　3　A、D
4　B　　5　B、D

191 ヨーロッパの各国の農牧業に関する記述A～Cと地図上の位置の組合せとして正しいのはどれか。 [国家一般]

A　平野が広がるこの国は、EU最大の農業国である。長い間「小農民の国」といわれ今でも小規模の自作農が多いが、北部の盆地一帯では大規模な企業的経営が行われており、現在では、ヨーロッパで第一の小麦の輸出国となっている。

B　国土の大部分が平原と干拓地からなるこの国は、19世紀以降、酪農と園芸農業を輸出産業として育成してきた。園芸農業は、トマトなどの野菜の温室栽培やチューリップなどの球根栽培が行われている。

C　この国では、北部と中・南部の農業の地域差が大きい。北部の平野では混合農業が営まれ、輪作による稲作も行われている。中・南部では地中海式農業が発達し、オリーブなどの樹木作物が栽培され、羊の移牧が行われている。

	A	B	C
1	①	④	⑤
2	②	④	⑥
3	①	③	⑤
4	②	③	⑥
5	①	④	⑥

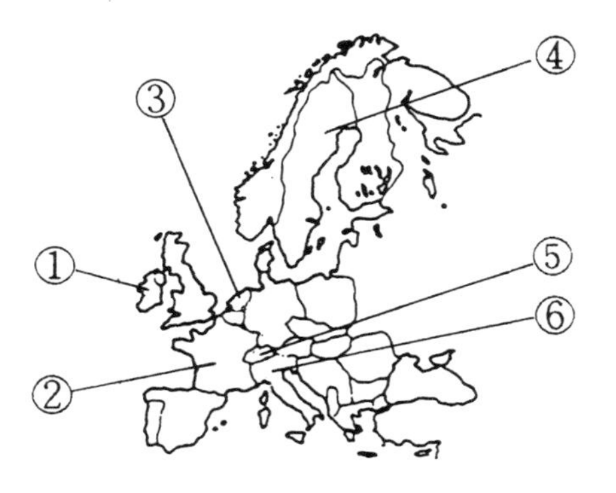

192 次の図はアメリカ合衆国の農業地域を表すものであるが、図中のＡ～Ｅで主に収穫される作物の組合せとして正しいものはどれか。 **[市町村]**

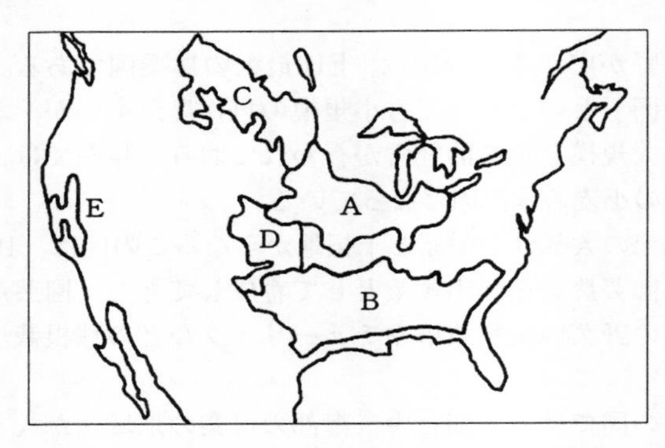

	A	B	C	D	E
1	綿　花	冬小麦	春小麦	とうもろこし	果　樹
2	綿　花	とうもろこし	冬小麦	果　樹	春小麦
3	綿　花	冬小麦	春小麦	果　樹	とうもろこし
4	とうもろこし	果　樹	冬小麦	春小麦	綿　花
5	とうもろこし	綿　花	春小麦	冬小麦	果　樹

193 農作物に関する記述として、最も妥当なのはどれか。 **[東京消防庁]**

1　米は小麦と比較して、単位面積当たりの収量は少ないが、国際商品としての性格が強い。また、生産及び輸出で世界一の国は中国である。

2　小麦は、北半球では冬小麦のみが、南半球では春小麦のみが栽培されるが、年間を通して世界のどこかで収穫されており、収穫期を一覧にした小麦カレンダーがある。

3　とうもろこしは、食料用だけではなく家畜飼料用や、燃料用のバイオエタノールの原料として、需要が増えている。

4　大豆は、しぼって油を作ったり、しぼりかすを配合飼料に用いたりしており、世界最大の生産国であるアメリカ合衆国は、国内需要が大きいため世界最大の輸入国でもある。

5　茶は、アジアが原産地であり、排水のよい丘陵地で栽培されるが、現在でもアジアの国々でのみ生産されており、アジア大陸以外での生産は見られない。

194 次の表は、5種類の農作物（茶、バナナ、カカオ豆、コーヒー豆、天然ゴム）の生産上位5カ国（2016年）の国名を表したものであるが、①～⑤の番号と作物名の組合せとして、最も妥当なのはどれか。　［警視庁］

農作物	1位	2位	3位	4位	5位
①	コートジボワール	ガーナ	インドネシア	カメルーン	ナイジェリア
②	ブラジル	ベトナム	コロンビア	インドネシア	エチオピア
③	中国	インド	ケニア	スリランカ	トルコ
④	タイ	インドネシア	ベトナム	インド	中国
⑤	インド	中国	インドネシア	ブラジル	エクアドル

1　①「コーヒー豆」　②「バナナ」
2　②「カカオ豆」　③「天然ゴム」
3　③「茶」　④「天然ゴム」
4　④「茶」　⑤「バナナ」
5　⑤「コーヒー豆」　①「カカオ豆」

195 次の図のA～Dの漁場に関する記述の組合せとして正しいものはどれか。

［市町村］

ア　この漁場は世界一の漁獲量を上げており、世界最大の漁場である。魚種も豊富で主に寒海性のにしん・たら・さけ・ます、暖海性のいわし・さば・ぶり・まぐろなどがある。この漁場の沿岸国では水産物の消費量が多い。

イ　この漁場はドッガーバンクやグレートフィッシャーバンクなどのバンクが発達しており、たら・にしん・ひらめなどがとれる。最も古くから開発された漁場である。

ウ　赤道反流の補流や、サンゴ礁・海洋島などによる海水の混合が盛んなため、プランクトンの発生が多く、かつお・まぐろなどの好漁場になっている。最近漁獲量の増加が目立つ。

エ　この漁場では飼料用魚粉の原料となるアンチョビーが1970年頃まで大量に捕れたが、無秩序な大量漁獲や水温の変化により漁獲量が激減した。

	ア	イ	ウ	エ
1	A	B	C	D
2	B	C	D	A
3	C	D	A	B
4	A	D	B	C
5	C	B	D	A

196 次は世界の水産業に関する記述であるが、A～Dに当てはまる国名の組合せとして最も妥当なのはどれか。　[国家一般（改）]

世界の漁業生産量は2017年現在で約9,300万tであり、[A]、[B]、インドネシア、[C]、インド、[D]などが世界の主要漁業生産国として挙げられる。

また、同年における世界の養殖業生産量は約1億1,100万tで、漁業・養殖業の総生産量の約55%を占めている。[A]は1990年代以降、養殖業生産量を伸ばし、2017年現在、同国の漁業・養殖業生産量はともに世界一である。一方、かつては遠洋漁業、沖合漁業がさかんで世界一の漁業生産量を誇っていた[D]は近年では漁業生産量が減少し、その供給量を補うように水産物の輸入が伸びている。2017年では[C]と並んで水産物の輸入額は世界有数の規模となっている。[B]の主要な水産品目はアンチョビであるが、エルニーニョ現象の発生が、その漁業生産量に大きな影響を及ぼすのが特徴である。

	A	B	C	D
1	中　国	ペルー	米　国	日　本
2	中　国	米　国	日　本	ペルー
3	日　本	米　国	ペルー	中　国
4	日　本	ペルー	中　国	米　国
5	ペルー	中　国	米　国	日　本

IV - 4

エネルギー資源・鉱工業

出題頻度 ★★★

要点

① エネルギー資源

●一次エネルギー供給割合の推移

・産業革命時……石炭中心。

・1960 年代……エネルギー革命により石炭から石油へ。

・オイルショック後……石油から天然ガス、原子力へ。

主要国の一次エネルギー供給構成（2016 年）

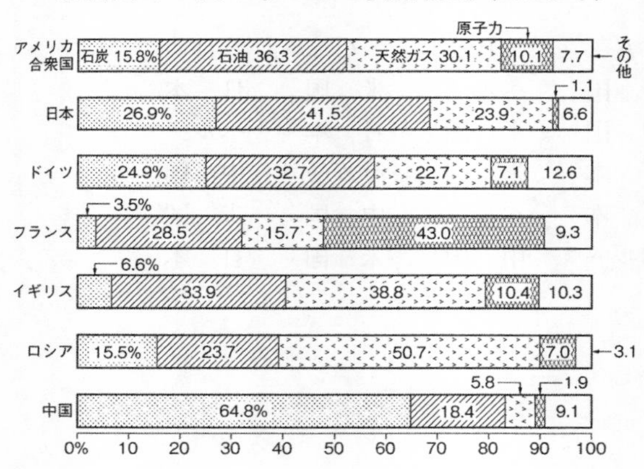

●石炭……古期造山帯に多く分布。

生産国	生産量（万 t）	割合（%）
中国	341060	54.4
インド	66279	10.6
インドネシア	45600	7.3
オーストラリア	41320	6.6
ロシア	29495	4.7
世界計	626643	100

輸出国	輸出量（万 t）	割合（%）
オーストラリア	38930	29.9
インドネシア	36958	28.4
ロシア	16612	12.7
コロンビア	8333	6.4
南アフリカ共和国	6994	5.4
世界計	130315	100

日本の輸入先	輸入量(千t)	割合(%)
オーストラリア	116068	61.3
インドネシア	28868	15.2
ロシア	18737	9.9
アメリカ	11534	6.1
カナダ	8703	4.6
計	189320	100

●**石油**……新期造山帯に多く分布。西アジアに埋蔵量の２分の１が集中。

生産国	生産量(万kL)	割合(%)
ロシア	64738	13.9
アメリカ	63560	13.6
サウジアラビア	59927	12.9
イラク	26418	5.7
カナダ	24340	5.2
世界計	465870	100

輸出国	輸出量(万t)	割合(%)
サウジアラビア	37302	16.8
ロシア	25284	11.4
イラク	18736	8.5
カナダ	16128	7.3
アラブ首長国連邦	12024	5.4
世界計	221448	100

日本の輸入先	輸入量(千kL)	割合(%)
サウジアラビア	67935	38.6
アラブ首長国連邦	44604	25.4
カタール	13809	7.9
クウェート	13472	7.7
ロシア	8389	4.8
計	175897	100

●**天然ガス**……クリーンエネルギーの１つ。**液化天然ガス(LNG)**にして輸出。近年、**シェールガス**の開発が進み、アメリカが生産１位。

生産国	生産量(億㎥)	割合(%)
アメリカ	7604	20.2
ロシア	6940	18.4
イラン	2138	5.7
カナダ	1843	4.9
カタール	1691	4.5
世界計	37684	100

輸出国	輸出量(億㎥)	割合(%)
ロシア	2255	18.6
ノルウェー	1234	10.2
カタール	1205	10.0
アメリカ	897	7.4
カナダ	847	7.0
世界計	12098	100

日本の輸入先	輸出量(千t)	割合(%)
オーストラリア	28702	34.6
マレーシア	11266	13.6
カタール	9923	12.0
ロシア	6673	8.1
インドネシア	5133	6.2
計	82852	100

●ウラン……ウランを核分裂し原子力エネルギーを得る。

生産国	生産量（t）	割合（%）
カザフスタン	23400	39.4
カナダ	13130	22.1
オーストラリア	5800	9.8
ナミビア	4000	6.7
ニジェール	3485	5.9
世界計	59342	100

●電力

・水力発電中心＝ブラジルなど。

・原子力発電中心＝フランスなど。

・火力発電中心＝中国・インドなど。

・火力、水力発電中心＝カナダなど。

各国の発電エネルギー源別割合（2016年）

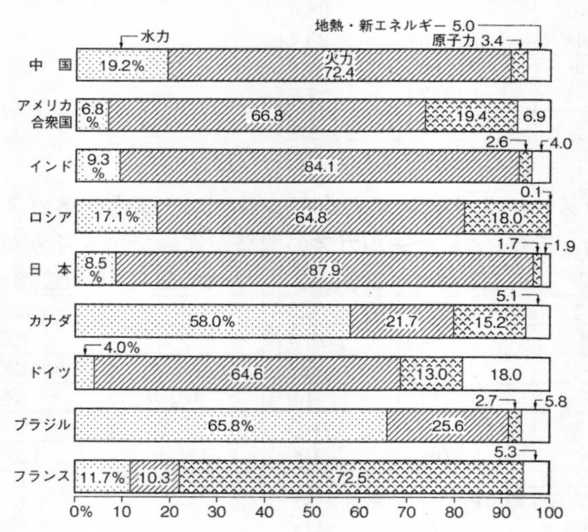

② 鉱産資源

●鉄鉱石……安定陸塊に多く分布。面積上位国での生産が多い。

生産国	生産量（千t）	割合（%）
オーストラリア	486000	34.7
ブラジル	257000	18.4
中国	232000	16.6
インド	96000	6.9
ロシア	61100	4.4
世界計	1400000	100

日本の輸入先	割合（%）
オーストラリア	49.6
ブラジル	31.1
カナダ	6.6
南アフリカ共和国	3.7
チリ	2.1
計	100

●**銅鉱**……新期造山帯（アンデス～ロッキー山脈）に多く分布。また、アフリカ南部のコッパーベルトにも分布。

生産国	生産量（千 t）	割合（%）
チリ	5764	30.2
中国	1710	9.0
ペルー	1701	8.9
アメリカ	1380	7.2
コンゴ民主共和国	1020	5.3
世界計	19100	100

●**ボーキサイト**……熱帯地域に多く分布。アルミニウムの原料。

生産国	生産量（千 t）	割合（%）
オーストラリア	82000	30.4
中国	60800	22.5
ブラジル	34400	12.7
ギニア	31500	11.7
インド	23886	8.8
世界計	270000	100

③ 工　業

●**主要工業地域**

・**アジアNIES**……アジアの発展途上国の中で、急速に工業化を進めた国と地域。
　＝韓国、シンガポール、香港、台湾

・**BRICS**……近年、経済発展が著しく、世界経済に大きな影響を与えている国々。
　＝ブラジル、ロシア、インド、中国、南アフリカ共和国

最新の統計情報を確認できます。

演　習

197 世界のエネルギー・鉱産資源に関する記述として最も妥当なのはどれか。

［国家一般］

1　石炭は、1950年代までは世界エネルギー総消費量の約8割を占めたが、各地の炭田での埋蔵量がごくわずかになったことや、環境への配慮から、現在では総消費量の1割以下となっている。

2　鉄鉱石は鉄の原料であり、地殻に含まれている量は鉱産資源のなかで最も多い。主に南北アメリカ大陸で産出され、米国、チリ、ペルーなどが主な産出国である。

3　金や銀、プラチナのように、地球上で希少な金属をレアメタルという。近年では半導体の材料として特にチタンが注目されており、ロシアが主な産出国となっている。

4　核燃料として用いられるウランは、天然には存在せず、プルトニウムから取り出される。フランスが主な産出国であり、原子力が総発電量に占める割合は同国が世界第一位である。

5　原油については、ロシア、サウジアラビア、米国、イランなどが主な産出国であるが、これら4か国のうち、米国のみは国内消費量が多いため、原油の輸入が輸出を上回っている。

198 次の表は、原油の供給量の上位7カ国における供給量及び自給率を表したものであるが、A、B、Cに当てはまる国名の組合せとして最も妥当なものはどれか。

[国家一般]

原油の供給量と自給率（2016年）

国名	供給量（万t）	自給率（%）
アメリカ合衆国	79,711	55.0
A	57,775	34.6
B	26,887	194.0
インド	24,994	14.4
日本	15,635	0.1
韓国	14,555	0.0
C	9,350	2.5

●問題は統計を最新のものにして改題

	A	B	C
1	ロシア	中国	イギリス
2	ロシア	フランス	ドイツ
3	中国	ドイツ	イギリス
4	中国	サウジアラビア	イギリス
5	中国	ロシア	ドイツ

199 図A～Dは、エネルギー資源である石炭、原油、天然ガス、ウランの生産量と埋蔵量を国別に示したものである。A～Dのエネルギー資源の種類の組合せとして、正しいのはどれか。 [国家一般]

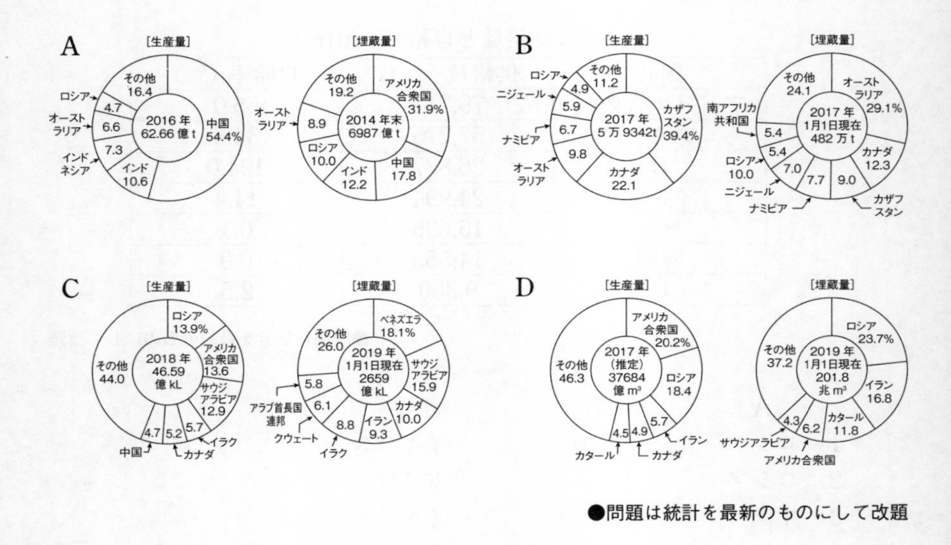

●問題は統計を最新のものにして改題

	A	B	C	D
1	天然ガス	ウラン	原油	石炭
2	天然ガス	石炭	ウラン	原油
3	石炭	天然ガス	ウラン	原油
4	石炭	ウラン	原油	天然ガス
5	原油	石炭	天然ガス	ウラン

200 表は日本、カナダ、ブラジル及びフランスの発電量と発電エネルギー源別割合を示したものであるが、A～Dのうち日本とフランスに該当するものを正しく組み合わせているのはどれか。 [国家一般]

国	発電量（億 kwh）	発電エネルギー源別割合（%）		
		水力	火力	原子力
A	9,979	8.5	87.9	1.7
B	6,674	58.0	21.7	15.2
C	5,562	11.7	10.3	72.5
D	5,789	65.8	25.6	2.7

注）「世界国勢図会」による 2016 年

●問題は統計を最新のものにして改題

	日本	フランス
1	A	C
2	B	A
3	B	D
4	C	A
5	C	D

201 鉱産資源に関する記述として最も妥当なのはどれか。 [市町村（改）]

1 鉄鉱石は、ペルー・メキシコ・中国が主要産出国であるが、中国では国内での消費は少なく、世界的な輸出国となっている。
2 銅は、電気伝導性が良いことから電気製品などに使用されており、主な産出国は、チリ・ペルー・中国である。
3 銀は、貨幣や写真の感光剤などに使用されており、主な産出国はブラジル・インドネシア・オーストラリアである。
4 ボーキサイトは、アルミニウムの原料であり、主な産出国としてオーストラリア・中国・ブラジル上位３カ国であり、アルミニウムの主要生産国上位３カ国とも一致する。
5 レアメタルとは、希少金属のことであり、インジウムやタングステンなどが存在し、宇宙産業やエレクトロニクス工業に使用されており、主にイギリス・フランスなどの西ヨーロッパで産出されている。

Ⅳ - 5

人口・貿易

出題頻度 ★★

要点

① 人口

●世界の人口

・**総人口**……約 77 億人（2019 年）

・**地域別人口**……アジア：約 60%、アフリカ：約 17%、ヨーロッパ：約 10%。最も少ないのはオセアニア（0.5%）。

・**1 億人を超える国**……①中国　②インド　③アメリカ　④インドネシア　⑤パキスタン　⑥ブラジル　⑦ナイジェリア　⑧バングラデシュ　⑨ロシア　⑩メキシコ　⑪日本　⑫エチオピア　⑬フィリピン　⑭エジプト

●自然増加……経済発展にともない多産多死→多産少死→少産少死と推移。

・**多産多死型**……発展途上国の一部。出生率も死亡率も高く、乳幼児死亡率が高い。
→人口ピラミッドは**富士山型**。（例）エチオピアなど

・**多産少死型**……発展途上国のほとんど。医学の進歩や栄養状態の改善により、死亡率が低下。人口爆発。
→人口ピラミッドは**ピラミッド型**。（例）アジア、ラテンアメリカ、アフリカなど

・**少産少死型**……先進国のほとんど。出生率、死亡率がともに低い。人口は停滞もしくは微増。
→人口ピラミッドは**釣り鐘型**。（例）アメリカ合衆国、EU 諸国など

・人口減少型……少子高齢化により、出生率よりも死亡率が高い。
→人口ピラミッドは**つぼ型**。（例）日本、ドイツ、イタリアなど

●社会増加

・**人口移動**……近年、出稼ぎによる人口移動が多く見られる。

(例) アメリカ合衆国:メキシコ、カリブ海諸国からの移民(**ヒスパニック**)。
東南アジア:中国からの移民(**華僑**)。
ドイツ:トルコからの移民。
フランス:アルジェリアからの移民。

・**難民**……戦争や迫害による人口移動。国連難民高等弁務官事務所(UNHCR)や非政府組織(NGO)などが支援。

●人口問題

・高齢化……総人口に占める老年人口(65歳以上)が増加。先進国は10%を超える。(例)日本:28.1%　イタリア:22.3%

・少子化……**合計特殊出生率**(1人の女性が生涯に生む子どもの数の平均)が低下。人口を維持するには2.1前後が必要。
(例)日本(1.43)、イタリア、ドイツ、韓国は大きく下回っている。

② 貿易

●世界の貿易額……輸出は中国が1位、輸入はアメリカ合衆国が1位。

●日本の貿易額……輸出入ともに世界4位

●日本の貿易相手国……地域別:輸出入ともにアジアが最大の貿易相手地域。国別:輸出入ともに中国が最大の貿易相手国。

●日本の港別貿易額……輸出額最大:名古屋港、輸入額最大:成田空港、貿易総額最大:成田空港。

●日本の主要輸出・輸入品目

・**港別輸出品目**……成田=集積回路など、名古屋=自動車など

・**港別輸入品目**……東京=衣類など。

演　習

202 世界の人口に関する記述として、最も妥当なのはどれか。　［警視庁］

1　人口の増加には、出生数と死亡数の差によって起きる社会増加と、大都市への人口移動や国境を越えた人口移動によって生じる自然増加とがある。
2　世界の人口は、19世紀ごろまでは急激に増加していたが、近年は減少傾向にあり、現在における世界の人口は65億人にとどまっている。
3　人間が常に居住する地域をアネクメーネ、人間の居住がみられない地域をエクメーネといい、アメリカやアジアにはアネクメーネが多い。
4　現在の世界の人口を地域別にみると、先進国が多い地域であるヨーロッパで60%、次いで北アメリカで15%の人口が集中している。
5　発展途上国を中心に人口爆発と呼ばれる急激な人口増加が起きたため、現在の世界の人口の約80%が発展途上国に集中している。

203 世界の人口に関する記述として最も妥当なのはどれか。　［海上保安等（改）］

1　1人の女性が生涯に生む平均子ども数を合計特殊出生率といい、人口を同水準に保つにはその率が約2.1であることが必要とされる。2017年現在、日本、ドイツ、イタリアでは、この率を下回っている。
2　1830年頃に約10億人であった世界の人口は、2005年には約20億人に達した。今後は、先進諸国の少子化により、2050年までに約15億人に減少すると推計されている。
3　20世紀後半の人口増加率をみると、増加率の高い地域は、ヨーロッパやアングロアメリカ、東アジアであり、増加率の低い地域は、アフリカ、ラテンアメリカである。
4　19世紀から20世紀前半にかけての人口構成は多産少死型が一般的であったが、第二次世界大戦後、多産多死型に転換、特に、先進国では、女性の社会進出により少産多死型に転換した。
5　1974年に開催された世界人口会議の報告に基づき、家族計画が普及し、インドやバングラデシュでは一人っ子政策が実施された。

204 次の表は、わが国の戦前・戦後の輸入品のうち、上位５品目について、輸入総額（円ベース）に占める割合を示したものである。A～Dに当てはまる品目の組合せとして正しいのはどれか。　［県・政令指定都市］

1934年～1936年平均	
（　A　）	30.5%
羊毛	7.7
（　B　）	6.2
鉄鋼	4.5
肥料	4.1

2018年	
機械類	24.5%
（　B　）	13.3
液化ガス	6.6
（　C　）	4.0
医薬品	3.6

●問題は統計を最新のものにして改題

	A	B	C
1	綿　花	石　油	衣　類
2	鉄鉱石	石　油	木　材
3	綿　花	小　麦	衣　類
4	鉄鉱石	綿　花	木　材
5	石　油	綿　花	魚介類

205 日本の貿易に関する記述のうち正しいのはどれか。　［市町村］

1　鉄鉱石、石炭、原油の輸入依存度はいずれも80～85%である。
2　貿易相手国は近年、中国がアメリカを抜いて輸出入総額で１位である。
3　最大の輸出品は世界一の生産量を誇っている船舶である。
4　食料品の輸入依存度は30%弱であり、食品の全輸入額に占める割合が最も高い品目は肉類である。
5　アメリカやＥＵに対しては輸入額が輸出額より多いが、カナダやオーストラリアに対しては輸出額が輸入額より多い。

206 表は、我が国の2018年における輸出入相手国（地域を含む。）の中から、輸出額及び輸入額が多い順にそれぞれ上位10か国を並べたものである。A～Dに当てはまるものの組合せとして最も妥当なのはどれか。

［海上保安等］

我が国の輸出入相手国の上位10カ国（2018）

順位	輸出額	輸入額
1	A	A
2	B	B
3	C	オーストラリア
4	台湾	D
5	香港	C
6	タイ	アラブ首長国連邦
7	シンガポール	台湾
8	ドイツ	ドイツ
9	オーストラリア	タイ
10	ベトナム	インドネシア

●問題は統計を最新のものにして改題

	A	B	C	D
1	中国	米国	韓国	サウジアラビア
2	中国	米国	韓国	イラン
3	中国	韓国	米国	イラン
4	米国	中国	韓国	イラン
5	米国	韓国	中国	サウジアラビア

Ⅳ - 6

世界の諸地域

出題頻度 ★★★

要点

① アジア

●**大韓民国**……首都ソウル

・**工業**……アジアNIESの一つで、造船が世界3位。

・**文化**……ハングル文字を使用し、キリスト教徒が多い。

●**中華人民共和国**……首都北京。

・**面積**……世界4位。

・**人口**……約14億人で、90%が漢民族。少数民族の中に自治区を形成しているところがある。一人っ子政策を実施していたが2015年に廃止。

・**農業**……米、小麦、茶、ぶどう、豚・羊の頭数、羊毛などの生産が世界1位。

・**鉱業**……石炭（1位）、鉄鉱石（3位）、ボーキサイト（2位）、銅鉱（2位）の生産が盛ん。

・**工業**……**経済特区**が設置され、外国資本を受け入れる。
粗鋼、アルミニウム、造船、自動車などの生産が世界1位。

・**香港**……アジアNIESの1つ。1997年にイギリスより返還。

・**台湾**……アジアNIESの1つ。

●**タイ**……首都バンコク（**プライメートシティ**）。独立を維持。**仏教徒が多い**。

・**農業**……**米の輸出**が世界1位。

・**工業**……輸出加工区を設置し、外国資本を受け入れる。

●**マレーシア**……イギリスから独立。イスラム教徒が多い。

・**国家**……マレー人、中国人、インド人からなる多民族国家。
→マレー人優遇（ブミプトラ）政策をとる。

・**農業**……パーム油（2位）の生産が盛ん。

・**工業**……**輸出加工区**を設置し、外国資本を受け入れる（**ルックイースト政策**）。

石油、天然ガスの生産が盛ん。日本へ天然ガスを輸出（2位）。

●**シンガポール**……マレーシアから分離独立。**中国系が80%**。

・**工業**……アジアNIESの1つ。東南アジアの中で、GNIが最も高い。

●**インドネシア**……首都ジャカルタ。オランダから独立。最大のイスラム教国。

・**農水産業**……パーム油（1位）、米（3位）、コーヒー（4位）、カカオ（3位）の生産が盛ん。漁獲高は世界2位。

・**鉱業**……石炭（3位）、原油、天然ガスの生産が盛ん。

●**フィリピン**……アメリカから独立。**キリスト教国**。

・**農業**……バナナ（6位）、パイナップル（2位）、やし油（1位）の生産が盛ん。

●**ベトナム**……フランスから独立。

・**農業**……コーヒーの輸出入はともに世界2位。

・**工業**……**ドイモイ政策**により、外国資本を受け入れる。

●**インド**……ヒンドゥー教徒が多く占める。公用語はヒンディー語。準公用語は英語。

・**人口**……13億人。

・**農業**……アッサム地方＝茶、デカン高原＝綿花、パンジャブ地方＝小麦、南西部・ガンジス川デルタ＝米・ジュート

綿花（1位）、米（2位）、小麦（2位）、茶（2位）などの生産が盛ん。牛の頭数が2位。

・**工業**……北東部＝石炭・鉄鉱石→鉄鋼業、**バンガロール＝ICT産業**。

・**領土問題**……**カシミール地方**＝インドとパキスタンの対立。

●**スリランカ**……シンハラ人（仏教徒）とタミル人（ヒンドゥー教徒）の対立。

・**農業**……**茶**（4位）の生産が盛ん。

●**イラン**……公用語はペルシャ語。

・**農業**……地下水路**カナート**で灌漑。

●**サウジアラビア**……メッカはイスラム教の聖地。

・**工業**……石油の生産が3位、輸出が1位、埋蔵量が2位。

② ヨーロッパ

●**イギリス**……ゲルマン系プロテスタント。首都ロンドン。

・**工業**……産業革命の発祥地→現在は地位低下。**北海油田**の開発。

●**ドイツ**……首都ベルリン。

・**工業**……ヨーロッパ最大の工業国。ルール炭田とライン川の水運により発達=**ルール工業地帯**。

●**フランス**……ラテン系カトリック。首都パリ。

・**農業**……**ヨーロッパ最大の農業国**。小麦(5位)、ぶどう(4位)の生産が盛ん。輸出は小麦が4位。

・**工業**……パリ=自動車・服飾、トゥールーズ=航空機。**原子力発電**の割合が70%を超える。

●**オランダ**

・**農業**……**ポルダー(干拓地)**で酪農と園芸農業が盛ん。

・**貿易**……ロッテルダムに**ユーロポート**(EUの玄関口)。

●**ベルギー**……ワロン人とフラマン人の多民族国家。

●**スイス**……永世中立国。4つの公用語(ドイツ語・フランス語・イタリア語・ロマンシュ語)を持つ。

●**デンマーク**

・**農業**……**農業共同組合**が発達。酪農と養豚が盛ん。

・**工業**……**風力発電**の割合が高い。

●**スウェーデン**……豊富な針葉樹林と**鉄鉱石**→製紙パルプ工業・鉄鋼業

●**ノルウェー**……**北海油田**の開発。

●**フィンランド**……森と湖の国。**ウラル系**民族の国。

●**イタリア**……首都ローマ。**南北格差**が大きい。

・**農業**……北部=混合農業、南部=地中海式農業。ぶどう(2位)とオリーブ(3位)の生産が盛ん。

・**工業**……**北の三角地帯**(ミラノ・トリノ・ジェノバ)で工業が盛ん。近年、伝統産業が集積している**第3のイタリア**が注目されている。

●**スペイン**……フランスとの国境付近に**バスク人**が居住し独立運動。

・**農業**……地中海式農業が中心で、**オリーブ**の生産が世界1位。

●**ポーランド**……南部シロンスク炭田。鉄鋼業。カトリック教国。

●**ハンガリー**……ウラル系マジャール人の国。プスタでとうもろこし・小麦の栽培。

●**ルーマニア**……ラテン系民族。

●**ロシア**……面積１位。スラブ系東方正教。

・**気候**……北極海沿岸＝寒帯→遊牧（トナカイ）、国土の大部分＝冷帯→タイガが広がる、南部＝ステップ気候→チェルノーゼムが広がり、小麦栽培（生産３位・輸出１位）が盛ん。

・**工業**……石油（１位）、石炭（５位）、天然ガス（２位）、鉄鉱石（５位）の生産が盛ん。輸出は石油が２位、天然ガスが１位。

③　アングロアメリカ

●**カナダ**……面積２位。公用語は英語と**フランス語**。

・**民族**……**ケベック州**＝フランス系住民の独立運動。北極海沿岸＝**イヌイット**。

・**農業**……森林資源が豊富→パルプ・製紙工業が盛ん。

・**工業**……石油（５位）、天然ガス（４位）、ウラン（２位）の生産が盛ん。

●**アメリカ合衆国**……面積３位。人口３位。首都ワシントンD.C.

・**言語**……公用語は英語。スペイン語を話す**ヒスパニック**が増加。

・**農業**……五大湖沿岸＝酪農、五大湖より南＝コーンベルト（とうもろこし・大豆）、南部＝コットンベルト（綿花）、中央北部＝春小麦、中央部＝冬小麦、西部＝牧畜・センターピボットによる灌漑農業、カリフォルニア＝地中海式農業。とうもろこしと大豆は生産・輸出ともに１位。穀物の輸出は穀物メジャーが支配。

・**鉱業**……石炭（**アパラチア炭田**）、石油（**メキシコ湾油田**）、銅鉱（ロッキー山脈）の生産が盛ん。

・**工業**……太平洋岸＝航空機工業、五大湖沿岸＝自動車工業、大西洋岸＝鉄鋼業、ニューヨーク＝印刷出版業。

・北緯37度以南の**サンベルト**は工業が発達。→ヒューストン＝宇宙産業、カリフォルニア＝**シリコンヴァレー**。

④　ラテンアメリカ

●**メキシコ**……首都メキシコシティ（**プライメートシティ**）→大気汚染問題。

・**工業**……ラテンアメリカNIESの1つ。石油（メキシコ湾油田）、**銀鉱**（1位）の生産が盛ん。

・**国境**……アメリカ合衆国との国境に**リオグランデ川**が流れる。

●**ブラジル**……面積5位。人口6位。首都ブラジリアは**政治的計画都市**。公用語はポルトガル語。

・**地形**……流域面積1位のアマゾン川が東流し、大西洋に注ぐ。

・**農業**……大農園**ファゼンダ**でコーヒー栽培（1位）。牛の頭数1位。とうもろこし（3位）と大豆（2位）の生産も盛ん。

・**鉱業**……**鉄鉱石**の生産が1位。水力発電の割合が大きい。

●**アルゼンチン**……白人が90％を占める。

・**農業**……大農場**エスタンシア**で牧畜（牛・羊）と穀物（小麦・大豆・とうもろこし）の生産が盛ん。

●**チリ**……**銅鉱**の生産が1位。

●**ペルー**……**アンチョビー**の漁獲が多い。**エルニーニョ現象**で漁獲量が左右される。

⑤　オセアニア

●**オーストラリア**……面積6位。首都キャンベラは**政治的計画都市**。

・**民族**……ヨーロッパ系が大部分を占める。先住民＝**アボリジニ**。
→1973年まで**白豪主義**を実施。

・**農業**……北東部＝牧牛、大鑽井盆地＝牧羊（メリノ種）、南東部＝小麦

・**鉱業**……石炭（4位）、鉄鉱石（1位）、ボーキサイト（1位）の生産が盛ん。石炭と鉄鉱石は日本への輸出が多い。

●**ニュージーランド**……ヨーロッパ系が大部分を占める。先住民＝**マオリ**。

・**地形**……南島にフィヨルドが見られる。

・**農業**……酪農や牧羊が盛ん。

最新の統計情報を確認できます。

演　習

207 経済成長が著しいアジアの国に関する記述として妥当なのはどれか。

[国家一般]

1　ヴェトナムは、人口が多いため、「一人っ子政策」により人口抑制を図っている。経済面では、経済特別区を指定し社会主義体制下での開放政策を行っている。

2　バングラデシュは、過去に次々と新しい民族の侵入がなされた結果、多数の言語をもつ多民族国家となっている。世界第2位の人口を持ち、綿花の輸出が多い。

3　タイは、中国人が多数を占める多民族国家であるが英語を公用語としている。かつての中継貿易港から新興工業地域として発展し、東南アジア金融市場の中心としての地位を確立している。

4　インドネシアは、タガログ語のほか英語、スペイン語も通じ、キリスト教徒が大多数を占める。稲作を中心とする農業国であるが、近年工業化も進められている。

5　韓国は、社会に儒教の影響が強く、教育水準も高い。アメリカや日本などの資本や技術を導入し工業化に力を注いだ結果、近年重化学工業の企業が成長している。

208 アジア諸国に関する記述として最も妥当なのはどれか。 [刑務官]

1 フィリピンは、キリスト教徒と仏教徒が多く、それぞれが国民に占める割合はおおむね等しい。また、マレー系国民を優遇するブミプトラ政策が採られている。
2 ミャンマーは、国民の大半をイスラム教徒が占めており、アンコール＝ワットなどの古代イスラム文明の遺跡を多く有する。また、メコン川下流域では米の栽培が盛んである。
3 スリランカは、南アジアの島国で、国民の過半数を仏教徒が占めている。また、世界有数の茶の生産地である。
4 パキスタンは、インドの北東に位置しており、国民の大半をヒンドゥー教徒が占めている。また、国土の大半で降水量が多く、デカン高原では米の栽培が盛んである。
5 イラクは、カスピ海に面し、ナイル川が流れ、アフガニスタンの東に位置している。国民の大半をイスラム教徒が占めており、国境を接するイスラエルとの対立が続いている。

209 ヨーロッパ諸国に関する記述として最も妥当なのはどれか。 [刑務官]

1 デンマークは、スカンディナヴィア半島に位置し、冷帯湿潤気候が分布している。また、牧草を生産して、乳牛の飼育に専門化した酪農が発達している。
2 ドイツには、キリスト教徒が多く、そのほとんどがカトリックを信仰している。また、ポーランドと国境を接するルール地方では、石炭の産出が盛んである。
3 イタリアには、山地はほとんどなく、国土全体に広い構造平野や丘陵が広がっている。また、南部を中心にハイテク産業など重工業が盛んな都市が集中している。
4 フランスでは、穀物生産と家畜飼育を組み合わせた混合農業が行われており、小麦の生産が盛んである。また、南部のマルセイユでは工業が発達している。
5 ギリシアでは、夏に高温多雨となり冬に比較的乾燥する地中海性気候が分布している。また、この気候を利用して、カカオの栽培が盛んに行われている。

210 次のA、B、Cは、ヨーロッパ諸国のある3か国に関する記述であり、また、図は、それらの国の2017年における主要輸出品の輸出総額に占める割合を示したものである。A、B、Cに当てはまる国の組合せとして最も妥当なのはどれか。 [国家一般（改）]

A：東部の沿岸部では、夏に柑橘類やブドウの栽培が盛んであり、また、自動車産業などが集積している。

B：水産業や海運業が盛んであり、我が国にも多くのサケ・マス類を輸出している。

C：エネルギー資源に乏しく、電力の多くを原子力発電に頼っている。

主要輸出品の輸出総額に占める割合

A		B		C	
輸出品	割合（%）	輸出品	割合（%）	輸出品	割合（%）
自動車	17.3	原油	25.4	機械類	19.8
機械類	12.7	天然ガス	22.8	航空機	9.8
野菜・果実	6.1	魚介類	10.9	自動車	9.5
石油製品	4.8	機械類	6.6	医薬品	6.1
その他	59.1	その他	34.3	その他	54.8

●問題は統計を最新のものにして改題
●出典　「世界国勢図会 2019/20 年版」より作成
●四捨五入のため割合の合計が100%にならない場合がある。

	A	B	C
1	スペイン	スウェーデン	フランス
2	スペイン	スウェーデン	イタリア
3	スペイン	ノルウェー	フランス
4	ドイツ	スウェーデン	イタリア
5	ドイツ	ノルウェー	フランス

211 アングロアメリカに関する記述として、最も妥当なのはどれか。

［東京消防庁］

1 北アメリカ大陸を北緯40度で太平洋側から大西洋側に横断すると、アパラチア山脈、ミシシッピ川、プレーリー、グレートプレーンズ、ロッキー山脈の順となる。
2 アングロアメリカの気候は西経100度付近を境として大きく異なり、東側は乾燥地域、西側は湿潤地域が広がる。
3 アメリカ合衆国の首都は、ワシントン州の州都でもあるワシントンD.C.であるが、同国の最大の都市はニューヨークであり、世界の金融業の中心地である。
4 カナダは、英語のみが公用語である。また、最近ではアジアからの移民が増え、多民族社会を発展させてきている。
5 北緯37度より南側のサンベルトと呼ばれる地域は、北側のスノーベルトより新しい工業地域であり、シリコンヴァレーは、サンベルトを代表するハイテク工業地域である。

南アメリカ諸国に関する記述Ａ～Ｄに該当する国名の組合せとして最も妥当なのはどれか。 ［刑務官］

Ａ　世界最大の流域面積の川が流れ、国土は南アメリカ大陸の約半分を占める。公用語はポルトガル語である。

Ｂ　国土は南北に細長く、南部の海岸ではフィヨルドがみられる。主要産業は鉱業であり、銅の生産量は世界有数である。

Ｃ　アンデス山脈の北端に位置し、首都のボゴタは高山都市である。主要産品のコーヒーの生産量は世界有数である。

Ｄ　ラプラタ川流域の平原は穀倉・牧畜地帯で、大豆や小麦の栽培、牧牛や牧羊などが行われている。総人口に占めるヨーロッパ系の人々の割合が高い。

	Ａ	Ｂ	Ｃ	Ｄ
1	ブラジル	チリ	ウルグアイ	パラグアイ
2	ブラジル	チリ	コロンビア	アルゼンチン
3	ブラジル	ペルー	コロンビア	アルゼンチン
4	ボリビア	ペルー	ウルグアイ	パラグアイ
5	ボリビア	ペルー	ウルグアイ	アルゼンチン

213

オーストラリアに関する記述として、最も妥当なのはどれか。 ［県・政令指定都市］

1　オーストラリアのほとんどが新期造山帯に属する山地や山脈であり、標高が他の大陸より高いため、平地はあまり見られない。

2　鉱業では、様々な鉱産資源を産出している。その中でも、鉄鉱石や石炭は世界有数の輸出国であり、日本は最大の輸入国である。

3　農業では、畜産が盛んであり、牛肉や羊毛を多く生産している。一方で、降水量が少ないため穀物の栽培は行われておらず、小麦の国内自給率は非常に低い。

4　気候は、南東沿岸部では乾燥しているが、内陸部は温暖湿潤気候に属しており、人口のほとんどが内陸部に集中している。

5　移民に関しては、ヨーロッパ諸国からの移民は積極的に受け入れているが、アジア諸国からの移民は厳しく制限している。

214 下表はＡ～Ｄ４カ国の主要輸出品目の１位から５位を挙げたものであるが、Ａ～Ｄの国名の組合せとして正しいのはどれか。なお、2017年の実績値によったものである。

[県・政令指定都市]

	A	B	C	D
1位	石炭	機械類	自動車	鉄鉱石
2位	パーム油	自動車	原油	石炭
3位	機械類	船舶	機械類	液化天然ガス
4位	衣類	石油製品	金（非貨幣用）	金（非貨幣用）
5位	自動車	プラスチック	石油製品	肉類

	A	B	C	D
1	カナダ	韓国	オーストラリア	インドネシア
2	韓国	カナダ	オーストラリア	インドネシア
3	インドネシア	韓国	カナダ	オーストラリア
4	インドネシア	カナダ	韓国	オーストラリア
5	オーストラリア	韓国	カナダ	インドネシア

215 次の５か国の工業を中心とする産業に関する記述のうち、正しいのはどれか。

[県・政令指定都市]

1　アメリカ：南部のサンベルトと呼ばれる地域には、シリコンバレー、シリコンコーストなどが含まれ、北部の工業地帯にかわって重化学工業の中心地となっている。
2　中国：沿岸のシェンチェンに代表される経済特区を設置して、改革の進んだ国営企業を中心に、産業・経済の発展をめざしている。
3　ドイツ：ルール炭田を中心に関連工業が集積する西ヨーロッパ最大の重化学工業地域を抱えるが、近年では南部の工業地域で先端技術産業も盛んである。
4　インドネシア：豊富な石油資源をもとに、沿岸部には石油コンビナートをはじめとする重化学工業地帯が広がっている。
5　ロシア：ソヴィエト連邦崩壊後、資本主義経済に移行し、電気製品や自動車などさまざまな工業製品を輸出するようになった。

216 各国の首都に関する記述として正しいのはどれか。 [県・政令指定都市]

1 インド：首都は、同国最大の都市であるボンベイであり、イギリス領であった当時に計画的に建設された都市で、現在、商工業の中心地でもある。
2 カナダ：首都は東部に位置するケベックで、フランス系住民との融和を意図して首都と定められている。
3 アメリカ：首都ワシントンはワシントン州の州都でもあるので、連邦政府の諸機関はコロンビア特別区に集中している。
4 オーストラリア：かつて首都はメルボルンであったが、広く世界に公募した都市計画によって、近代的理想都市としての首都キャンベラが建設された。
5 ブラジル：かつて首都はサンパウロであったが、同市が南米最大の工業都市に発展したため首都を移転することとなり、アマゾン河口にブラジリアが建設された。

217 世界各国の民族・宗教などに関する記述として妥当なのはどれか。
[国家一般]

1 カナダではフランス系植民者の子孫が多いケベック州の住民が、国全体では多数を占める英語系の人々から分離独立する運動を起こしたことがある。
2 アイルランド共和国では、国民の大多数がプロテスタントであり、離婚や堕胎の禁止などその戒律に基づいた法律も定められている。
3 アルゼンチンでは、チリなどの他の中南米諸国と同様に、現在ではメスチソと呼ばれる白人と原住民であるインディオとの混血が人口の過半数を占めている。
4 マレーシアでは、イギリスの植民地時代にプランテーションで働く労働者がインドから大量に連れてこられたため、現在でもインド系住民が過半数を占めている。
5 インドが独立するときに、イスラム教徒が多い地域はパキスタン、仏教徒が多い地域はバングラデシュ、ヒンドゥー教徒が多い地域はセイロンとして分離独立した。

218 次のＡ～Ｄはそれぞれある国に関する記述であるが、その記述と国名を正しく組み合わせているのはどれか。 [特別区]

A　大小あわせて約 13,700 の島々からなり、70 余りの種族が住んでいるといわれている国で、面積は日本の約 5 倍、人口は約 1.6 倍である。主にゴム・コーヒーなどの輸出用農産物が生産されており、東南アジア最大の産油国でもある。

B　スカンジナビア半島にあって南北に細長くのび、海岸線がフィヨルドとして有名な国で、面積は日本とほぼ同じである。ヨーロッパ最大の産油国であり、原油・天然ガスの輸出が多い。

C　北アメリカ大陸のほぼ半分を占める広さと豊かな自然をもち、12 の気候があるといわれている国で、公用語は英語とフランス語である。日本へは主に石炭・肉類などを輸出している。

D　南アメリカ大陸の南東部に位置し、同大陸のうち第 2 位の広さを持つ国で、首都を中心とした半径約 600km の地域はパンパと呼ばれる大平原地帯となっている。肥沃な土壌に恵まれ、小麦・とうもろこしの栽培や牛・羊の飼育が盛んに行われている。

	A	B	C	D
1	マレーシア	スウェーデン	アメリカ	アルゼンチン
2	マレーシア	ノルウェー	カナダ	ブラジル
3	インドネシア	スウェーデン	アメリカ	アルゼンチン
4	インドネシア	ノルウェー	カナダ	アルゼンチン
5	インドネシア	スウェーデン	アメリカ	ブラジル

下記のサイトに、追補、情報の更新および訂正を掲載しております。
http://koumuin.info/book/shusei.html

公務員合格ゼミ **社会**

1993年4月　初版発行
2020年4月　10版発行

編著者　学校法人　公務員ゼミナール
　小宮　康
発行者　三森正啓
発行所　学校法人　公務員ゼミナール
　専門学校　公務員ゼミナール
　〒812-0016　福岡市博多区博多駅南2-14-5
　TEL 092-432-3591　FAX 092-432-3592
　http://kouzemi.ac.jp/
　専門学校　公務員ゼミナール熊本校
　〒860-0071　熊本市西区池亀町5-5
　TEL 096-325-6373　FAX 096-325-6380
　http://www.kumamoto-koumuin.info/
発売元　株式会社　いいずな書店
　〒110-0016　東京都台東区台東1-32-8　清鷹ビル4F
　TEL 03-5826-4370
　振替 00150-4-281286
　https://www.iizuna-shoten.com
印刷・製本所　株式会社　ウイル・コーポレーション

装丁／駒田　康高
乱丁、落丁本はお取り替えいたします。
定価はカバーに表示されています。

ISBN978-4-86460-515-1 C2030

これで合格

公務員 合格ゼミ

社会

解答・解説書

学校法人 公務員ゼミナール
小宮　康 編著

いいずな書店

I　政治経済／倫理

I－1　民主政治の基本原理

［1］正答1

18・19世紀の市民革命の結果生まれた社会を市民社会という。絶対王政によって自由を抑圧されていた市民は個人の自由な経済的利益の追求を保護するために、政府の役割は最小限度であればよいと考えた。このような国家が夜警国家である。しかし、20世紀に入り労働問題や社会問題が生ずるようになると、経済的弱者の権利を保護するような積極的な役割が国家に期待されるようになった。このような国家が福祉国家である。なお、行政国家とは行政府に実質的に権力が集中している国家をいう。

［2］正答2

1　「法の支配」とは、権力を法に服させることによって国民の権利を擁護する原理である。本肢のように「国王が自分の都合に合わせて法を制定」すると、国民の権利（自由や平等）が侵害されてしまう。

3　王権神授説は、絶対王政を正当化する思想であるため、民主政治の原理と矛盾する。

4　法治主義の原理は、ドイツで確立した「悪法も法なり」を理念とするため、国民の権利を侵害するような「合理的でない」法の制定を可能とする。したがって「悪法は法にあらず」とする法の支配の原理とは異なる。

5　法治主義はドイツで確立した。

［3］正答4

A　アメリカ合衆国の上院議員、下院議員ともに任期がある。上院議員は各州２名ずつ、下院議員は州の人口に応じて選出される。

C　大統領は、法案提出権・議会出席権・議会解散権を持たない。

［4］正答3

1　上院と下院の説明が逆である。イギリスでは下院優位の原則が確立している。

2　内閣不信任決議権は下院の権限である。下院が内閣の不信任を決議した場合、内閣は総辞職するか下院を解散しなければならない。

4　アメリカの大統領は、議会を解散する権限を持たない。

5　中国の最高権力機関は全国人民代表大会である。

［5］正答2

1　議院内閣制とは、内閣（行政）が議会（立法）の信任のもと存立する制度である。結果的に議会の多数党派が内閣を構成するため、立法と行政の両機関を議会の多数党派が指導する。しかし、制度上その指導力は裁判所（司法）には及ばない。

3　アメリカの大統領は、法案提出権を持たない。

4　イギリスの上院と下院は対等ではない。下院優位の原則が確立している。

5　現在のロシアは共産党の一党独裁体制ではない。

I－2　日本国憲法の原則

［6］正答3

1　大日本帝国憲法はドイツ（プロイセン）憲法の影響が強い。基本的人権を「生まれながらにしてもつ」と規定したのは、戦後の日本国憲法である。

2　最後の「帝国議会は、一院制であった」で正誤を判定する。帝国議会は衆議院と貴族院の二院制であった。

3　大日本帝国憲法には地方自治の規定がなかった。

4　日本国憲法は、他の法律よりも改正が難しい硬性憲法である。

5　日本国憲法は、国民の義務として子女に普通教育を受けさせる義務、勤労の義務、納税の義務を明記している。

［7］正答5

A　内閣総理大臣の権限である。

B、D　内閣の権限である。

天皇の国事行為には、本問のほか、内閣総理大臣の任命、憲法改正の公布、法律の公布、栄典の授与などがある。天皇の国事行為は、内閣の助言と承認を必要とする。

[8] 正答3
1 表現の自由は、憲法により全面的に保障されているが、もちろん他人のプライバシーや名誉を侵害する表現は制限される。
2 本肢のような制限はない。信仰の自由を保障するため、憲法19条でいかなる宗教団体も、国から特権を受けてはならないと規定されていることも押さえておこう。
4 日本には死刑制度が存在する。
5 本肢の内容については、憲法に明文の規定がある。

[9] 正答3
1 現行犯の逮捕は、令状を必要としない。
2 いかなる場合も、取り調べにあたり拷問は許されない。
4 新しい法律の制定や法改正があった場合でも、過去の行為を処罰の対象とすることはできない(刑罰不遡及の原則)。
5 本肢のような場合について、裁判のやり直しを請求できる再審制度がある。

[10] 正答4
社会権に属する権利は、すべて覚えなければならない。なお、残りのA、C、Fはいずれも自由権で、Aは経済の自由、Cは身体の自由、Fは精神の自由である。

[11] 正答1
2 日本国憲法には、第27条に勤労の義務が明示されている。
3 後半の「国民の福祉や社会保障に関する規定」も第25条に規定されている。
4 公務員については、労働三権のうち争議権が一切認められていない。
5 第26条に「すべて国民は、法律の定めるところにより、その能力に応じて、ひとしく教育を受ける権利を有する」とある。したがって本肢の「その能力にかかわらず平等に」は誤り。

[12] 正答3
1 職業選択の自由など、経済の自由については、公共の福祉による制限が憲法に明記されている。
2 労働三法とは、労働基準法・労働組合法・労働関係調整法である(I－15国民の福祉)。
4 法律によって「企業に対し男女同数を雇用する」ことの義務化は、常識的に考えて誤り。
5 政府が私有財産を公共のために用いる場合は、正当な補償を必要とする。

[13] 正答2
1 日本国憲法において、裁判を受けない権利は明記されていない。正しくは裁判を受ける権利である。
3 政府が私有財産を公共のために用いる場合は、正当な補償を必要とする。
4 公務員については、労働三権のうち争議権が一切認められていない。
5 知る権利は、憲法に明記されていない「新しい人権」である。

[14] 正答3
憲法改正は、両議院のそれぞれ総議員の3分の2以上の賛成で国会が発議し、国民投票において投票総数の過半数の賛成で成立する。
1 先に衆議院に提出しなければならないのは予算案である。
2 最高裁判所の審査は必要としない。
4 憲法改正案は必ず両議院の賛成が必要である。
5 国民投票では投票総数の過半数の賛成が必要である。

I－3 国 会

[15] 正答1
国会は、主権者である国民の代表者によって構成されているため、国民の意思を直接代表すると考えられる。したがって、国政の中心とし

て「国権の最高機関」と規定されている。

[16] 正答5
1　臨時国会（臨時会）と特別国会（特別会）の説明が逆である。
2　条約の締結と最高裁判所長官の指名は、内閣の権限である。
3　本肢は、不逮捕特権に関する記述である。なお、免責特権とは、国会議員が議院で行った演説などについて、院外で刑事的・民事的責任を負わないことである。
4　予算の議決については、衆議院が優越する。

[17] 正答3
1　常会は毎年1月に召集され、会期は150日で1回に限り延長が認められる。
2　両議院の定足数はそれぞれ総議員の3分の1以上である。
4　憲法改正は、両議院の総議員の3分の2以上の賛成で国会が発議し、国民投票において過半数の賛成を必要とする。
5　衆議院が解散された場合は、参議院は休会となる。

[18] 正答2
1　内閣不信任決議権は、衆議院のみの権限である。
3　弾劾裁判は、罷免の訴追を受けた裁判官を裁判する。
4　三権分立のもと、国会は立法権のみを行使する。
5　本肢は、議員の免責特権に関する記述である。不逮捕特権は、国会議員が現行犯と院の許諾があった場合を除き、会期中は逮捕されないという特権である。

[19] 正答5
1　内閣不信任決議権は、衆議院のみの権限である。内閣不信任が決議されると、10日以内に内閣は総辞職するか衆議院を解散しなければならない。したがって、決議は法的効果（権利や義務の発生）をもつ。
2　国会議員の免責特権とは、議院での演説などについて院外で刑事的・民事的責任を負わないことである。「刑事的・民事的責任を負わない」とは、国会議員の発言などについて、裁判を起こして罪を問うたり（刑事的責任）、損害賠償請求したり（民事的責任）することができないことを意味する。また、国会議員の不逮捕特権は、任期中ではなく会期中（国会が活動している期間）に限定されている。
3　本肢のような衆議院の優越は、予算の議決・条約の承認・内閣総理大臣の指名の3つについて両院の議決が異なった場合に適用される。
4　常会は、1回限り会期を延長できる。また、特別会は、衆議院解散総選挙後に召集される。

[20] 正答1
1　正しい。衆議院の優越については、「法律の議決」と「予算の議決・条約の承認・内閣総理大臣の指名」の2つに分け、両者を混同しないように理解しよう。
2　予算案について両院の議決が異なった場合は、両院協議会が開催され、そこで一致しないときは衆議院の議決が国会の議決となる。条約の承認と内閣総理大臣の指名についても、これと同様に衆議院が優越する。なお、両院協議会とは、各院で選挙された10人ずつ計20名人で行われる意見調整の場である。
3　予算の議決・条約の承認・内閣総理大臣の指名について両院の議決が異なった場合は両院協議会を必ず開催する。なお、法律案について両院の議決が異なった場合、両院協議会の開催は任意（どちらでもよい）である。
4　選択肢2の解説を参照。
5　衆議院に先議権が認められているのは予算の審議のみである。予算案は必ず先に衆議院に提出しなければならない。

Ⅰ－4　内閣・裁判所

[21] 正答1
議院内閣制とは、内閣が国会、特に衆議院の信任に存立の基礎をおく制度である。したがって、議院内閣制の趣旨を明らかにしているのは、

衆議院で内閣不信任の議決があったときには、内閣が総辞職するか衆議院を解散するかしなければならないという規定である。

[22] 正答3
1　内閣総理大臣は国会議員の中から国会の議決で指名される。
2　内閣総理大臣の指名について、衆参両院で異なった議決をした場合は、両院協議会を開いて協議するが、それでも意思が一致しない場合は、衆議院の議決がそのまま国会の議決となる。
4　行政権の行使について、内閣は国会に対して連帯して責任を負う。内閣総理大臣ではない。
5　内閣総理大臣は、国務大臣を閣議にはかることなく、本人の意思に関係なく一方的に辞めさせることができる。

[23] 正答2
1　閣議の議決は全会一致である。
3　内閣総理大臣は、国会議員の中から国会が指名し、天皇が任命する。
4　国務大臣も文民（軍人でない者）でなければならない。
5　国務大臣は内閣総理大臣が任意に任命・罷免する。例えば、国務大臣の任命や罷免にあたり閣議や国会の承認などを必要としない。

[24] 正答4
1　内閣は、内閣総理大臣と国務大臣により構成される。また、国務大臣の過半数は国会議員でなければならない。
2　条約の承認は国会の権限である。また、予算案は内閣が作成するが、予算の議決は国会の権限である。
3　天皇は、内閣の助言と承認のもと国事行為を行う。しかし、条約の締結や外交関係の処理は天皇の国事行為ではない。
5　内閣不信任決議権は衆議院のみの権限である。また、衆議院の解散権は、内閣総理大臣ではなく、内閣の権限である。

[25] 正答1
2　本肢にあるように、行政裁判所などの特別裁判所の設置は日本国憲法によって禁止されている。しかし、国会が設置する弾劾裁判所は、特別裁判所ではない。
3　違憲法令（立法）審査権は、すべての裁判所が持つ。
4　最高裁判所長官は、内閣が指名し、天皇が任命する。その他の裁判官は内閣が任命する。
5　裁判員裁判は、重大な刑事事件の第一審を対象とする。民事事件は対象外である。また、裁判員裁判は、6名の裁判員と3名の裁判官の合議によって行われるため、「市民が裁判官の助言を得て裁判に当たる」は誤りである。

[26] 正答5
1　下級裁判所には、高等裁判所・地方裁判所・家庭裁判所・簡易裁判所の4種類がある。
2　一審から二審に訴えることを控訴、二審から三審に訴えることを上告という。
3　違憲立法審査権はすべての裁判所が持つ。
4　司法権の独立を確保するため、裁判官の身分は保障されており、裁判官は「心身の故障」と「公の弾劾（国会による弾劾裁判）」を除いて罷免されることはない。これに加え、最高裁判所の裁判官は、「国民審査」で罷免となる場合がある。

[27] 正答4
1　行政裁判所などの特別裁判所は、設置が禁止されている。
2　刑事事件も民事事件も、同じ事案について3回まで裁判を受けることができる（三審制）。
3　裁判は原則公開である。
5　裁判員裁判は、重大な刑事事件の第一審を対象とする。民事事件は対象外である。

[28] 正答1
2　内閣総理大臣の指名は、国会の権限である。
3　弾劾裁判所の設置は、国会の権限である。
4　違憲立法審査権は、裁判所の権限である。
5　条約の承認は、国会の権限である。

［29］正答5
1　国会議員だけでなく、内閣も法案提出権を持つ。
2　国会が法律案を審議するにあたり、公聴会を開いて有識者の意見を取り入れることができる。また、国政調査権は、国会の権限である。パブリックコメントの実施は、国政調査権の内容ではない。
3　内閣不信任決議権は、衆議院のみの権限である。内閣不信任案が可決、または内閣信任案が否決された場合、10日以内に内閣は総辞職をするか衆議院を解散しなければならない。
4　弾劾裁判は、国会が設置し、罷免の訴追を受けた裁判官を裁判する。

Ｉ－5　地方自治

［30］正答4
1　知事の被選挙権は満30歳以上であるが、議会の議員の被選挙権は満25歳以上である。
2　議会が不信任の決議により知事を解職することもできる。
3　議員の解職は有権者の3分の1以上の署名により選挙管理委員会に請求する。
5　条例の制定改廃は有権者の50分の1以上の署名により知事や市町村長に請求できるが、請求された場合にはそれを議会にかけることとなっている。

［31］正答1
2　議会は、首長の不信任決議権を持つ。不信任案が可決した場合、首長は辞職するか議会を解散しなければならない。また、首長は、議会の解散権を持つ。
3　条例の改正・廃止も議会の権限である。
4　住民の首長や議員の解職請求権にもとづいて、一定数の署名が集まった場合、住民投票が実施され、過半数の賛成があれば首長や議員は失職する。なお、議会の解散請求の場合も同様である。
5　地方交付税交付金は、使途が特定されない。

［32］正答2
B　地方交付税交付金は、使途が特定されない。国庫支出金は、使途が特定される。
D　条例にも、罰金などの罰則を規定できる。

［33］正答3
1　地方自治の本旨のうち、住民自治の観点から条例の制定・改廃請求などの権利が住民に認められている。団体自治とは、地方公共団体が、国から独立して行政運営を行うことである。
2　地方公共団体の事務は、自治事務と法定受託事務の2つに分類される。機関委任事務は、1999年の地方分権一括法により廃止されている。
4　首長は、議会の解散権を持つ。
5　地方交付税交付金は、使途が特定されない。

Ｉ－6　政党政治と選挙

［34］正答5
多党制のもとでは、議会で最も多くの議席を獲得した政党（多数党）が単独で政権を運営することが難しいため、他の政党と手を組んで政権を組織する（連立政権）。連立政権は、政党間で対立が起こるなど、政権が不安定になりやすい。

［35］正答3
小選挙区制では、落選した候補者に投じられた死票が多くなり、少数意見が反映されないため少数政党から代表者を出すことが困難となる。したがって、多数党の出現が容易で二大政党制が実現しやすい。また、選挙区が狭いため、有権者は候補者をよく知ることができるが、議員はその選挙区の利害だけに左右されやすい。
したがって、ア、エ、カが正答となる。

［36］正答4
1　普通選挙の原則に関する記述である。
2　小選挙区制は、大政党に有利な制度である。小政党の候補者が当選することは難しい。
3　比例代表制は、死票が少なくなるというメリットがある。また、政党の得票率に応じて議席が配分されるため、小政党でも議席を獲得することができる。
5　拘束名簿式比例代表を採用しているのは、衆議院議員選挙である。参議院議員選挙は、非拘束名簿式比例代表を採用するとともに、特定枠を導入している。また、選挙区制は、都道府県単位を原則とするが、島根県と鳥取県、徳島県と高知県は合区によりひとつの選挙区として選挙が実施されている。

[37] 正答4
1「小党分立を招く」、「死票が少ない」はいずれも比例代表制の特徴である。小選挙区制は、大政党に有利で二大政党制になりやすく政権は安定するが、死票が多くなるという特徴がある。
2　衆議院議員選挙では、小選挙区で289議席、比例代表で176議席を選出する。また、重複立候補は、衆議院議員選挙にのみ認められている。
3　本肢のような「一票の格差」の数値目標は、憲法に規定されていない。
5　インターネットを利用した選挙運動は解禁されている。一方、戸別訪問は現在も禁止されている。

[38] 正答2
1　選挙制度は、制限選挙（年齢以外に納税額などの制限がある）から普通選挙（納税額などの制限なし）へと発展した。
3　衆議院議員選挙は、小選挙区比例代表並立制を採用している。
4　参議院議員通常選挙は、都道府県単位を原則とする選挙区制と、比例代表制を採用している。
5　小選挙区制は二大政党制を生みやすく、比例代表制は多党制を生みやすい。また、米国は共和党と民主党の二大政党制である。

[39] 正答5
1、2　政党に関する記述である。
3　圧力団体は、政党や議員だけでなく、行政官庁への働きかけも行う。
4　圧力団体は、集団固有の利益実現を目指す団体なので、働きかけの結果について、国民に対し責任を負わない。

Ⅰ－7　国際社会と国際政治

[40] 正答4
A　三十年戦争の終結時に結ばれたのは、ウェストファリア条約である。
D　国際司法裁判所での裁判は、当事国の同意を必要とする。

[41] 正答5
1　アメリカ大統領ウィルソンは、第一次世界大戦後に国際連盟の設立を提唱した人物である。国際連合の設立は、第二次世界大戦末期のサンフランシスコ会議において採択された国際連合憲章による。
2　安全保障理事会は、全会一致制ではない。構成国15か国のうち、9か国以上の賛成を必要とする多数決制である。ただし、常任理事国には拒否権が認められているため、1か国でも拒否権を行使すれば議決は成立しない。
3　国際司法裁判所での裁判にあたっては、当事国の同意を必要とする。
4　国連の平和維持活動（PKO）は、原則的に紛争当事国の同意を必要とする。

[42] 正答5
1　総会の議決は、一国一票制である。
2　問題41・選択肢2の解説を参照。
3　国連は、国連軍による武力制裁を行うことができるが、現在まで正規の国連軍は設けられていない。
4　問題41・選択肢3の解説を参照。

[43] 正答1
イ　安全保障理事会の常任理事国は、米・英・仏・露・中の5か国である。日本とドイツは、常任理事国ではない。
エ　平和維持活動（PKO）と、国連軍による武力制裁（軍事的措置）は別物である。両者は混同しやすいので注意しよう。
オ　国連分担金は、全加盟国が負担する。

［44］正答4
アは国連教育科学文化機関でUNESCO、イは世界保健機関でWHO、ウは国連食糧農業機関でFAOである。

［45］正答1
本テーマを苦手とする受験者が多いが、世界史の出題内容とも重なる。本書に掲載した要点を踏まえ、戦後国際社会の大まかな流れを把握しておこう。

［46］正答3
1　アメリカとソ連は、1945年の設立当初から国際連合に加盟している。
2　西欧諸国とアメリカはNATO（北大西洋条約機構）を結成し、ソ連と東欧諸国がWTO（ワルシャワ条約機構）を結成した。
4　1959年、キューバに社会主義政権が誕生しアメリカとの関係が悪化し、アメリカのキューバ侵攻作戦は失敗に終わった。この後、アメリカが砂糖の輸入制限などを行ったのに対し、キューバはソ連のミサイル基地建設をはじめた。このため、アメリカは海上封鎖を行い、ミサイルなどを運ぶソ連艦船との間に戦争の危機が高まった（キューバ危機）。しかし、両国首脳の話し合いの結果、アメリカがキューバに侵攻しないことを条件に、ソ連はミサイル基地を撤去し、危機は回避された。
5　ペレストロイカとは1980年代のソ連のゴルバチョフによって行われた政治改革である。この結果、東欧諸国の民主化、ドイツの統一、ソ連の消滅につながった。

Ⅰ－8　経済の発展

［47］正答5
1　資本主義経済は、イギリスの産業革命を契機として確立した（Ⅲ－5市民社会の成長を参照）。また、計画経済は、社会主義経済の体制である。
2　ケインズに関する記述である。アダム＝スミスは、政府が経済に介入しない自由放任主義を主張した。
3　自由放任は、資本主義経済の基本的な理念であり、これを否定した経済の仕組みが社会主義経済である。
4　世界で最初に社会主義経済体制を確立した国は、ソ連である。

［48］正答4
1　ケインズに関する記述である。
2　アダム＝スミスに関する記述である。
3　ケネーは重農主義を主張した人物である。なお、公務員試験におけるケネー重要度は低い。
5　マルクスに関する記述である。マルサスは著書『人口論』において、人口増加の抑制を主張した人物である。

［49］正答1
A　「有効需要」、「市場経済に介入」などから、ケインズであると判定する。
B　「自由放任主義を主張」などから、アダム＝スミスであると判定する。
C　「相対的に安く～」や「自由貿易」の記述から、比較生産費説を主張したリカードであると判定する。

Ⅰ－9　現代の市場と企業

［50］正答1
完全競争市場のメカニズムについて、図（需給曲線）とともに理解しておくように。

［51］正答1
完全競争市場において、需要曲線が右に移動するのは需要が増加したときである。したがって、アとウが需要の増加につながるのでこれがこの図に該当する。イとエは需要の減少で、このときには需要曲線は左に移動する。オは供給の増加で、このときには供給曲線が右に移動する。また、カは供給の減少であり、供給曲線が

左に移動する。

［52］正答2

寡占市場では、プライス＝リーダーが設定した価格に、他者が追随する管理価格が設定される。また、管理価格が設定されると、生産コストの低下や需要の減少などがおこっても価格が下がりにくくなる（価格の下方硬直性）。したがって、企業間の競争は、品質、モデルチェンジ、広告など価格以外の領域で競争が行われる（非価格競争）。

［53］正答1

「外部不経済」の典型的な例は1のような公害によって不利益がもたらされることである。

自由な経済活動のもとで、供給者（生産者）と需要者（消費者）のあいだで価格の自動調節作用が働き、適正な価格と供給量・需要量が決定される。これを資源の最適配分が達成されているというが、つねに自由な経済活動によって望ましい資源の配分が実現されるとはいえない。これが「市場の失敗」である。「外部不経済」のほか、市場を通さないで他の経済主体が利益を得る「外部経済」や独占・寡占、道路や公園などの公共財や消防などの公共サービスの提供も「市場の失敗」である。

［54］正答1

2　株主は有限責任であり、倒産した場合でも会社の負債を負担する責任はない。

3　株主は配当金を得ることや自由に株を売買し利益を得ることが許されている。会社の経営は取締役があたる。会社の最高意思決定機関は株主総会であるが、現在では株主総会は実質的には機能せず、株主と経営の責任者が分離して、実質的な経営権は取締役に移り、所有（資本）と経営は分離している。

4　取締役は株主でない場合もある。

5　株主総会の議決権は一株一票であり、大株主の意向が強く反映される。

［55］正答3

1　日本の事業所数の約99％が中小企業である。

2　新たに設立できない会社の形態は、有限会社である。

4　株主総会は、一株一票制である。

5　企業の社会的責任（CSR）として、芸術や文化的な活動を支援することをメセナという。ディスクロージャーとは、企業などが株主などの利害関係者に対し経営や財務など各種の情報を公開することである。

［56］正答5

カルテルとは、同種の製品を生産する企業が価格や生産量その他について協定を結んで競争を避け、高い利潤を確保しようとするものである。

2はトラスト、3はコンツェルンに関する記述である。

［57］正答3

1　中小企業は、中小企業基本法によって業種ごとに定義されており、製造業では資本金3億円以下又は従業員300人以下の企業である。資本金1億円以下又は従業員100人以下と定義されているのは卸売業である。

2　中小企業は事業所数で約99％、従業者数で約70％である。

4　中小企業が大企業の仕事の一部を受注することを下請け、大企業による株式保有や役員派遣などの関係がある場合を系列化という。

5　大企業が手を出したがらない未開拓の分野に乗り出してる中小企業をベンチャー＝ビジネスという。

［58］正答1

2「有力な企業がプライス・リーダーとなって市場価格を決定する」は、寡占市場において設定される管理価格に関する記述である。規模の経済（規模の利益）とは、大量生産により製品1個あたりのコストが低下し、利益が大きくなることをいう。

3　そもそも大規模な設備投資が必要な電気・ガスなどの事業は、新規参入が難しいため、寡占や独占を生みやすい。

4　カルテルは、自由競争を阻害する要因となるため、独占禁止法によって禁止されている。
5　外部不経済とは、市場とは関係のない第三者が利益を得ることである。公務員試験においては、具体例として公害や環境汚染を押さえておけばよい。

[５９] 正答２
1　価格の下落と価格の上昇の説明が逆である。
3　カルテルとトラストの説明が逆である。
4　国内総生産（GDP）から海外からの純所得を加えると、国民総生産（GNP）が算出される（詳しくはⅠ－10経済の変動を参照）。
5　インフレーションの下では通貨の価値が下落する。また、スタグフレーションとは、景気停滞（不況）の下でのインフレーションである（詳しくはⅠ－10経済の変動を参照）。

[６０] 正答４
1　エンゲル係数とは、家計の消費支出に占める食費の割合である。
2　企業が芸術・文化を支援する活動をメセナという。フィランソロピーとは、企業が寄付などの慈善行為を行うことである。コンプライアンスとは、企業活動にあたり、法令や各種規則、社会規範を守ることをいう。
3　同一産業の企業が価格協定を結ぶことをカルテルという。トラストとは、同一産業の企業が合併することをいう。
5　現実として、公害や環境汚染などの外部不経済が発生している。

Ⅰ－１０　経済の変動

[６１] 正答２
1　国富は、土地、建物、工場、道路、外国に保有する資産など、一定時点における国の有形資産と対外純資産の合計である。
2　正しい。なお、中間投入額は、中間生産物の価額と同義である。
3　国民総生産（GDP）に関する記述である。国民総所得（GNI）には、国内で働いている外国人の生み出した所得は含まれず、海外で働いている日本人が生み出した所得を含む。
4　国民所得（NI）には、家事労働などの市場で取引されないものは含まれない。
5　経済成長率の指標には、物価変動の影響を取り除いて得た実質GDP成長率が用いられる。

[６２] 正答１
B　国民総生産（GNP）とは、国内総生産（GDP）に海外からの純所得を加えたものである。これからさらに固定資本減耗を差し引くと、国民純生産（NNP）となる。
D　日本などの先進国は、生産国民所得において、第三次産業の割合が最も高い。
E　日本では、分配国民所得において、雇用者報酬の割合が最も高い。

[６３] 正答２
1　デフレーションに関する記述である。
3　インフレーションに関する記述である。
4　ハイパーインフレーションに関する記述である。スタグフレーションとは、景気停滞（不況）の下でのインフレーションである。
5　スタグフレーションに関する記述である。デフレ＝スパイラルとは、物価の下落と企業業績の悪化が相互に作用し、景気がどんどん悪化する現象である。

[６４] 正答３
1　デフレーションに関する記述である。
2　家計がインフレの進行を予測した場合、将来のさらなる物価上昇を懸念して、現在の消費意欲が増加する（例：増税前の駆け込み需要）。
4　インフレになると、通貨の価値が下がるため、借り入れを行っている企業の返済負担が軽減される。
5　本肢の場合、逆にインフレを推進することになる。なお、日本銀行の金融政策については、『Ⅰ－12金融と日本銀行の役割』を参照。

Ｉ－１１　日本経済の発展

[６５] 正答1

2　傾斜生産方式により、石炭や鉄鋼などの基幹産業が重点化された。

3　戦後は、激しいインフレ（ハイパーインフレ）にみまわれた。これを収束するため、財政支出の大幅に削減し、赤字を許さないドッジ＝ラインが実施された。

4　「特需」は、朝鮮戦争によりもたらされたアメリカ軍による需要を指すことばである。また、東京オリンピック開催によるオリンピック景気は、高度経済成長の後半に起こった好況である。

5　プラザ合意は1985年なので、第１次オイルショック（1973年）の直後ではない。

[６６] 正答5

1　戦後の三大改革は、農地改革・財閥解体・労働の民主化である。

2　戦後の激しいインフレーション収束を目的として、ドッジ＝ラインが実施され、インフレが収束した。

3　高度経済成長期には、実質GDP成長率が年平均10%を超えた。これにともない産業構造が大きく変化し、第一産業の割合が大幅に低下し、第二次・第三次産業の割合が増加した。

4　石油危機（オイルショック）は、第四次中東戦争を契機とする。これにより、日本は戦後初めてのマイナス成長を記録したが、戦後で最低の実質GDP成長率ではない。2000年代初頭の世界的な経済低迷期の方が、マイナス成長の幅が大きい。

[６７] 正答2

1　朝鮮戦争では、アメリカ軍を中心とする特需が発生したため、経済は改善した。

3　第一次オイルショックにより、景気停滞下で物価が上昇するスタグフレーションにみまわれた。

4、5　バブル崩壊後は、デフレスパイラルにみまわれた（失われた10年）。

Ｉ－１２　金融と日本銀行の役割

[６８] 正答4

1　企業が銀行から資金を借り入れることを間接金融、株式や社債の発行で資金を調達することを直接金融という。

2　需要が増えれば価格が上がるのと同様に、資金の需要が供給に比べて増大すれば、金利は上昇する。

3・5　金融機関が経営に関する情報を公開することをディスクロージャーといい、金融機関の経営が破綻した場合にその金融機関にかわって預金者に払い戻しを実施する制度がペイオフである。

[６９] 正答3

1　現在、日本では管理通貨制度のもと貨幣を発行している。

2　日本銀行は、「銀行の銀行」であり、市中金融機関とは取り引きを行うが、個人や企業とは取り引きを行わない。

4　増税、減税や財政支出の調整は、政府による財政政策であり、日本銀行が実施する政策ではない。

5　デフレーション時（不況時）には、金利を下げるなどして通貨の供給量の増加を図る政策を実施する。

[７０] 正答2

日本銀行が通貨量などを調整することを金融政策といい、一般銀行との間で国債などの有価証券を売買することを公開市場操作（オープンマーケットオペレーション）という。景気が悪いときには、企業への貸出量を増やすために一般の銀行が持つ通貨量を増やす必要がある。そのため、国債などを日本銀行が買って、その代金としての通貨を一般の銀行に渡すことで、一般の銀行の通貨量を増やしている。これを買いオペレーションという。

[７１] 正答3

日本銀行の金融政策については、どうすれば通貨の供給量が増えるか（不況対策）、どうすれば通貨の供給量が抑制されるか（好況時のインフレ対策）を考え、単純な暗記ではなく、理解するよう努めよう。

［72］正答3
1　通貨は、現金通貨と預金通貨に分類される。また、銀行預金（預金通貨）も支払い手段としての機能を持つ（例：クレジットカードの支払い、公共料金の支払いなど）。
2　不換紙幣と兌換紙幣の説明がともに誤っている。不換紙幣は、金本位制の下で発行される金との交換が保証された紙幣である。不換紙幣は、現在の管理通貨制度の下で発行される紙幣である。
4　信用創造とは、銀行が、預かっている預金額の何倍もの資金を貸し出すことをいう。また、本肢のような銀行の分類はない。
5　現在の日本銀行の主要な金融政策は、公開市場操作である。預金（支払）準備率操作と金利政策は現在行われていない。

Ⅰ－13　財政のしくみと税制

［73］正答5
1　直接税と間接税の説明が逆である。
2　近年、消費税率の引き上げなどにより間接税による収入が増加している。しかし、現在も日本の直間比率は、直接税の方が高い。
3　酒税・消費税は、いずれも間接税である。
4　消費税には、低所得者ほど負担が重くなるという逆進性がある。

［74］正答4
ア：住民税は地方税、関税は国税である。
イ：日本の直間比率は、直接税の方が高い（問題73・選択肢2の解説参照）。
オ：逆進性があるのは、消費税である。

［75］正答2
1　赤字国債の発行は、財政法で禁止されている。しかし、特例国債として赤字国債が発行されている。
3　赤字国債は、第一次オイルショック後の財政不足を補うために戦後初めて発行された。また、バブル経済期は赤字国債を発行していない。したがって「第二次世界大戦後、毎年度発行」は誤り。また、近年は国債発行額が減少傾向にある。
4　建設国債は、財政法で認められた国債であり、毎年度発行されている。
5　日銀が国から国債を直接購入することは財政法で禁止されている（日銀引受の禁止）。

［76］正答4
政府の財政政策も、どうすれば需要が刺激されるか（不況対策）、どうすれば需要が抑制されるか（好況時のインフレ対策）を考え、単純な暗記ではなく、理解するよう努めよう。

［77］正答3
1　所得再分配機能を持つ税は、所得税である（高所得者ほど税率が上がるため）。消費税は逆進性を持つため、所得格差を是正する機能を持たない。
2　資源の配分機能（資源の適正配分）とは、政府が税を財源として社会資本の整備や社会保障制度を実施することである。したがって、「政府が関与せず」は誤り。
4　本肢は、ポリシー・ミックスに関する記述である。
5　本肢は、フィスカル・ポリシーに関する記述である。

［78］正答5
1　「第二の予算」と呼ばれるのは財政投融資である。なお、一般会計は税や公債などを財源とする。
2　財政が持つ所得格差の是正を図る機能を、所得再分配機能という。
3　財政の自動安定化装置（ビルト＝イン＝スタビライザー）とは、所得税や社会保障給付に景気を調節する仕組みが備わっていることをいう。所得税は累進課税を採用しているため、税収が景気の動向に左右され、不況期は税率が税率が下がり、自動的に減税となる。逆に好況期は税率が上がり自動的に増税となる。社会保障給付にも同様のことが言える。不況期は失業等が増加するため、自動的に社会保障給付が増加する（自動的に財政支出増加となる）。逆に好況期は失業等が減少し、自動的に社会保障給付は抑制される（自動的に財政支出減少となる）。

4　裁量的財政政策（フィスカル＝ポリシー）を採ると、不況期は減税し、財政支出の増加とともに有効需要の拡大を図る。好況期は増税し、財政支出の減少とともに有効需要を抑制し、インフレ発生などによる経済の不安定回避を図る。

Ｉ－１４　国際経済

［７９］正答１

2　水平的分業とは、先進国どうしで工業製品を交換することをいう。

3　自由貿易と保護貿易の説明が逆である。

4　世界貿易機関（WTO）は、1986年から始まったウルグアイ＝ラウンドで設立が合意された。したがって、「国連発足時に設立」は誤りである。また、北大西洋条約機構（NATO）は、アメリカを中心とする軍事同盟であり、自由貿易の促進を図る組織ではない。

5　経常収支は、「貿易・サービス収支」、「第一次所得収支」、「第二次所得収支」の３項目で構成されている。

［８０］正答１

国際収支の大まかな分類を押さえておこう。なお、第一次所得収支は、雇用者報酬や利子・配当の受け取りである。

［８１］正答４

為替相場変動の要因として、本問の「貿易」のほか、次の問題の「金利」についても理解しておこう。

［８２］正答１

日本の金利が外国の金利と比べて上昇すると、外国からの円預金が増えるため、大量の外貨（ドル）が流入する。その結果、ドル売り円買い（両替）が生じ、円高・ドル安となる。

［８３］正答５

1　金とドルの交換停止を宣言したのは、ニクソン大統領である（1971年、ニクソン＝ショック）。

2　石油輸出機構（OPEC）は、第１次石油危機（オイル＝ショック）よりも前、1960年代に結成されている。

3　プラザ合意により、ドル高が是正された。また、スミソニアン協定は、プラザ合意よりも前に結ばれている。

4　アジア通貨危機（1990年代末）は、出題頻度が低いため、試験対策として学習する必要はない。なお、アジア通貨危機とは、タイの通貨が暴落したことを景気とする国際的な経済危機である。アジア諸国のほか、ロシアや南アメリカ諸国にもその影響がおよんだ。

［８４］正答１

2　OECD（経済協力開発機構）は、先進国による経済協力機関で、加盟国の経済発展や途上国の援助を目的とする。したがって、新興工業国や発展途上国は加盟していない。

3　NAFTA（北米自由貿易協定）は、アメリカ・カナダ・メキシコの３か国による自由貿易協定である。軍事同盟ではない。

4　ASEAN（東南アジア諸国連合）は、東南アジア諸国により構成される。したがって、中国やインドは加盟国ではない。

5　NATO（北大西洋条約機構）は、冷戦後の現在も軍事同盟として存続している。「ユーロ」の発行は、EU（ヨーロッパ連合）に関するものである。

Ｉ－１５　国民の福祉

［８５］正答１

2　すべての公務員に認められていないのは、争議権である。

3　労働時間と休日の最低基準についても、労働基準法に規定されている。

4　労働委員会は、労働者委員・使用者委員・

公益委員の三者で構成される。
5　使用者の不当労働行為禁止や、労働組合の争議行為等についての刑事上・民事上の免責は、労働組合法に規定されている。

［８６］正答３
1　公的扶助は、公費によって生活困窮者に必要な保護を行い、最低限度の国民生活を保障する。
2　民間団体による社会福祉事業やボランティア活動もあるが、社会福祉は社会保障の一環として国・地方公共団体が行うものである。
4　社会保険には、労災保険や失業保険も含まれる。
5　公衆衛生は、国民全体の生活のために、がん・伝染病・公害病などの予防を目的として行われる活動のことである。社会保障関係費の中で最も多額を占めているのは社会保険（年金など）の経費である。

［８７］正答３
1　国民年金の被保険者（加入者）は、学生や農漁業・自営業者など、20歳以上の給与所得者以外の者である。なお、給与所得者のうち、民間企業の被雇用者が加入する年金制度は、厚生年金である。公務員などが加入する年金制度は、共済組合である。
2　社会保障関係費は、「年金給付費、医療給付費」が７割を占める。
4　社会保障について、細かなことが問われている。雇用保険の保険料は、使用者（事業主）と労働者がそれぞれ負担し、労働者災害補償保険の保険料は、使用者（事業主）が全額負担する。
5　日本の年金制度は、必要な年金給付費用を現役世代のその年の保険料でまかなう賦課方式を基本としている。

Ｉ－１６　倫理・思想

［８８］正答１
Ａには、「人間は万物の尺度である」とあることから、プロタゴラスに関する記述として正しいと判定する。Ｂには、「無知を自覚」（無知の知）や、「問答法」とあることから、ソクラテスに関する記述として正しいと判定する。Ｃは、「哲人政治」を批判していることから、プラトンの記述としては誤りであることが分かる。Ｄの正誤判定ができなくても、Ａ～Ｃの正誤判定ができれば、正答を導き出すことができる。なお、Ｄは、ヘレニズム時代の哲学者ゼノンに関する記述であるが、公務員試験では滅多に出題されない。

［８９］正答４
1　「性悪説」などから、荀子に関する記述である。
2　「無為自然」や「小国寡民」などから、老子に関する記述である。
3　「仁」を社会生活の根本としたこと、「徳知主義」などから、孔子に関する記述である。
5　荘子に関する記述である。有名な人物であるが、公務員試験における重要度はさほど高くない。

［９０］正答５
1　著書『リヴァイアサン』、「万人の万人に対する闘争」などから、ホッブズに関する記述である。
2　ロックは、権力を濫用する政府に対し、人民の抵抗権（革命権）を認めた。
3、4　「権力を立法権と執行権の２つ」に分ける二権分立をロックが主張し、その後モンテスキューが著書『法の精神』において三権分立を主張した。

［９１］正答５
1　ベーコンに関する記述である。デカルトは、「我思うゆえに我あり」を基本原理とし、演繹法を確立した。
2　ヘーゲルは、社会主義社会の実現を主張していない。社会主義社会の実現を説いた思想家として、マルクスを押さえておこう。
3　デカルトに関する記述である。
4「プラグマティズム」とあるので、デューイに関する記述である。

[９２] 正答４

1 「帰納法」などから、ベーコンに関する記述である。

2　カントに関する記述である。本肢を判定するテクニックとして、ヘーゲルの最重要キーワードである「弁証法」が出現しないことから、いったん判定を保留し、他の選択肢から正答を探すという方法をお勧めする。

3　ベンサムは、J.S. ミルとともに功利主義というジャンルに属する人物である。また、人間の幸福として精神的な快楽を重視した人物は、J.S. ミルである。モラリストに属する人物として、パスカルを押さえておこう。

5 「超人」などから、ニーチェに関する記述である。

[９３] 正答１

本問に限らず、倫理・思想の問題は、人物とキーワードを結びつけて対応する。

Aは、「インド独立運動の指導者」、「非暴力・不服従の抵抗運動」、「アヒンサー（不殺生）」などから、ガンディーに関する記述である。Bは、「アフリカで医療活動」、「生命への畏敬」などから、シュヴァイツァーに関する記述である。Cは、「インドで社会的弱者の救済」などから、マザー＝テレサに関する記述である。なお、本肢にある「この世で一番大きな苦しみは～」も、彼女のとても有名なことばである。

[９４] 正答３

1　北村透谷に関する記述である。この問題では、この記述が、内村鑑三ではないことが判定できればよい。内村鑑三であれば、ほとんどの問題で「2つのJ」やキリスト教に関する記述が登場する。

2　柳田国男に関する記述である。この問題では、「常民」が柳田国男に関連の深い言葉であることから、この記述が北村透谷ではないことを判定できればよい。

4 「間柄」という言葉から、和辻哲郎に関する記述であると判定する。

5　内村鑑三に関する記述である。和辻哲郎であれば、ほとんどの問題で「間柄（間柄的存在）」に関する記述が登場する。

[９５] 正答３

1　欲求階層説を主張した人物は、マズローである。

2　青年を境界人（マージナル＝マン）と呼んだの人物は、レヴィンである。

4 『エミール』は、ルソーの著書である。

5　欲求不満を解消しようとする無意識の働きである防衛機制を明らかにした人物は、フロイトである。

Ⅱ　日本史

Ⅱ－1　原始・古代

［96］正答4
弥生時代になると、稲作が普及し、金属器が伝来し、集落も低湿地に移り、貧富の差や身分の別が発生した。A･B は縄文時代、E は大和（古墳）時代の記述である。

［97］正答4
1　収穫したものを貯蔵する高床式倉庫は、弥生時代に出現した。
2　氏姓制度による統治は、ヤマト政権が実施した。
3　蘇我馬子は、聖徳太子とともに6世紀末から政治改革を行った豪族である。
5　大化の改新は、中大兄皇子や中臣鎌足が蘇我氏を打倒した出来事である。

［98］正答4
1　大宝律令が制定され、律令国家体制が整備されたのは、聖徳太子の時代よりも後である。また、中大兄皇子や中臣鎌足に倒されたのは、蘇我氏である（大化の改新）。
2　小野妹子は、聖徳太子の時代に遣隋使として派遣された人物である。また、桓武天皇は、平安京に遷都した人物である。
3　冠位十二階の実施や、憲法十七条の制定は、聖徳太子の政策である。なお、藤原不比等や藤原広嗣に関する記述も誤っているが、公務員試験における重要度は低いので、詳しく学習する必要はない。
5　菅原道真は平安時代の人物で、遣唐使の廃止を建議した人物であり、墾田永年私財法は、奈良時代に制定されているため、時代関係が誤っている。また、院政を行った人物も誤っている。院政を始めた人物として、平安時代後半の白河上皇を押さえておこう。

［99］正答5
A　壬申の乱は、桓武天皇の時代（平安時代初期）ではないと判定できればよい。なお、壬申の乱（672年）は、天智天皇の後継争いである。大海人皇子（おおあまのみこ）が大友皇子（おおとものみこ）に勝利し、天武天皇として即位した。
C　「大仏造立の詔」は奈良時代に聖武天皇が発したものである。

［100］正答4
10世紀後半から11世紀半ばごろ藤原氏が天皇の外戚として権勢をふるい、摂政・関白として政治を主導し、政権の最高の座にあったので、このころの政治を摂関政治とよぶ。11世紀の後半白河天皇が譲位したのち、自ら上皇として院庁をひらき、天皇を後見しながら政治の実権を握った。これを院政といい、白河上皇のあと、鳥羽上皇・後白河上皇と100年あまり続き、そのため摂関家の勢力は衰えた。

Ⅱ－2　中　世

［101］正答3
1　御家人の統率や軍事、警察を担当したのは侍所である。
2　一般政務、財政を担当したのは政所である。
4　荘園や公領には地頭が配置された。
5　裁判を担当したのは問注所である。

［102］正答3
1　鎌倉幕府で、一般政務を担当したのは政所である。問注所は裁判を担当した。また、地方で年貢徴収のために荘園・公領に設置されたのは地頭である。守護は、軍事・警察のため国ごとに設置された。
2　六波羅探題は、承久の乱後に設置された。
4　北条時宗は、蒙古襲来（元寇）のときの執権である。したがって、「日宋貿易を始めた」は、誤りである。
5　尊皇攘夷運動は江戸時代、応仁の乱は室町時代の出来事である。

［103］正答3
1　鎌倉時代になっても、引き続き朝廷は国司を配置した。

2　問題102選択肢1の解説を参照。
4　建武式目は、鎌倉幕府滅亡後、南北朝時代に足利尊氏がまとめたものである。
5　六波羅探題は、蒙古襲来よりも前、承久の乱後に設置された。また、北条時政は、鎌倉時代初期に執権政治を始めた人物である。

［104］正答5
1　源氏の将軍は鎌倉時代初期に途絶え、以降は北条氏が執権として幕府を主導していた。
2　密教が盛んとなったのは、平安時代初期である（Ⅱ－7文化史を参照）。
3　守護・地頭は、鎌倉時代初期から設置されていた。
4　承久の乱は、鎌倉時代前半（13世紀前半）の出来事である。

［105］正答3
1・2・4は鎌倉幕府である。六波羅探題は承久の乱後、京都に置かれた。
5　日宋貿易を行ったのは平安時代末期の平氏政権の時代である。

［106］正答2
室町時代の大まかな理解を確認できる問題である。なお、冊封体制とは、当時の中国王朝の基本的な外交姿勢で、周辺諸国が中国に従属しているという関係のもとで外交を行う体制である。朝貢貿易とは、日本が中国の皇帝に貢ぎ物を持参してあいさつをするかわりに、皇帝が多くの返礼品を与えるという形式の貿易である。冊封体制・朝貢貿易は、いずれも対等な外交姿勢ではないことを理解しておけばよい。

Ⅱ－3　近　世

［107］正答4
A　禁中並公家諸法度は、江戸時代に制定された。
B　安土城を築城したのは、織田信長である。函館を直轄としたのは、江戸幕府である。
D　武家諸法度は、江戸時代に制定された。

［108］正答5
1　ポルトガル人やスペイン人を南蛮人とよび、彼らとの貿易を南蛮貿易といった。
2　戦国時代には、守護代や国人などその地域に根をおろした実力のある支配者が台頭し、戦国大名とよばれた。
3　信長は楽市令を安土の城下町に出し、商工業者に自由な営業活動を認めた。
4　信長は仏教界の権威を否定し、比叡山延暦寺の焼き討ちや一向一揆の平定などを行った。

［109］正答4
1　御成敗式目の制定は鎌倉時代、執権北条泰時によるもの。江戸幕府は武家諸法度を制定し大名を統制した。
2　参勤交代により大名は1年ごとに国許と江戸に滞在することが義務づけられた。
3　幕府は将軍との親疎の関係で大名を親藩・譜代・外様の3つに分類した。親藩は徳川氏の一門、譜代は関ヶ原の戦い以前から徳川家の家臣が大名となった者で、全国の要地に配置された。外様大名は関ヶ原の戦い以後、徳川家に臣従した者で、東北・九州などの遠国に配置された。
5　朝廷の監視にあたったのは京都所司代である。大目付は大名を監視した。

［110］正答5
1　正徳の治は、6代家宣・7代家継に仕えた新井白石の政治である。また、参勤交代の制度化は、3代家光の時代である。
2　寛政の改革は、松平定信による政治改革である。また、参勤交代は、江戸時代を通して廃止されていない。
3　人返しの法は水野忠邦（天保の改革）の政策、囲米は松平定信（寛政の改革）の政策である。
4　享保の改革は、8代徳川吉宗による政治改革である。なお、本肢の内容は、水野忠邦の政策である。

［１１１］正答３
1　禁中並公家諸法度は、江戸時代初期（2代秀忠の時代）に制定された。
2　田沼意次の政治に関する記述である。
4　水野忠邦の政治（天保の改革）に関する記述である。
5　新井白石の政治に関する記述である。

［１１２］正答４
1　足高の制は、徳川吉宗（享保の改革）の政策である。新井白石は、6代家宣、7代家継に仕えた人物である。生類憐みの令の廃止は、新井白石の政策である。
2　徳川吉宗は、上げ米を実施する代わりに、大名の参勤交代の負担を軽減した。廃止ではない。
3　上知令は、水野忠邦（天保の改革）の政策である。
5　水野忠邦は、物価高騰を抑制するため、株仲間を解散した。

Ⅱ－４　近代・現代１（明治時代）

［１１３］正答４
幕末のおおまかな動向は理解しておこう。

［１１４］正答５
1　幕府は、長崎でオランダと中国（清）に限り貿易を行った。また、島原の乱は江戸初期の出来事である。
2　渡辺崋山や高野長英は、異国船打払令をはじめとする幕府の対外政策を批判したため、幕府に処罰された（蛮社の獄）。
3　大老井伊直弼は、アメリカ総領事ハリスと勅許を得ずに日米修好通商条約を調印した。
4　全体的に誤り。なお、本肢は、幕末の細かな知識を問うており、公務員試験の範囲を逸脱している。したがって詳細な解説は省略する。このような難しい選択肢は、いったん判定を保留し、他の選択肢から正答を探すのが公務員受験のテクニックである。

［１１５］正答１
2　帯刀など、士族の特権は段階的に廃止された。また、徴兵令によって士族・平民の別なく20歳以上の男性に兵役の義務が課せられた。
3　地租改正により、課税基準が収穫高から地価に変更された。
4　八幡製鉄所は、日清戦争後に設立された官営工場である。明治初期に殖産興業政策として設立された官営模範工場ではない。代表的な官営模範工場として、富岡製糸場を押さえておこう。
5　大日本帝国憲法は、主権者を天皇とした。議会（帝国議会）は、天皇の協賛機関であった（Ⅰ－２日本国憲法の原則を参照）。したがって、「天皇より議会の権限を強くして」は誤り。

［１１６］正答５
1　政府は版籍奉還後に廃藩置県を断行した。
2　四民平等により、平民は苗字の使用を許され、華族や士族との結婚も認められた。
3　地租改正により、土地所有者（地券所有者）は地価の3%を貨幣で納税することが義務づけられた。農民の負担は、江戸時代と変わらなかったため、各地で負担軽減を求める地租改正反対一揆が発生した。これをうけて、政府は1977年に税率を2.5%に引き下げた。
4　義務教育が9年間となったのは、第二次世界大戦後である（Ⅱ－６近代・現代３（昭和・平成時代）を参照）。

［１１７］正答５
1　廃藩置県により、知藩事として旧藩主が旧藩領を支配した。しかし、廃藩置県によって知藩事は罷免され、中央から府知事・県令が派遣され、中央集権化が進行した。
2　徴兵令によって20歳以上の男性が徴兵された。また、役人など特定の立場にある者や、代人料を上納した者などについて兵役免除が設けられた。
3　土地所有者に地券を発行し、土地の所有権を認めたうえで地租改正が行われた。

4　富岡製糸場は、政府が設立した「官営」の工場である。「民営」ではない。

[118] 正答3
板垣退助らによる民選議院設立の建白書提出(1874年)の後、1877年に西南戦争が起こっている。間違いやすいので注意しよう。

[119] 正答1
2　立憲改進党は、大隈重信が結成した。
3　国会開設の勅諭を出したときの政府の主導者は、伊藤博文である。
4　大日本帝国憲法は、ドイツ憲法を学んだ伊藤博文らが起草した。大隈重信は関わっていない。
5　自由党は、板垣退助が結成したフランス風の政党である。また、『民約訳解』を発表したのは、中江兆民である（Ⅰ－16倫理・思想を参照)。

[120] 正答1
2　日本は、下関条約によって遼東半島や台湾の割譲を清に認めさせたが、香港や朝鮮は割譲されていない。
3　三国干渉は、ロシア・ドイツ・フランスによるものである。
4　日露戦争開戦前に日本が同盟を結んだ国は、イギリスである(日英同盟)。
5　日露戦争で講和を斡旋したのは、米大統領セオドア＝ローズヴェルトでる。

[121] 正答5
1　日清戦争の勝利により、日本は台湾とともに遼東半島を獲得した。これに対し、ロシア・ドイツ・フランスは、遼東半島の返還を要求した(三国干渉)。
2　満州に勢力を伸ばしたロシアに対抗するため、日英同盟が結ばれた。二十一か条の要求は、第一次世界大戦中、日本が中国政府に対し突きつけたものである。
3　治安維持法の制定は、大正時代末期の1925年であり、日露戦争(1904年)前後の状況として妥当ではない。
4　日露戦争当初は、日本海海戦に勝利するなど戦況は日本に有利であった。

[122] 正答1
2　三国干渉は、ロシア・ドイツ・フランスによるもので、遼東半島の返還を日本に要求した。また、日比谷焼討ち事件は、日露戦争で賠償金を獲得できなかったことを不満として起こった暴動である。
3　我が国最初の本格的な政党内閣は、1918年、大正時代の米騒動後に成立した原敬内閣である。また、治安維持法の制定(1925年)は、加藤高明内閣の政策である。
4　日清戦争後に設立された八幡製鉄所は、官営(政府が設立)である。民間資本によるものではない。また、田中正造は、日本初の公害である足尾銅山鉱毒事件の解決に尽力した政治家である。
5　ポーツマス条約で、日本はロシアから賠償金を得ることができなかった。また、領土の割譲も受けていない。

Ⅱ－5　近代・現代2(大正時代)

[123] 正答2
1　日本は、日英同盟を理由にイギリス・フランス・ロシアからなる連合国側にたって第一次世界大戦に参戦し、中国におけるドイツの拠点を攻撃した。
3　日露戦争で、日本は賠償金を得ることができなかった。
4　自由民権運動は、明治時代の出来事である。大正時代の1925年、社会主義運動を抑圧するため、加藤高明内閣は治安維持法を制定した。
5　25歳以上の男性に選挙権を付与した普通選挙法の制定は、加藤高明内閣の政策である。なお、同法は女性に選挙権を認めていない。

[124] 正答1
2　第一次世界大戦後、中国で起こった日本に対する抗議運動は五・四運動である。
3　ロシア革命は、第一次世界大戦末期に起こった。これに対する干渉戦争（シベリア出兵）に日本も参加したことが、米騒動の原因となった。
4　アメリカは、国際連盟に参加しなかった（Ⅰ－7国際社会と国際政治を参照）。
5　第一次世界大戦中は好況であったが（大戦景気）、戦後にヨーロッパ諸国が復興すると不況に転じた。

Ⅱ－6　近代・現代3（昭和・平成時代）

［125］正答5
（ア）米騒動の責任をとって寺内正毅内閣が辞職し、原敬が首相となった。この内閣は、陸海軍大臣と外務大臣以外の大臣は政党員で構成された最初の本格的政党内閣であった。
（イ）第二次護憲運動の結果成立した加藤高明内閣は、満25歳以上の男性すべてに選挙権を与える普通選挙法と同時に社会主義勢力の抑圧を図った治安維持法を制定した。
（ウ）1931年関東軍が南満州鉄道を爆破した柳条湖事件を国民政府軍のしわざとして軍事行動を開始した。これが満州事変である。これに対し国際連盟は撤兵勧告を行ったが、日本はこれに反し1933年国際連盟を脱退した。
（エ）1932年五・一五事件で犬養毅首相が暗殺され、政党政治は終結した。さらに1936年の二・二六事件以後、内閣に対して軍が介入するようになった。

［126］正答1
柳条湖事件は満州事変の契機、盧溝橋事件は日中戦争の契機である。混同しやすいので注意しよう。

［127］正答1
2　戦後の民主化政策のひとつとして、財閥解体が実施された。
3　戦後の民主化政策のひとつとして、労働基準法、労働組合法、労働関係調整法の労働三法が制定された。
4　新選挙法の制定により、納税額による制限が廃止され、男女普通選挙が実現した。
5　戦後の民主化政策のひとつとして、義務教育を9年とする新しい教育制度が整備された。なお、当初の教育委員は公選制により選出されていた（現在は任命制である）。

［128］正答5
1　富岡製糸場などは、殖産興業政策の一環で官営の事業として設立された。後に財政難となったため、政府は官営事業の多くを民間に払下げた。
2　第一次世界大戦中の好況（大戦景気）では、造船業や海運業も活況を呈した。
3　第二次世界大戦後、工業生産回復のために実施された傾斜生産方式では、石炭や鉄鋼などの基幹産業に資材や資金を集中した。
4　ドッジ＝ラインは、終戦直後の激しいインフレ（ハイパーインフレ）を収束した政策である。

［129］正答4
1　サンフランシスコ平和条約は、ソ連などとは締結していない。したがって、「全交戦国と講和条約を結び」は誤り。
2　ソ連との国交回復は、日ソ共同声明を契機とする。
3　岸信介内閣は、日米安全保障条約を改定した（新安保条約）。
5　本肢の判定は難しい。本肢のとおり、日中共同声明により日中の国交が正常化した。一方、同声明において、日本は中華人民共和国を「中国を代表する唯一の合法政府」として承認したため、台湾（中華民国）との国交は断絶した。しかし、同声明調印後も民間交流は維持され、現在も交流は活発である。

Ⅱ－7　文化史

［130］正答3
飛鳥文化は、6世紀後半から7世紀半ばの推古天皇（摂政聖徳太子）のころを中心とした文化で、飛鳥地方を中心として中国の南北朝時代の影響を受けた最初の仏教文化である。

［１３１］正答２

1　聖徳太子の時代、中国は隋である。聖徳太子は遣隋使とともに留学生・留学僧を派遣した。また、大阪に四天王寺、奈良に法隆寺を造営した。

3　最澄は比叡山に延暦寺を建て、空海が高野山に金剛峯寺を建てた。「念仏を唱えれば誰でも悟りを開いて仏になれる」と説いたのは浄土宗の教えである。

4　空海は真言宗を宋から伝えた。平安中期に末法思想の広まりに対して、浄土教を広めたのは、京の市中で浄土教を説いた空也である。

5　法然の弟子が親鸞である。また、踊り念仏を取り入れたのは時宗を説いた一遍である。

［１３２］正答１

2は平安初期の弘仁貞観文化、3は鎌倉文化、4は元禄文化、5は桃山文化に関する記述である。

［１３３］正答３

1『神皇正統記』は北畠親房があらわしたもので、南朝の正統性を主張した。足利義政は東山に銀閣を建てた。その建築様式は書院造りであり、近代の和風住宅の原型となった。

2「京都の東山に銀閣」で正しい記述となる。金閣を建てたのは足利義満である。

4　正風連歌を確立し『新撰菟玖波集』を編んだのは宗祇である。連歌とは和歌の上の句と下の句とを別の人が交互に詠む文芸である。

5　侘び茶を始めたのは村田珠光である。その後の安土桃山時代に千利休によって大成された。

［１３４］正答２

1「天守閣を持つ城郭」などから、安土桃山時代の文化に関する記述である。

3「鎮護国家の思想」などから、奈良時代の文化に関する記述である。

4「文化の国風化」などから、平安時代中期の文化に関する記述である。

5「浄土宗や時宗」などから、鎌倉時代の文化に関する記述である。

［１３５］正答３

1　薬師寺東塔や高松塚古墳壁画は、律令国家形成期の白鳳文化である。

2　法成寺や平等院鳳凰堂は、平安時代中期の国風文化である。

4　一遍と栄西・道元の説明が逆である。

5　東山文化と北山文化の説明が逆である。

［１３６］正答２

アは、「律令制度による～打ち立てようとした」から、大宝律令制定前後の時代であると判定する。イは、「鎮護国家の思想」から、奈良時代であると判定する。ウは、「摂関政治」などから、平安時代中期であると判定する。Aは「薬師寺東塔」、「高松塚古墳壁画」などから白鳳文化（アの時代）、Bは「寝殿造」などから国風文化（ウの時代）、Cは「万葉集」などから天平文化（イの時代）となる。

Ⅲ　世界史

Ⅲ－１　古代文明の成立

［１３７］正答５

A　中国（黄河）文明の記述であるので、オ。
B　エジプト文明の記述であるので、イ。
C　インド（インダス）文明の記述であるので、エ。
D　メソポタミア文明に関する記述であるので、ウ。
　アはギリシア文明であり、オリエントの影響を受けた青銅器文化である。クレタ文明とミケーネ文明を代表とする。

［１３８］正答１

　古代アメリカ文明は、紀元前1000年から16世紀前半にかけて起きた文明で、とうもろこしが主要な作物であり、その他に、じゃがいもなども栽培された。代表的な文明は、ユカタン半島で起きたマヤ文明、メキシコで起きたアステカ文明、アンデスで起きたインカ文明である。その文明全てが、16世紀にスペイン人によって滅ぼされ、アステカ文明はコルテス、インカ文明はピサロである。インカ文明はキープ（結縄）を使用し、代表的な遺跡としてマチュピチュがある。

［１３９］正答１

A　コンスタンティヌス帝が、キリスト教を公認したのは４世紀初め（313年）。
B　オクタヴィアヌスが元老院からアウグストゥスの称号を受けて帝政を開始したのは、紀元前１世紀後半（BC27年）。
C　五賢帝とは、ネルヴァ帝からマルクス＝アウレリウス＝アントニヌス帝までの５人の皇帝をいい、１世紀後半から２世紀後半の時代である。アウグストゥスからこの五賢帝の時代の約200年間は平和が続き、ローマが繁栄した時代であった。
D　ポエニ戦争が起こったのは、紀元前３世紀半ばから紀元前２世紀半ばである。この戦争に勝利したローマは地中海世界の征服をほぼ完了した。
E　ポエニ戦争の勝利などの対外発展のかげで、中小農民が没落し、ローマは紀元前２世紀後半から紀元前１世紀後半内乱となった。この混乱の中で紀元前１世紀半ば共和政の伝統を無視する三頭政治が行われた。
　したがって、D→E→B→C→Aの順となる。

［１４０］正答４

1　ギリシアのポリスが建設されたのは、地中海沿岸や黒海沿岸である。各ポリスは、アクロポリス（城山）やアゴラ（広場）を中心に集住し、人口が増加したことで、植民市建設を行い、貿易の拠点とした。
2　ギリシアの共和政は、貴族政から始まり、平民の参政権要求により貴族・平民の直接民主政となった。
3　アレクサンドロスはマケドニアの王である。
5　コンスタンティヌス帝が発したミラノ勅令により、キリスト教は公認された。迫害したのは、ディオクレティアヌス帝である。

Ⅲ－２　ヨーロッパ世界の形成

［１４１］正答５

　封建社会は聖職者・貴族・農民という身分制を特徴とし、貴族と農民の間の荘園制と、貴族相互間の封建制の二つの社会関係を軸としている。荘園とは、諸侯・騎士が領主として農民を支配する単位で、大多数の農民は領主に賦役や貢納の義務をもち、身分上さまざまな束縛を受ける農奴であった。封建制は、主君が臣下に封土を与え、臣下は主君に忠誠を誓って軍役などを奉仕する主従関係で、国王を頂点として、諸侯・騎士の間に網の目のように結ばれていた。また、封建社会の盛期はローマ教会の権威の最盛期でもあったので、教会も領地の寄進を受けて広大な土地・人民を支配し、ローマ教皇の下に大司教・司教など封建制に似た階層組織がつくられ、聖職者（司教など）は貴族とならぶ支配階層であった。

［142］正答3

11～13世紀に最盛期を迎えるヨーロッパ封建社会は［141］の解説に同じ。

ア　農民は領主に対し、賦役・貢納の義務や移動の自由がないなどの束縛を受ける農奴であったため、身分上低い。

エ　ヨーロッパの封建社会は、双務的な契約関係であったため、複数の主君に仕えることができた。血縁的に結束を固めた封建制は中国の周の支配組織である。

［143］正答4

1　セルジューク朝が占領した聖地イェルサレム奪還のため、教皇により十字軍が提唱（クレルモン公会議）された。以後、十字軍は約200年間にわたり、計7回派遣されたが、聖地を取り戻すことはできなかった。これにより、教皇権が衰退・諸侯や騎士が没落し、王権が伸張し中央集権国家が形成されていった。

2　イギリスのジョン王の悪政に対し、貴族たちが大憲章（マグナカルタ）を出し王に認めさせた。内容は、国王は課税を行う際に貴族の同意が必要とすることなどが記載されている。

3　百年戦争の結果、イギリス・フランス両国では諸侯の没落がさらに進行し、王権がますます強化された。

5　イスラーム教徒のイベリア半島支配と十字軍の失敗は無関係。スペインやポルトガルは、イスラーム勢力を追い出すレコンキスタ（国土回復運動）の進行で成立したため、年代が違う。

［144］正答1

14世紀初め、教皇がフランスに対し課税をしたことで、フランス王フィリップ4世が教皇を監禁したアナーニ事件が起こる。その後、教皇庁をフランスのアヴィニョンに移し、教皇権は衰退した。

2　クレルモン宗教会議は、十字軍が提唱されたもので、教皇権の絶頂期を象徴する出来事である。

3　カノッサ事件は、聖職叙任権をめぐって神聖ローマ皇帝を教皇が破門した事件である。

4　ビザンツ皇帝の聖像禁止令の発布により、東西教会は対立し、やがてローマ＝カトリック教会とギリシャ正教会に分離した。

5　オットー1世の戴冠は、神聖ローマ帝国の起源とされている（公務員試験においては必須の知識ではない）。

Ⅲ－3　近代ヨーロッパの成立

［145］正答2

ルネサンスは、東方貿易により繁栄したフィレンツェを中心とするイタリアで、14世紀に始まり、16世紀末にかけてヨーロッパ各地に広がった。中世のキリスト教の権威に対抗して、人間の自然な感情を文芸活動を通じて表現しようとするもので、ギリシア・ローマの古典文化を模範とした。イタリアでルネサンスが始まったのは、ローマ文化の伝統があり、メディチ家のような富豪が「学芸の保護者」として多くの学者や芸術家を養成したことにある。ダンテは『神曲』を著しルネサンスのさきがけとなり、レオナルド＝ダ＝ヴィンチやミケランジェロ、また『君主論』を著したマキャベリなどが活躍した。

［146］正答5

1　イギリス国教会の成立は、ヘンリ8世の離婚問題を契機とし、首長法により成立した。その後、エリザベス1世が統一法を発し、イギリス国教会を確立させた。

2　エラスムスは、『愚神礼讃』を著したネーデルラントの人物である。本著は宗教改革に大きな影響を与えた。

3　ユグノーとカトリックの対立をユグノー戦争という。アンリ4世のナントの勅令により、信仰の自由が認められ、戦争が終結した。

4　スペインは属領のネーデルラント（オランダ）にカトリックを強制したため、独立戦争が起きた。その結果、ネーデルラント（オランダ）は独立を達成した。

［１４７］正答２
1　コロンブスは、大西洋を横断し新大陸を発見した。喜望峰に達しインド航路を発見したのは、ヴァスコ＝ダ＝ガマである。
3　対抗宗教改革により、イグナティウス＝ロヨラを中心にカトリック系のイエズス会が結成され、海外布教に力を入れた。
4「日の沈まない帝国」はスペインの全盛期のときに表された言葉である。
5　ポルトガルはアメリカ大陸のブラジルへ進出した。インカ文明（ピサロ）、アステカ文明（コルテス）ともにスペイン人が滅ぼした。

［１４８］正答５
大航海時代のきっかけは、ヨーロッパの香辛料需要の増大とオスマン帝国の陸路の妨害である。15世紀末から16世紀初めにスペイン・ポルトガル中心にインドや新大陸の航路が開拓された。
1　ヴァスコ＝ダ＝ガマは、ポルトガルの支援を受け、アフリカ南端の喜望峰に達し、インド航路を発見した。
2　ピサロはインカ帝国を滅ぼした。
3　中南米の銀が大量に流入し、価格革命が起きた。
4　スペイン・ポルトガル間で植民地における紛争を解決するために条約を結んだ。新大陸では、ブラジルをポルトガルが支配し、その他はスペインが支配した。アジアではフィリピンをスペインが支配し、その他の地域はポルトガルが支配した。

Ⅲ－４　主権国家体制の展開

［１４９］正答１
A　常備軍と官僚制が形成されず、有力地主（ジェントリ）が地方行政を担当した国はイギリスである。
B　プガチョフの反乱以降、農奴制が強化されたのはロシアである。
C　王権神授説を信奉し、ヴェルサイユ宮殿を造営したのはフランスである。

Ⅲ－５　市民社会の成長

［１５０］正答２
1　チャールズ１世が専制を行っていたため、議会が「権利請願」を可決し、不当な課税や逮捕を行わない事を約束させた。
3「代表なくして課税なし」は、イギリス本国がアメリカ13植民地に対して発した印紙法に反対するスローガンである。
4　名誉革命は、新国王としてオランダから迎えられたメアリ２世とウィリアム３世が「権利章典」を発布し、議会中心の政治を示した。
5　アン女王のときにイングランドとスコットランドが合併し、大ブリテン王国が成立した。

［１５１］正答５
1　イギリスが当時植民地を建設していたのは東部の13州であった。したがって、独立戦争は西部のカリフォルニアではなく東部13州で起こった。
2　独立宣言を起草したのは、トマス＝ジェファソンであり、この宣言はイギリスの思想家ロックの影響を受けて平等権や抵抗権が宣言されている。ワシントンは総司令官として植民地軍を指揮した。また、フランス革命はアメリカ独立戦争後に起こった。
3　フランスは植民地側に参戦し、ロシアは武装中立同盟を結成して、イギリスを孤立させた。
4　独立戦争後、パリ条約が結ばれて、イギリスはアメリカの独立を承認した。

［１５２］正答３
イ　フランス革命が勃発すると、国民議会は封建的特権の廃止を決議し、人権宣言を採択した。
ウ　フランス革命は、パリの民衆が重税や圧政に対して起こしとものである。

Ⅲ－６　国民国家の発展

［１５３］正答３
1　三部会は、ルイ16世が貴族や聖職者の特

権身分に対して課税することを目的に招集された。課税は失敗し、特権身分と平民は分裂した。平民は国民議会を設立したが、ルイ16世はこれを弾圧した。

2　恐怖政治を行っていたロベスピエールは、テルミドール9日のクーデタで反対派によって処刑された。

4　ナポレオンは、大陸封鎖令を破ったロシアに遠征したが失敗した。また、ライプツィヒの戦いに敗れ、エルバ島に配流された。

5　フランスでは、王政復古に対して七月革命がおこり、ルイ＝フィリップが王位に就いたが、選挙法改正要求を退けたため、二月革命がおこった。この革命の影響によりオーストリアで暴動がおき、メッテルニヒは追放された。

[154] 正答3

ウィーン体制への反対運動は、ドイツ・イタリア・ロシアでおこったが、オーストリア（メッテルニヒ）はこれを鎮圧し、ウィーン体制の維持につとめた。しかし、ラテンアメリカの独立にともなうモンロー教書によりウィーン体制が動揺した。その後、フランスの二月革命が影響しでオーストリアで三月革命がおき、ウィーン体制は崩壊した。

[155] 正答1

2　農村では、大地主が第2次囲い込み（エンクロージャー）を行ったことで、小中層農民が土地を失い、労働者となったことが産業革命の背景にある。

3　産業革命は、綿工業の技術革新から始まった。紡績機の発明が多く行われた。

4　産業革命時は、都市に労働者が集中した。スティーブンソンが蒸気機関車、フルトンが蒸気船を発明した。

5　機械工業が発達したため、専門技術の必要性が低下し、労働者として女性や子どもが低賃金で働かされていた。

[156] 正答3

1　イタリアでは、サルデーニャ王国がガリバルディの協力を得てイタリアを統一し、サルデーニャ王を国王とするイタリア王国が成立した。

2　ビスマルクはプロイセンの首相で、鉄血政策によりドイツ統一を推進した。プロイセンがプロイセン－フランス戦争（普仏戦争）でフランスに勝利しドイツを統一して、プロイセン国王を皇帝とするドイツ帝国が成立した。

4　プロイセン－フランス戦争（普仏戦争）でフランスのナポレオン3世は捕虜となり、フランスの第二帝政は崩壊した。これによって資本家や農民による臨時政府が成立しプロイセンと講和しようとしたが、労働者らはこれに反対しパリ＝コミューンをつくった。しかし、ドイツの援助をえた臨時政府によりパリ＝コミューンは倒された。

5　イギリスではヴィクトリア女王の時代に、自由党のグラッドストンと保守党のディズレーリが、交互に政権を担当する典型的な議会政治が定着した。

[157] 正答4

ア　プロイセン－フランス戦争（普仏戦争）のフランスの敗北により第二帝政が倒れた後に成立したパリ＝コミューンは世界最初の労働者による自治政府であった。しかし、ブルジョワ共和派の臨時政府によって2か月で倒された。

イ　正しい。

ウ　クリミア戦争後のロシア－トルコ戦争（露土戦争）でロシアは勝利し、バルカン半島に勢力を広げようとしたが、ベルリン会議により、ロシアの南下は阻止された。

エ　正しい。

[158] 正答3

1　産業革命はイギリスで18世紀後半に綿工業から始まった。

2　南北戦争では南軍が敗れ、北軍が勝利した。この結果、奴隷制は廃止され、南部ではプランテーションの農場主が没落した。

4　ナロードニキ運動は19世紀後半にロシア

で起こった知識人・学生を中心とした政治・社会の改革運動であるが、この運動以前に農奴解放は皇帝アレクサンドル2世により実施されていた。また十一月革命（十月革命）によるロシア帝国（ロマノフ朝）の崩壊（ロシア革命）は第一次世界大戦末期すなわち20世紀前半である。
5　太平天国の乱や義和団事件などを通じて清朝は衰退の一途をたどり、同時に欧米列強による中国分割が進展した。

Ⅲ－7　二つの世界大戦

［159］正答3

第一次世界大戦前の状況については、問題文を参照のこと。詳しい状況を知らなくても、パン＝ゲルマン主義のドイツ、パン＝スラブ主義、南下といえばロシア、インドに大きな勢力をもつイギリスというように、キーワードをしっかりつかむことが重要である。

［160］正答5

1　上院の反対で国際連盟に加盟しなかったのは提唱国のアメリカである。また、三国協商が結ばれたのは第一次世界大戦前である。
2　前半部分はイタリアに関する記述である。
3　ヴェルサイユ条約によって、ドイツは一部の領土を失い、植民地を一切保有できなくなった。
4　ロシア革命は、第一次世界大戦中にレーニンが主導した。レーニンは社会主義政権であるソヴィエト政権を樹立した。スターリンはレーニンの死後、書記長に就任した人物である。

［161］正答1

1　アメリカ合衆国のとったこの政策をニューディール政策という。
2　イギリスでは自由貿易体制から保護貿易体制へ転換するブロック経済政策をとった。
3　ドイツではナチスが勢力を伸ばし、大企業や軍部と結んでヒトラーが首相に就任した。ヒトラーはナチスによる一党独裁を確立し、国際連盟を脱退して再軍備し、領土の拡張をめざした。
4　資本家・地主・軍部などの支持を受けてムッソリーニがファシスト党を率いて政権を握っていたが、1935年エチオピアに侵入し、国際連盟の批判を受けると、これを脱退した。
5　ソ連では1928年から第1次、1933年から第2次五か年計画を実施し、世界恐慌の影響を受けずに急激な工業化をすすめた。

［162］正答　3

ア　ドイツと不可侵条約を結んだという記述から、ソ連と判断できる。
イ　第二次世界大戦で、ドイツに首都（パリ）を占領されたのはフランスである。
ウ　エチオピアへ侵攻、ドイツと同盟したことからイタリアと判断できる。

Ⅲ－8　中国史

［163］正答4

1　儒教が国の正統な学問となったのは前漢の武帝の時代である。「春秋」も殷の時代の歴史書ではない。
2　製紙法が発明されたのは漢の時代だが、「水滸伝」「三国志演義」「西遊記」「金瓶梅」の四大奇書は明の時代に完成した。
3　諸子百家が活躍したのは春秋戦国時代。
5　黒陶はBC3000年頃の新石器時代、唐三彩は唐代を代表する陶磁器。

［164］正答4

前漢の高祖劉邦はDにあるような郡国制を行ったが、やがて武帝の時代になると中央集権制が確立した。武帝の時代は前漢の全盛期と呼ばれ、対外積極策をとって領土を拡張し、Eにあるように朝鮮半島北部も支配下におさめた。よって、DとEの4が正答。Aは隋・唐、Bは隋、Cは唐、Fは明、Gは秦の政策である。

［165］正答3

1　隋は、官吏登用法として科挙を初めて実施した。九品中正法は三国時代の魏から隋の初めまで行われた官吏登用法である。
2　2代目の煬帝は、3度の高句麗遠征を行ったが失敗に終わった。
4　隋の煬帝に関する記述である。
5　唐を滅ぼしたのは、節度使の朱全忠である。

[166] 正答1
2　三省六部の官僚体制は唐の李世民が整備した。なお、大運河は、隋の煬帝が建設し、黄巾の乱が契機となって滅んだのは後漢である。
3　郡国制は、前漢の政治体制である。
4　唐では、隋から始まった官吏登用法の科挙を引き続き実施した。前漢の官吏登用法は郷挙里選である。
5　両税法の実施、安史の乱ともに唐の時代の出来事である。

[167] 正答2
1は明、3は清、4は秦、5は元の時代である。

[168] 正答4
1　紙の発明は、前漢の時代である。また、法隆寺・四天王寺などの飛鳥文化は南北朝の影響を受けている。
2・3・5　科挙による官吏の登用は隋の時代に始まり、宋代から特に重要となった。宋の時代には、都市を中心に活躍する庶民層が成長したことにより、庶民的で開放的な文化がおこった。この時代には木版印刷技術が普及し、火薬や羅針盤が実用化された。これらの技術はイスラーム商人を介して西方へ伝えられた。さらに、南宋の朱熹（朱子）は、朱子学を大成した。

[169] 正答4
1　イギリスが茶の代価として清にもたらしたアヘンによる中毒が広まったため、清はその輸入を禁止した。しかし、イギリス商人がなおアヘンを密貿易したため、清は林則徐に命じてその取り締まりにあたらせた。これをきっかけにイギリスが清に宣戦を布告しアヘン戦争が始まった。
2　太平天国の乱は、キリスト教の影響を受けた洪秀全が、清朝打倒をさけんで立ち上がり、国を太平天国と称して、土地の均分や男女平等などを唱えたものであった。
3　義和団事件は扶清滅洋を掲げた運動で、華北から東北に広まったが、日本やロシアなど8か国の連合軍に鎮圧された。事件の翌年結ばれた北京議定書により、中国の半植民地化はますます進んだ。
4　正しい。孫文は民族の独立、民権の伸長、民生の安定という三つの目標をかかげる三民主義をとなえ、辛亥革命を起こした。
5　第二次世界大戦後、主導権をめぐって国民党と共産党の対立が深まり、内戦となった。この内戦で国民の支持を受けた共産党は国民党を台湾に追い払い、中華人民共和国の成立を宣言した。

Ⅲ－9　アジア史

[170] 正答2
1　イスラーム教はメッカで創始され、偶像崇拝を禁止した。
3　ウマイヤ朝（7世紀後半～8世紀半ば）を滅ぼして成立したアッバース朝（8世紀半ば～13世紀後半）のことを説明している。
4　アケメネス朝（紀元前6世紀半ば～紀元前4世紀後半）を滅ぼしたのは、アレクサンドロス大王である。
5　西ローマ帝国の滅亡（5世紀後半）は、ゲルマン人によるものである。セルジューク朝（11世紀前半～12世紀末）とは時代が異なる。

[171] 正答3
1・2　カリフはムハンマドの死後、その後継者として選挙で選出された。スルタンはカリフから与えられた世俗的支配権の保持者である。
4　ウマイヤ朝は、征服地の住民に対して地租や人頭税の課税を義務づけ、差別的な政策を行った。一方、アッバース朝はそれらを廃止した。
5　インド最初のイスラーム王朝は、13世紀に成立したデリー＝スルタン朝で、その後16世紀に入り、ムガル帝国が成立した。

［172］正答3

1　ヒンドゥー教の成立時期は、仏教の成立時期（紀元前5世紀頃）よりも後である。インドの民間信仰をもとに、仏教などの影響を受けて発展・成立した。グプタ朝の頃、インドに広く浸透した。
2　インドで最初の統一王朝は、マウリヤ朝である。
4　インド統治法は、イギリスが制定した法律で、インドの自治を大幅に制限する内容であった。ガンディーは、国民会議派の中心人物として、インドの独立運動（非暴力・不服従の運動）を指導した。
5　パグウォッシュ会議（1957年）は、核兵器と戦争の廃絶を訴えた、科学者による会議である。哲学者ラッセルと物理学者アインシュタインによる、ラッセル・アインシュタイン宣言（1955年）に基づき開催された。平和五原則（1954年）は、インドのネルー首相と中国の周恩来首相との会談でまとめられたものである。

［173］正答5

Aは20世紀、第一次世界大戦後のこと。Bは18世紀。CとDが19世紀のことで、セポイとよばれるインド人傭兵部隊の反乱を鎮圧したのち、イギリスはムガル帝国を滅ぼした。そして、東インド会社を解散し、インドをイギリス政府の直轄植民地とした。

［174］正答2

1　パレスチナでは、ユダヤ人が第二次大戦後国際連合のあとおしでイスラエルを建国したが、建国を認めない周辺のアラブ諸国との間で中東戦争が起こった。
3　ヴェトナムでは、第二次大戦後ホー＝チ＝ミンを大統領とするヴェトナム民主共和国が生まれたが、これを認めないフランスはヴェトナム国をつくって戦争を起こした。この戦争はフランスの敗北に終わり、北緯17度線を南北ヴェトナムの国境とする休戦協定が結ばれた。
4　1931年関東軍が南満州鉄道を爆破し、それを中国軍の行為であるとして、満州事変を起こした。満州を占領した日本は満州国を独立させた。中国はこれを国際連盟に訴え、国際連盟は調査団を派遣した。この報告をもとに日本に対して、日本軍の撤退と満州国の承認の取り消しを求める勧告案が可決されると、日本は国際連盟を脱退した。
5　朝鮮戦争が起こったのは第二次大戦後の1950年である。また、東学党の乱を契機として起こったのは1894年の日清戦争である。

Ⅳ　地　理

Ⅳ－1　地　形

[１７５] 正答1

２・３　安定陸塊は、先カンブリア時代に形成された最も古い地形である。古期造山帯は、古生代に形成され、長期にわたり侵食により、なだらかな山脈が連なる。また、新期造山帯は新生代に形成され、高くて険しい山脈が連なり、火山帯や地震帯と一致する。

４・５　扇状地は、荒い砂礫が山麓に堆積された沖積平野である。氾濫源は中下流部に形成される沖積平野で、河川は蛇行し、自然堤防や後背湿地などの地形を形成する。

[１７６] 正答5

A　誤り。フィヨルドは氷河の侵食作用によるU字谷に海水が侵入して形成された地形で、チリ南部のほか、ノルウェー西岸などにみられる。エーゲ海沿岸は山地が沈水して形成されたリアス海岸である。

B　正しい。

C　誤り。侵食平野は古い時代の堆積層が侵食されて形成された大規模で平坦な平野である。河川の侵食作用により山地から運搬された土砂が堆積して形成される平野は堆積平野である。

D　正しい。

[１７７] 正答3

氷食をうけてできた氷食谷は、U字谷となる。V字谷は河川の侵食をうけてできた谷である。

[１７８] 正答5

1　フィヨルドは氷食をうけてできたU字谷に海水が侵入してできたものであり、海岸段丘は陸地の隆起または海面の下降によって形成されたものである。

2　河川の河口に形成された三角州は、低湿であるためアジアでは水田、ヨーロッパでは牧草地に利用されている。パリや北京は三角州に立地していない。

3　カルスト地形は、石灰岩が地下水や雨水によって溶食されてできた地形である。

4　氷河による侵食をうけた谷はU字谷である。氷河湖はアメリカの五大湖やスイスのレマン湖、ボーデン湖などである。死海は地溝湖、阿寒湖はカルデラ湖である。

[１７９] 正答1

A　正しい。扇状地は粗い砂礫が堆積しているため、水を通しやすいので河川は伏流して水無川となっているところが多く、畑や果樹園などに利用されている。

B　正しい。氾濫原は、洪水時に流路からあふれた水が運ぶ土砂が堆積して河川の両側に微高地の自然堤防をつくっているため、自然堤防帯とも呼ばれる。その背後には低湿の後背湿地が広がっている。氾濫原は勾配が緩やかであるため、河川は蛇行しやすく、流路が変わると、残された旧流路は三日月湖となる。

C　誤り。三角州は平坦であるため、河川の流れはゆるやかで上流から運んできた粒の細かい砂などを堆積する。河床を深く掘り下げてV字谷が形成されるのは河川の勾配が大きく流れの速い上流の山地である。

[１８０]　正答　4

1　ピレネー山脈は、スペインとフランスの国境に位置し東西に走っているいる。

2　ヒマラヤ山脈は、新期造山帯に属し、東西に走っている。最高峰はエベレスト（チョモランマ）である。

3　アンデス山脈は、南アメリカ大陸の西岸を南北に走り、4000 m級の山々が連なっている。

5　グレートディバイディング山脈は、オーストラリア東部を南北に走る古期造山帯である。

[１８１] 正答3

1　長江は、チベット高原を源とし、東シナ海に注ぐ中国最長の河川。河口には中国最大都市の上海がある。

2　ミシシッピ川は、ロッキー山脈を源とし、メキシコ湾に注いでいる。流域のプレーリーは、大穀倉地帯である。河口には三角州（デルタ）が形成され、ニューオーリンズが立地する。
4　ガンジス川は、ヒマラヤ山脈を源とし、ベンガル湾に注ぐインド東部の河川。河口は三角州（デルタ）が形成され、米やジュートの栽培が盛ん。
5　ライン川は、アルプス山脈を源とし、北海に注ぐ。流域にルール工業地帯、河口にユーロポートが建設され、EUの輸送や産業の大動脈である。

Ⅳ－２　気　候

［１８２］正答4
1　気温の年較差や日較差は高緯度地域のほうが大きい。
2　気温の日較差や年較差は、陸地のほうが熱しやすく冷めやすいため、内陸地方で大きく、海岸地方で小さい。
3　貿易風は中緯度高圧帯から赤道低圧帯に向かって吹き、偏西風は中緯度高圧帯から高緯度低圧帯へ向かって吹く風である。
5　降水量は下降気流が盛んな高圧帯で少なく、上昇気流が盛んな低圧帯で多い。最も降水量が多いのは赤道低圧帯付近である。降水量の少ない中緯度高圧帯付近には砂漠が形成される。

［１８３］正答2
ユーラシア大陸の中緯度の西岸（ヨーロッパ）では、暖流（北大西洋海流）とその上を吹く偏西風の影響で、気温の年較差が小さい海洋性気候となり、東岸（日本付近）では、冬は大陸内部から海洋に吹く北西モンスーンにより寒冷、夏は逆に海洋から吹く高温多湿な南東モンスーンの影響で蒸し暑い。

［１８４］正答4
Aは中緯度の大陸西岸で、偏西風の影響で平均した降水量があり、気温の年較差が小さいので、西ヨーロッパなどに分布する西岸海洋性気候である。
Bは砂漠周辺に分布し弱い雨季があり、短草草原となっているので、ステップ気候である。温暖湿潤気候は、日本などの中緯度の大陸東岸に分布する気候で、年中適度な降水量があるが季節風の影響で気温の年較差が大きい気候である。地中海性気候は、西岸海洋性気候の低緯度側に分布する気候で、夏に乾燥し、冬に降水がある。サバナ気候は赤道直下の熱帯雨林気候の周辺に分布し、雨季と乾季が明瞭な気候で、まばらに木が混じる、丈の高い草が生えた草原となっている。

［１８５］正答2
イが西岸海洋性気候、ウが温帯モンスーン気候に関する記述である。温帯モンスーン気候は温暖湿潤気候のことである。エの記述は砂漠の周辺部に分布するステップ気候である。ツンドラ気候は、おもに北極海に面した大陸周辺部に分布する気候で、夏にも月平均気温が10℃を超えることなく、森林が生育しない。夏の数週間だけ氷雪がとけ、地衣類や蘚苔類が生育する。ここではトナカイの遊牧が行われている。

［１８６］正答1
A　年中高温（18℃以上）で多雨（どの月も60mm以上）であるので、熱帯雨林気候。したがって、シンガポールである。
B　最寒月平均気温が－3℃未満なので、冷帯気候である。したがって、ロシアの首都モスクワ。
C　最寒月平均気温が－3℃以上で温暖であり、夏に雨が少ないので（冬の降水量の1/3未満）地中海性気候である。したがって、イタリアの首都ローマ。
D　最寒月平均気温が－3℃以上、最暖月平均気温が22℃未満で気温の年較差が小さく、降水も平均しているので西岸海洋性気候である。したがって、イギリスの首都ロンドン。

［１８７］正答5
アは熱帯とくにサバナ気候の地域に分布する

ラトソル。イは冷帯気候の地域に分布するポドゾル。ウはステップ気候の地域に分布する黒色土。地図中のAはウクライナのステップ気候地域。Bは砂漠気候。Cはツンドラ気候。Dは冷帯気候。Eはサバナ気候。したがって、ア＝E、イ＝D、ウ＝Aとなる。

Ⅳ－３　農　業

[１８８] 正答３

1　地中海の気候は、夏高温乾燥、冬は温暖湿潤である。よって、夏に乾燥に強いオリーブなどの果樹を栽培し、冬に小麦を栽培する。

2　プランテーション農業は、企業的農業であり大量に生産するために単一栽培（モノカルチャー）となる。近年では、モノカルチャーからの脱却、多角化が図られている。

4　企業的穀物農業は、機械化が進んだ粗放的農業であり労働者一人当たり生産高は高く労働生産性は高い。また、アメリカ合衆国ではプレーリー地域の春小麦地帯、冬小麦地帯が企業的穀物農業地域であり、五大湖周辺は酪農地帯である。

5　酪農は、消費地に近いが小麦などの穀物栽培に適さない冷涼でやせた土地で行われる。

[１８９] 正答５

1　園芸農業に関する記述である。近年では輸送技術の発展により、輸送園芸農業も増加している。

2　二毛作に関する記述である。

3　アメリカ合衆国などでで行われているセンターピボット農法に関する記述である。主な生産物は小麦である。

4　オアシス農業に関する記述である。イランの地下用水路をカナート、北アフリカはフォガラと呼ばれる。

[１９０] 正答３

A　正しい。一般に新大陸（南北アメリカやオーストラリア）の農業は大規模機械化農業で粗放的経営であるため、土地生産性（単位面積あたりの生産高）は低いが、アメリカ合衆国は品種改良などによりトウモロコシの土地生産性が高いため、土地生産性は高い。

B　誤り。西ヨーロッパ最大の農業国はフランスであり、商業的混合農業が主である。また、ヨーロッパでは茶の生産は行われず、オリーブは地中海沿岸のイタリア、スペインなどでの栽培がさかんである。イギリスでは酪農や牧羊が主に行われている。

C　誤り。中国では年降水量1000mm未満の東北地方や華北地方でアジア式畑作農業により小麦が生産されており、世界一の生産量である。また、世界最大の米輸出国はタイである。1970年代末から集団農業に代わり、生産責任制を導入したことにより、生産性が向上した。

D　正しい。乾燥地域では水分の蒸発を防ぐため地下水により灌漑する。イランではカナート、北アメリカではフォガラと呼ばれる。

[１９１] 正答４

A　EU最大の農業国といえばフランス。

B　干拓地（ポルダー）があり、酪農と園芸農業といえばオランダ。

C　地域差が大きく北部で混合農業、南部で地中海式農業といえばイタリア。

地図は①アイルランド、②フランス、③オランダ、④スウェーデン、⑤スイス、⑥イタリアである。ヨーロッパ、東南アジア、南アメリカなどは地図を伴った出題があるので、これらの地域の主要国の位置は確認しておくことが重要である。

[１９２] 正答５

アメリカ合衆国の農業地域は、ほぼ国土の中央にはしる年降水量500mmの等降水量線で大きく区分される。その東側が降水量が多く農耕地帯で図中AやBがこれに該当する。Aの地域はコーンベルトとよばれ、とうもろこし・大豆の栽培がさかんであり、Bはコットンベルトとよばれ、綿花の栽培地域である。C・Dは年降水量500mm前後の地域で、小麦を中心とする企業的穀物農業地域である。北のC地域は春に種をまいて初秋に収穫する春小麦地帯、中央部のDは秋に種をまき、初夏に収穫する冬小麦地帯である。Eは地中海性気候の地域で、気候に適するぶどうなどの果樹栽培がさかんである。

［193］正答3
1　単位面積当たりの収穫量は米の方が多く、生産量世界一は中国であり、輸出量世界一はタイである。
2　春小麦は、カナダ南部からアメリカ合衆国北部にかけて生産されている。
4　アメリカ合衆国は、大豆生産量・輸出量ともに世界一であるが、輸入量は中国が1位である。
5　茶の生産上位国は、中国・インド・ケニア・スリランカ・ベトナムである。

［194］正答3
① カカオ豆である。コートジボワールやガーナなどのギニア湾岸で生産が多い。
② コーヒー豆である。2位のベトナムがポイントである。
③ 茶である。上位にアジア諸国が入っていることや、ケニアが3位ということもポイント。
④ 天然ゴムである。上位に東南アジア諸国が入っていることから判断する。
⑤ バナナである。上位にフィリピンが入っていないので選ぶのが難しいが、5位のエクアドルに注目しよう。

［195］正答5
ア　世界最大の漁場は日本近海のCである。魚種が豊富で、日本や韓国など水産物消費量の多い大消費地をひかえている。
イ　ドッガーバンクやグレートフィッシャーバンクなどが発達するのは北海であるのでBとなる。北海近海では古くからたらやひらめのトロール漁業がさかんである。
ウ　かつお・まぐろの好漁場となっているのは中部太平洋のDである。
エ　アンチョビーの漁獲が多いのはペルー沖のAである。乱獲やペルー海流の海水温が上がるエルニーニョ現象により1970年代の前半漁獲量が激減したが、近年は漁獲量は回復している。

［196］正答1
水産業の分野においては、漁業生産量は現在中国が最大であること、ペルーは寒流のペルー海流にのってやってくるアンチョビの漁獲が多いが、ペルー海流の海水温が上昇するエルニーニョ現象が発生すると漁獲量が減少することは知っておくことが重要である。日本はかつては遠洋漁業、沖合漁業がさかんで世界一の漁業生産量であったが、各国が200海里の排他的経済水域を設定したことなどにより遠洋漁業が、最も漁獲量の多いイワシの乱獲などにより沖合漁業が衰退し、漁業生産量が減少して、水産物の輸入が多くなった。

Ⅳ－4　エネルギー資源・鉱工業

［197］正答5
1　石炭は、1950年代までは世界エネルギー総消費量の約6割を占めていたが、1960年代のエネルギー革命により石油の消費量が伸びたことにより、現在では総消費量の3割弱となっている。また、石炭の埋蔵量は石油などに比べて多く、地域的な偏りも少ない。
2　鉄鉱石は、主に最も古い時代に形成された安定陸塊に分布しており、中国、オーストラリア、ブラジル、インドなどが主な産出国である。
3　レアメタルとは、クロム、ニッケル、チタンなどの金や銀などよりも希少な金属をいう。
4　ウランは天然に存在し、主な産出国はオーストラリア、カザフスタン、ロシアなどである。

［198］正答5
選択肢の国のなかで、フランスやドイツは日本と同様に国内で原油がほとんどとれず、自給率が低い国である。まず、原油の自給率の低いCを考える。Cの選択肢は英国（イギリス）かドイツであるが、イギリスは北海油田をもつ産

油国で原油の自給率は高いのでCはドイツとなる。選択肢は2か5に絞れるが、Bは自給率が高いので、フランス、ロシアのうち、Bはロシアとなる。ロシアは生産1位、輸出が2位である

[199] 正答4

資源の生産量・埋蔵量については、生産上位国のうち、特徴的な国を覚えておこう。Aは中国が1位で、インド・インドネシアがあるので石炭である。Bはカザフスタンが1位なのでウランである。Cは生産量1位がロシア、3位にサウジアラビア、埋蔵量1位にベネズエラがあるので原油である。Dはアメリカ合衆国が1位、ロシアが2位なので天然ガスである。

[200] 正答1

日本はアメリカ合衆国、中国についで発電量が多い国である。フランスは原子力発電の割合が高い国でその割合は70%を超えている。したがって、Aが日本、Cがフランスである。カナダやブラジルは水力発電の割合が高いが、なかでもブラジルは水力発電の割合が65%を超えるのでDがブラジル、Bがカナダとなる。

[201] 正答2

1　鉄鉱石の生産が多いのは、オーストラリアやブラジルである。
3　銀は、主要生産国にメキシコが入っていることを覚えておこう。
4　ボーキサイトの主な産出国は、本問の通りだが、アルミニウム生産量は中国・ロシア・インドである。
5　レアメタルの生産は、中国、アフリカ諸国、ロシア、南北アメリカ諸国で多い。

Ⅳ－5　人口・貿易

[202] 正答5

1　出生率－死亡率＝自然増加であり、人口移動に伴う増減を社会増加という。
2　現在（2019年）における世界の人口は約77億である。
3　エクメーネが居住地域であり、アネクメーネが非居住地域である。アネクメーネは、永続的に居住することが難しい地域で、南極や砂漠地域が例としてあげられる。
4　大陸別人口はアジアが60%で、次いでアフリカが17%である。

[203] 正答1

2　世界の人口は、2000年には、61億人、2012年には70億人に達している。発展途上国地域では人口が増加していることにより、2050年には93億人に達すると予測されている。
3　人口増加率が高い地域はアフリカであり、低い地域は東アジアやヨーロッパである。
4　19世紀から20世紀前半にかけての人口構成は多産多死型が一般的であったが、第二次世界大戦後、多産少死型に転換し、先進国では少産少死型に転換した。
5　一人っ子政策が実施されていたのは中国である。

[204] 正答1

戦前の日本は綿花や羊毛、石油などを輸入し、それを加工して綿織物、化繊織物をはじめとする繊維品を輸出する典型的な加工貿易の国であった。しかし、近年はアジア地域の工業化の進展、わが国の企業の海外生産などにより機械類や衣類の輸入の比率が高くなっている。以上からAが綿花、Bが石油、Cが衣類の1が正答となる。

[205] 正答2

1　いずれも輸入依存度は98～100%である。
3　最大の輸出品は機械類である。船舶の生産量は中国に次いで2位である。
4　食料品のうち最も輸入額が大きいのは魚介類である。
5　アメリカやEUに対しては輸出額が、カナダやオーストラリアに対しては輸入額の方が多い。

［２０６］正答１

日本の最大の貿易相手国は中国であり、次いでアメリカ合衆国・韓国と続く。Ｄについて、日本はサウジアラビアとイランからともに石油を輸入しているが、日本の輸入先１位はサウジアラビアなので、Ｄはサウジアラビア。輸出額は、主にアジア圏が多く、輸入額は資源を輸入に依存しているため、資源大国が多い。

Ⅳ－６　世界の諸地域

［２０７］正答５

1　「一人っ子政策」と経済特別区の設置という記述から中国である。ヴェトナムはドイモイ政策という経済開放政策をとっている。

2　世界第２位の人口をもつことからインドである。バングラデシュは世界第８位の人口をもち、人口密度が高い国として知られている。国土のほとんどがガンジス川デルタで、稲作とジュートの栽培がさかんである。

3　英語を公用語とし、中継貿易港から新興工業地域として発展したのはシンガポールである。タイは仏教徒が多数を占める国で、米の最大の輸出国である。近年は外国資本を導入し自動車・電気機械などの工業も発達している。

4　タガログ語のほか、英語、スペイン語も通じ、キリスト教徒が多数を占めるのはフィリピンである。インドネシアは世界第４位の人口をもつ国で、イスラム教徒が大部分を占める。原油のほか天然ガスやすず鉱、ボーキサイトなどの産出も多い。

［２０８］正答３

1　フィリピンの宗教人口は、キリスト教（カトリック）が多く占め、南部にはイスラーム教徒が少数いる。ブミプトラ政策はマレーシアの政策である。

2　アンコール＝ワットはカンボジアにある世界遺産である。また、メコン川の下流はカンボジアやベトナムに位置する。

3　正しい。スリランカはシンハリ人（仏教徒）とタミル人（ヒンドゥー教徒）の対立がおきている。

4　パキスタンは、インドの北西部に位置し、イスラム教徒が大半を占める。また、インドのデカン高原は綿花栽培が盛んな地域である。

5　イラクは、カスピ海に面しておらず、ナイル川はアフリカ東部を流れる大河である。国民の過半数以上はイスラーム教シーア派である。

［２０９］正答４

1　デンマークは、ドイツの北にあるユーラン半島に位置し、西岸海洋性気候に属する。

2　ドイツは、歴史的背景からプロテスタントが多く占める。また、ルール地方はドイツ内陸部に位置し、ポーランドとの国境には位置していない。

3　イタリアは、北部にアルプス山脈、中央部にアペニン山脈がそびえ、工業では南北格差が見られ、北部は北の三角地帯があるのに対し、南部は衰退している。

5　ギリシアは、地中海性気候に属しているため、夏に乾燥し、冬に降雨が見られる。よって、オリーブやぶどうなどの栽培が盛んである。

［２１０］正答３

Ａは、輸出品の１位が自動車なのでドイツを選択したくなるが、沿岸部での果樹栽培が行われていることから、地中海式農業が盛んな国であることが分かるため、ドイツではなくスペインと判断する。Ｂは、輸出品に原油や天然ガスが上位なので、北海油田があるノルウェーである。Ｃは、文章中に原子力発電が多い旨の記述があるので、フランスと判断する。

［２１１］正答５

1　アメリカ合衆国の太平洋側にロッキー山脈がそびえ、大西洋側にアパラチア山脈がそびえる。よって、ロッキー山脈→グレートプレーンズ→プレーリー→ミシシッピ川→アパラチア山脈である。

2　西経100度が降水量500mmの境である。

東側が湿潤地域で、西側が乾燥地域である。
3　ワシントンD.C.は州に属さない都市である。
4　カナダの公用語は、英語とフランス語である。フランス系の人々は、ケベック州に多く居住し、独立運動を展開している。

[212] 正答2
Aは、「世界最大の流域面積の川」(アマゾン川)や、「公用語はポルトガル語」から、ブラジルであることが分かる。Bは、「国土は南北に細長く」と「銅の生産量は世界有数」からチリであることが分かる。Dは、「ラプラタ川流域の平原」(パンパ)などから、アルゼンチンであることが分かる。これら公務員試験に頻出の3か国をしっかりと見抜くことができれば、正答を導き出すことができる。なお、Cのコロンビアは頻出国ではないが、「首都ボゴタ」から見抜くことができる。

[213] 正答2
1　オーストラリアは、東部のグレートディヴァイディング山脈は古期造山帯を除き、安定陸塊が多く占めるため、標高も低い。
3　農業は、降水量500m前後のマリーダーリング盆地で小麦を栽培しており、有数の輸出国である。
4　国土の約60%が乾燥帯であり内陸部に分布している。また、南東部にシドニーやメルボルンの大都市があり、温暖湿潤気候に属している。
5　オーストラリアは、アジア系移民を制限する白豪主義を実施していたが、1970年代に入るとその政策は廃止された。

[214] 正答3
輸出品目はその国の産業をよく反映しているため、産業の特徴とともに貿易表にも目を通しておこう。Aは石炭やパーム油が多いのでインドネシアである。Bは自動車や船舶が多いので韓国である。Dは鉄鉱石や石炭が多いのでオーストラリアである。

[215] 正答3
1　サンベルトではシリコンコーストなどのエレクトロニクス産業やヒューストンなどの石油化学工業がさかんであるが、鉄鋼業(中部大西洋岸)や自動車工業(五大湖周辺)などは北部のフロストベルトが中心である。
2　経済特区は外国資本を誘致するために、税制の優遇などを行っている地域である。したがって、ここでは国営企業でなく外国企業や合弁企業が中心である。
3　ルール工業地帯は西ヨーロッパ最大の工業地域であり、ミュンヘンを中心とする南部のバイエルン地方では先端技術産業もさかんである。
4　石油化学コンビナートなどは資本集約的工業であるため先進国が中心であり、インドネシアで石油化学などの重化学工業地帯はまだ立地していない。
5　ロシアでは資本主義経済への移行がスムーズに進まず、経済は混乱状態にあるため、工業製品の輸出はすすんでいない。

[216] 正答4
1　インドの首都はデリー。
2　カナダの首都はオタワ。
3　アメリカの首都はワシントンであるが、ワシントンはワシントン州の州都ではなく、連邦直轄地のコロンビア特別区と同一地域であるため、ワシントンD.C.とよばれる。
5　ブラジルのかつての首都はリオデジャネイロであったが、内陸部の開発を進めるため、ブラジル高原に計画首都のブラジリアを建設した。

[217] 正答1
2　アイルランドではカトリックが大多数を占める。
3　アルゼンチンでは人口の約90%を白人が占めている。
4　マレーシアでは人口の約60%をマレー系、30%を中国系、10%弱がインド系である。
5　イギリスから独立の際に、イスラム教徒が多い地域はパキスタン、ヒンドゥー教徒が多い地域はインド、仏教徒が多い地域はセイロン（現在のスリランカ）として独立した。バングラデシュはイスラム教徒の多い地域でイギリスからの独立時にはパキスタンの一部であったが、1971年に分離独立した。

［218］正答4

Aは人口約2.5億の島国インドネシア。Bはフィヨルドと漁業で名高いノルウェー。北海油田によるヨーロッパ最大の産油国でもある。Cは北アメリカの北半分を占め、英語とフランス語を公用語とするカナダ、Dは温帯草原パンパが広がり、小麦などの栽培や牧羊・牧牛がさかんなアルゼンチンである。

下記のサイトに、追補、情報の更新および訂正を掲載しております。
http://koumuin.info/book/shusei.html

いいずな書店